BESTSELLER

Francisco X. Stork nació en 1953 en Monterrey, México. Cuando tenía siete años recibió su primer incentivo para iniciar la carrera de escritor: una máquina de escribir que le regaló su padrastro, Charles Stork. A los nueve años, su familia se trasladó a Estados Unidos, donde se estableció. Se ha licenciado en Literatura Latinoamericana por la Universidad de Harvard y en Derecho por la Columbia Law School. Actualmente vive en Boston, donde trabaja como abogado y escritor.

www.franciscostork.com

FRANCISCO X. STORK

Marcelo en el mundo real

Traducción de
Matuca Fernández de Villavicencio

DEBOLS!LLO

Título original: *Marcelo in the Real World*

Segunda edición en Debolsillo: diciembre, 2010

© 2009, Francisco X. Stork
   Publicado por acuerdo con Scholastic Inc., 557 Broadway,
   Nueva York, NY 10012, Estados Unidos
© 2009, Random House Mondadori, S. A.
   Travessera de Gràcia, 47-49. 08021 Barcelona
© 2009, Matuca Fernández de Villavicencio, por la traducción

Libro negociado a través de Ute Körner Literary Agent, S.L.,
Barcelona - www.uklitag.com

Printed in Spain – Impreso en España

ISBN: 978-84-9908-375-9
Depósito legal: B-45773-2010

Compuesto en Revertext, S. L.

Impreso en Liberdúplex, S. L. U.
Sant Llorenç d'Hortons (Barcelona)

P 883759

Para Ruth, mi madre

1

Marcelo, ¿estás listo?

Levanto el pulgar. Significa que estoy listo.

—Muy bien, voy a meterte.

Me desliza hasta el interior del túnel. Me gusta la sensación de estar encerrado. La luz no es lo bastante fuerte como para dañarme los ojos, pero los cierro de todos modos.

—No olvides levantar el dedo cuando empieces a oír la música mental. —El túnel tiene un altavoz. La voz del doctor Malone sale de ahí.

Espero la música. Siempre llega. La parte difícil es acordarme de levantar el dedo. Hay una cámara diminuta que permite al doctor Malone y a Toby verme desde la cabina de control que hay arriba.

—Marcelo, Marcelo. —Oigo la voz de Toby a lo lejos.

Toby me gusta. Es doctor en medicina, como el doctor Malone, pero no me deja que le llame doctor. Un día que le llamé doctor me corrigió y dijo: «Toby, por favor». Tiene la cara cubierta de pecas.

—¿Listo para eso que llaman real? —me pregunta mientras me saca del túnel.

—Sí —le digo. Toby llama «real» a la música que filtran en la máquina a través del altavoz. La música que suena dentro de mi cabeza no se considera real.

Toby sostiene en la mano una hoja con una lista de diferentes tipos de música real.

—¿Qué te parece si esta vez eliges algo de este lado?

—Vale —digo.

La música del otro lado de la hoja contiene canciones de rock. Es la música favorita de Toby. No reconozco ninguna de las canciones ni los compositores. Finalmente escojo la canción de un compositor llamado Santana porque el nombre me recuerda a Sandoval, mi apellido. Además, me gusta el título de la canción: «The Calling».

—Una delicia —dice Toby. Su sonrisa me indica que he elegido bien—. Santana y Clapton juntos. Una delicia.

«Una delicia», me digo. Anoto mentalmente esa expresión para utilizarla la próxima vez que me guste algo.

Toby regresa al rato con la lista. Tiene la frente arrugada.

—Tienes que escoger algo de este lado. El viejo opina que el rock estimularía en exceso tu materia gris. —Toby pone los ojos en blanco mientras se vuelve para mirar al doctor Malone, que está en la cabina jugueteando con los mandos. No comprendo el significado exacto de la expresión facial de Toby.

Enseguida escojo el «Largo» del *Concierto para piano número 3* de Beethoven. Me gusta su melodía sencilla. Además, sé que solo dura diez minutos.

Toby me introduce de nuevo en el túnel.

—¿Cómo es la música mental? —pregunta el doctor Malone cuando he salido del túnel.

Dejo de acordonarme las zapatillas deportivas para poder reflexionar sobre la pregunta. Pero es imposible expresar con palabras cómo es la música interna. (Cuando hablo de música, prefiero la palabra «interna» a la palabra «mental». El hecho de que la MI, como la llamo para abreviar, esté dentro de mi mente no significa necesariamente que la produzca mi mente.) ¿Cómo es la MI? ¿Cuántas veces me ha hecho el doctor Malone esa pregunta y cuántas veces he sido incapaz de contestarla?

—Una delicia —digo—. Es una delicia. —Busco a Toby con la mirada pero está arriba, en la cabina de control.

—¿Te refieres a que suena agradable? ¿Los sonidos son agradables al oído?

—La música no se oye con los oídos. —Me doy cuenta de que «una delicia» no era la expresión adecuada. La música es agradable, desde luego, pero es mucho más que eso.

—Si no se oye, ¿entonces qué?

¿Cómo describirlo? Es como escuchar música muy alta con auriculares. Solo que la música parece venir del interior del cerebro. En realidad es una sensación fantástica.

—Simplemente está ahí —digo al doctor Malone. Entonces me asalta una imagen—. Es como una gran sandía.

—¿Cómo dices? —Una de las razones de que me guste trabajar con el doctor Malone es lo fácil que me resulta comprender sus expresiones faciales. La que acaba de hacer, por ejemplo, es un caso obvio de «desconcierto».

Amplío la imagen que me ha venido a la mente. Es la primera vez que hago esta conexión, por lo que no sé muy bien adónde me llevará.

—Cuando la música interna está ahí, Marcelo es una de las pepitas. La música es el resto de la sandía.

El doctor Malone frunce el ceño. Bueno, en realidad es un medio ceño con una media sonrisa, como si estuviera haciendo un esfuerzo por mantener la seriedad.

—¿Sabes que ahora mismo acabas de hacer hincapié exactamente en la palabra justa? Eso está bien. Hace un año no habrías podido hacer eso. Paterson te ha hecho bien.

Paterson. Miro mi reloj. Aurora me llevará en coche a Paterson después de la sesión con el doctor Malone para ver el potrillo que nació anoche. Harry (así llamamos al señor Killhearn, el director de las cuadras de Paterson) telefoneó esta mañana y le dijo a Aurora que el potrillo había nacido a las tres menos veinticinco de la madrugada. Supliqué a Aurora que me llevara hoy, a pesar de que le tocaba trabajar todo el día en el hospital. Podría haber esperado dos días, hasta el lunes, que es cuando comienzo mi trabajo de verano cuidando los ponis, pero estoy impaciente. Había confiado en poder estar presente cuando el potrillo naciera, y las horas del día de hoy se me están haciendo largas como una semana.

Solo me queda media hora con el doctor Malone, me digo. Esta vez debo asegurarme de que la sesión no se alargue más de lo planeado, como ocurre a veces.

El doctor Malone está hablando de nuevo.

—Pero volvamos a la música. ¿Cuál es el contenido de la música mental? ¿Suena como la música corriente? ¿Tiene una melodía?

—Sí y no —digo. Detesto ser tan impreciso. La imprecisión, en este caso, es a lo más cerca que puedo llegar.

—Yaaa. —El doctor Malone sonríe—. ¿Qué parte es como la música corriente?

Cierro los ojos e imagino un chelo grande como el planeta Tierra y un arco largo como la Vía Láctea. El arco se desliza unas veces despacio y otras deprisa por las cuerdas del chelo.

Oigo al doctor Malone a lo lejos.

—La música tiene melodía, ritmo, compás. ¿Tiene alguno de esos componentes la música mental?

Estoy pensando en mi trabajo de este verano y que podré estar con los ponis todo el día. Me concentro de nuevo en el doctor Malone y sus preguntas. Me pagan por esto, me digo. He de poner todo de mi parte durante el proceso. Además, el doctor Malone me cae bien, y también Toby.

—No exactamente.

—¿Puedes tararearla?

—No.

—Entonces no es música.

—Son los sentimientos de la música sin el sonido. —Eso.

Eso es todo lo preciso que puedo ser dentro del tipo de lenguaje que está buscando el doctor Malone.

—¿Qué clase de sentimientos?

Ignoro qué nombre poner a esos sentimientos. A veces la música es animada y rápida, así que la llamo «alegre». A veces es lenta y grave, así que la llamo «triste». Las más de las veces es solo increíblemente tranquila. Una delicia. Me gusta esa expresión.

—¡Marcelo, vuelve aquí! Casi hemos terminado. ¿Están siempre ahí, esos sentimientos de música sin sonido?

—Sí, cuando los busco. Cuando Marcelo los busca, siempre están.

—¿Cuando Marcelo los busca dónde?

—Aquí. —Me toco la parte de atrás de la cabeza, justo por encima de la nuca.

—¿Alguna vez vienen los sonidos cuando no quieres que vengan o se quedan cuando no quieres que se queden?

Lo medito. Lo cierto es que el tirón de la música está siempre ahí. Como hace un rato, cuando estaba intentado describirla al doctor Malone y quería sumergirme de nuevo en ella. Y también me cuesta salir cuando estoy ahí. Pero eso no se lo digo al doctor Malone. No sé si sabría encontrar las palabras justas para describir esos pensamientos. En lugar de eso, le digo:

—Si así fuera, significaría que Marcelo está loco, ¿verdad?

El doctor Malone ríe y asiente al mismo tiempo. Siempre está haciendo comprobaciones, dirigiendo su investigación pero vigilando al mismo tiempo mi salud mental. Pese a sus preguntas imposibles de contestar y su ridículo sentido del humor, no me importa venir a verle. Llevo haciéndolo una vez cada seis meses desde que tenía cinco años, lo que significa, si ahora tengo diecisiete, que he visto al doctor Malone veinticinco veces. Las visitas duran tres horas y cumplen tres funciones. En primer lugar, el doctor Malone comprueba si mi cerebro está físicamente bien. En segundo lugar, reúne información que ayuda a otras personas que necesitan realmente ayuda. En tercer lugar, desde el año pasado, me pagan trescientos dólares por visita de acuerdo con lo estipulado en una beca que recibió el doctor Malone.

Echa a andar hacia la cabina de control y le sigo.

—¡Es increíble! —dice después de observar dos pantallas de ordenador—. Ven aquí, quiero enseñarte algo.

Me acerco hasta el lugar donde están el doctor Malone y Toby. El doctor Malone dice:

—Esta es una imagen de tu cerebro mientras escuchabas la música real y este es tu cerebro cuando escuchabas, o recordabas según tú, la música mental. ¿Lo ves?

Veo dos imágenes de mi cerebro. Las dos tienen manchas rojas y azules en lugares diferentes.

—Cuando escuchas la música real se activan ambos lados del lóbulo temporal. —El doctor Malone señala, en una de las imágenes, un manchurrón rojo en la parte frontal de mi cerebro—. Pero aquí, cuando escuchas la música mental, algo sucede en el hipotálamo, la parte más antigua del cerebro humano. Ya sabes, la parte que impulsaba a nuestros antepasados cavernícolas a luchar o huir.

—Todo el sistema límbico estalla como si fueran fuegos artificiales aquí —dice Toby, señalando la imagen de mi cerebro que escuchaba la MI.

El doctor Malone me mira fijamente.

—Es evidente que estás completamente absorto con algo pero no estás pensando. —Se vuelve hacia Toby y dice—: Toby, busca aquellas pruebas que hicieron con los gatos, ya sabes, cuando los escanearon mientras alguien balanceaba un cordel delante de ellos. Creo que también en esos casos el hipotálamo se veía afectado.

No puedo evitar sonreír para mis adentros. Me gusta saber que mi cerebro es como el de un gato. Me recuerda a algo que mi tío Héctor me dijo una vez, cuando me estaba enseñando a levantar pesas. Me dijo que me concentrara en los músculos que estaba empleando como un león observa a un intruso que se acerca a su guarida.

Aurora me está esperando en la recepción. Paso por su lado sin detenerme con la esperanza de que no invierta tiempo en preguntar al doctor Malone sobre la sesión, como hace normalmente. Quiero llegar a Paterson lo antes posible. Harry no es un hombre paciente. Me prometió el trabajo de verano como mozo de cuadra al ver lo bien que se me daban los ponis cuando trabajaba con ellos después de clase. Pero había otros chicos en Paterson que querían el empleo porque es un trabajo de verano genial, realmente genial, y me inquieta no ser puntual.

Pero mi estrategia no funciona. Aurora espera al doctor Malone, que me sigue de cerca.

—¿Y bien? —dice Aurora, mirando al doctor Malone—. ¿Ha encontrado algo ahí dentro?

—Vacío, un completo vacío. —El doctor Malone alarga un brazo para acariciarme la coronilla pero se contiene, como si acabara de descubrir que ahora soy más alto que él.

—Su padre quiere enviarlo a un instituto corriente el año que viene —le dice Aurora.

Me acerco a ellos.

—Ni hablar —digo al instante.

—Ya conozco su opinión, caballero —me dice Aurora—. Ahora me gustaría conocer la opinión del doctor.

Veo al doctor Malone titubear. Sabe qué pienso de la idea de abandonar Paterson y asistir a un colegio corriente.

—Es indudable que está preparado. Podría haber ido a un colegio corriente desde el jardín de infancia. Naturalmente que puede hacerlo. —Luego me mira y dice—: Lo siento, colega.

Clavo los ojos en un punto del suelo mientras lucho por encontrar las palabras para explicar por qué no sería bueno para mí ir a un colegio corriente. Entonces oigo a Aurora decir, a modo de consuelo:

—Eso no significa que vayas a ir. Que estés preparado no significa que vayamos a enviarte. Primero hemos de hablarlo.

—Tengo diecisiete años —espeto.

—¿Y? —pregunta Aurora.

—Debería decidirlo Marcelo. —Hago acopio de valor y levanto los ojos para mirar primero a Aurora y luego al doctor Malone—. Deberíais permitirme terminar mi último año de instituto en Paterson, donde he estado siempre.

—Estooo… creo que me mantendré al margen de este asunto —dice el doctor Malone.

—¿Tiene Marcelo la misma edad de desarrollo que los demás chicos de diecisiete años? —Estoy mirando al doctor Malone.

El doctor Malone asiente. Eso significa que comprende el sentido de mi pregunta.

—¿Edad de desarrollo? ¿Qué significa eso? Cada persona es diferente. En algunos aspectos estás cincuenta años por delante de otros chicos de tu edad.

Aurora sonríe.

Al doctor Malone no le gusta dar respuestas fáciles a preguntas complejas simplemente para tranquilizar a la gente. Lo que yo quiero que diga es que, siendo como soy, estoy mejor en un lugar como Paterson.

—Puede que le convenga experimentar algo diferente —dice Aurora.

—Ya sabe lo que opino de eso —replica el doctor Malone—. Yo no creo en el sufrimiento. Si un niño se siente feliz, comprendido y valorado, florecerá a su propio ritmo. Paterson ha sido muy positivo para Marcelo. Solo tiene que ver los resultados.

«¡Síii! Gracias, doctor Malone», me digo.

—Hum. —El ruidito sale de la boca de Aurora.

—¿Qué significa «hum»? —pregunto primero a Aurora y luego al doctor Malone.

El doctor Malone decide responder.

—Se lo has preguntado a la persona idónea. Nosotros, los médicos, lo sabemos todo sobre los «hum». Creo que en este caso, el «hum» de tu madre significa que piensa que hay algunas cosas que aún necesitas aprender y que tal vez, si dependiera de ti, elegirías no aprenderlas. ¿Me he explicado bien?

—Sí —responde Aurora.

—Hum. —Esta vez el ruidito sale de mi boca. No es mi intención ser gracioso.

2

Camino de Paterson pienso en los nueve ponis haflinger que cuidaré durante el verano. Los conozco a todos por su nombre, su edad y, en algunos casos, su fecha de nacimiento. Sé cuánto debo entrenarlos, cuánto alimentarlos, cuándo darles de beber. Sé por dónde les gusta más que les pase el cepillo. Como mozo de cuadra, me encargaré de su mantenimiento, lo que incluye tener la cuadra como a Harry le gusta, es decir, impecable. Siempre hay estudiantes potenciales que vienen con sus padres para ver los ponis, y Harry quiere asegurarse de que las cuadras y los ponis estén perfectos. Yo soy perfeccionista por naturaleza y, por tanto, la persona idónea para el trabajo.

Pero no solo me ocuparé del mantenimiento físico. Como mozo de cuadra, estaré a cargo del bienestar de los ponis. Yo decidiré cuándo un poni debe comer, beber y descansar. Los instructores y terapeutas me preguntarán qué poni le convendría más a un chico con una discapacidad concreta. En realidad todos los ponis están adiestrados para sentirse cómodos entre chicos con todo tipo de discapacidades. Chicos con problemas de vista u oído, chicos con autismo, parálisis cerebral, esclerosis múltiple, espina bífida, síndrome de Down, déficit de atención; no importa, los ponis siempre están tranquilos y serenos. El truco, como me señaló Harry, no está en elegir el poni que más cómodo se sentirá con el chico, sino el poni con el que el chico se sentirá más a gusto. Harry cree que tengo un talento especial para eso.

—Estás deseando empezar a trabajar como mozo de cuadra, ¿verdad? —oigo que me pregunta Aurora.

No es propio de Aurora hacerme preguntas innecesarias. Claro que estoy deseando empezar ese trabajo, como también estoy deseando empezar mi último año en Paterson. El trabajo de mozo de cuadra se alargará hasta el año que viene, con la diferencia de que el año que viene no solo me ocuparé del mantenimiento de los ponis y las cuadras, sino de su adiestramiento. Fritzy podrá empezar a entrenar a principios de otoño. Es un proceso increíble: coger a los ponis y acostumbrarlos a todo lo que un chico discapacitado es capaz de hacer. Si están bien adiestrados, ningún ruido, molestia o incluso dolor les llevaría a hacer daño a un chico.

Por eso la posibilidad de estudiar en el instituto Oak Ridge High me inquieta tanto. No puedo permitir que eso ocurra. Hay que convencer a Arturo de que el mejor medio para que yo pueda ser como los demás es continuar en Paterson, donde puedo aprender a mi ritmo, donde estoy aprendiendo a tomar decisiones y a hacerme responsable e independiente, todas las cosas que él quiere que sea.

—Aurora conoce la respuesta a esa pregunta. ¿Por qué la hace? —Es probable que mis palabras suenen bruscas, pero con Aurora me siento cómodo y puedo hablar con naturalidad.

—Solo porque… —Hace una pausa. Una pausa en medio de una frase, he aprendido en mi clase de Interacciones Sociales de Paterson, puede significar que la persona que habla está a punto de decir algo que podría herir los sentimientos de la persona que escucha. Noto un chirrido en el pecho, una nota discordante, como cuando la cuerda de una guitarra se rompe en medio de una canción.

—Arturo. —Es mi intención construir una pregunta, pero no soy capaz.

Aurora no responde. No insisto. Estamos entrando en los terrenos de Paterson y siempre trato de no hablar cuando entramos en Paterson. Vengo aquí desde primer grado y todavía experimento la sensación de que este, finalmente, es un lugar donde no tengo que apurarme.

A la izquierda, cuando te adentras en el largo camino, hay varios edificios de ladrillo de una planta que se tocan entre sí como un crucigrama a medio terminar. Unas aceras conectan los edificios y ya de lejos te das cuenta de lo fácil que sería para una persona en silla de ruedas o alguien que no puede ver pasar de un edificio a otro.

A la derecha, cuando entras, hay campos de juego de diferentes formas y tamaños. Grandes robles y olmos rodean estos campos, de manera que en verano puedes caminar por el borde sin abandonar nunca la sombra. Detrás de los campos de juego están las cuadras y las pistas de montar.

Aurora deja el coche en el parking más próximo a las cuadras y bajamos. Jane, una de las terapeutas, está en la pista ovalada paseando a Gambolino y a una niña que no reconozco.

La pista circular grande está vacía. Cuando la temporada de verano empiece dentro de unos días, las pistas se llenarán de instructores, terapeutas, niños y voluntarios. El día comenzará a las ocho y se alargará hasta las seis de la tarde. Diviso a Harry delante del establo, saludándonos con la mano.

—¡Venid, quiero enseñaros algo! —grita.

Echo a correr. Aurora acelera el paso. Ya sé qué es lo que quiere enseñarme, así que paso corriendo por su lado y entro en el establo. En uno de los compartimentos hay un poni recién nacido mamando de la teta de Frieda, su madre.

—Nació ayer en mitad de la noche. Ni siquiera tuve tiempo de llamar al veterinario. Salió con la misma facilidad que el sol por la mañana.

—Es precioso —dice Aurora.

Estoy atónito. He visto ponis haflinger recién nacidos otras veces, pero este es… una delicia. Más delicioso que una delicia.

—Anoche quería telefonearte para que pudieras estar aquí,

pero todo ocurrió muy de repente. A las once vine a ver a Frieda y estaba bien. Aunque respiraba trabajosamente, estaba seguro de que aún faltaba una semana o más para el parto, como había dicho el veterinario. Entonces, a medianoche, oigo unos ladridos. Era Romulus tratando de decirme algo. Y ahí estaba el pequeñajo con medio cuerpo fuera y la cabeza por delante.

Romulus es el pastor alemán que mi tío Héctor regaló a Paterson. Está sentado junto al compartimento de Frieda, custodiando a la criatura. Romulus y yo nos miramos hasta que me hace un guiño con los dos ojos.

—¿Le habéis puesto ya un nombre? —pregunta Aurora.

—Pues claro. Los chicos se lo pusieron en cuanto apareamos a Fred y Frieda. Siguiendo con la costumbre prusiana, se llamará Fritzy. De haber sido chica, le habrían puesto Fredricka.

—Fritzy —digo en voz alta.

—Yo habría preferido algo como Shanny, diminutivo de Shannon.

—Un buen nombre irlandés —dice Aurora.

—Pero los haflinger son originarios de Prusia —señalo—. Los amish los utilizan en Norteamérica.

—Y son caballos tan o más trabajadores que la mayoría. Pueden pasarse el día y parte de la noche arando la tierra. Son ideales para estos chicos, con esos anchos lomos que permiten mantener fácilmente el equilibrio y el centro próximo al suelo.

—¿Puedo sentarme un rato con Frieda? —pregunto.

—Naturalmente —responde rápidamente Harry—. Todavía está un poco delicada. Le hará bien tenerte a su lado.

Abro la puerta del compartimento, entro con sigilo y me siento cerca de donde yace Frieda con las rodillas dobladas. Fritzy está buscando otra teta que succionar. Me siento lo bastante cerca de la cabeza de Frieda para poder acariciarla, pero no la acaricio. No es necesario acariciar a los animales a menos que te lo pidan a través de sus diferentes maneras de comunicarse: acercándose a ti, levantando la cabeza en tu dirección o por la forma en que te miran. Cierro los ojos, cruzo los brazos y respiro el olor a heno y a Fritzy. A lo lejos, oigo a Aurora preguntar a Harry si puede hablar con él unos minutos.

Durante el trayecto a casa presiento que algo desagradable está a punto de ocurrir y mi mente se esfuerza por dar con la causa de ese presentimiento. Aurora pregunta si estoy bien y espera a que responda, pero yo no hago caso de su pregunta y guardo silencio. Aurora no vuelve a preguntar. Sabe que si lo deseo, tarde o temprano hablaré.

Estamos a medio camino de casa y ya he identificado la sensación que me produce este extraño presentimiento. Es como cuando bajas a oscuras por una escalera y no sabes dónde está el último escalón. También he conseguido determinar la causa. Recuerdo a Aurora decir al doctor Malone que Arturo quiere que estudie mi último año en Oak Ridge High. Recuerdo la pausa de Aurora en mitad de la frase cuando estábamos hablando del trabajo en las cuadras. Recuerdo a Aurora preguntar a Harry si puede hablar con él unos minutos. Reparo en muchos detalles de las cosas que suceden y recuerdo casi todo lo que he observado, aunque a veces parezca que no presto atención. Lo difícil es interpretar todos los detalles que se amontonan en mi cerebro. A veces, no obstante, lo consigo. Como ahora. Lo que deduzco de todo lo que he observado es que mis planes para el año que viene están a punto de cambiar.

Casi hemos llegado a casa cuando Aurora dice:

—¿Estás recordando?

«Recordar» es la palabra que Aurora y yo utilizamos para referirnos a esos momentos en que estoy escuchando la MI o recitando mentalmente un pasaje de uno de los muchos libros sagrados que me gusta leer. Cuando era niño y propenso a las rabietas, Aurora me pedía que fuera a un lugar tranquilo y recordara. Escuchar la MI o recitar las Escrituras me calmaba. Ahora soy yo quien elige «recordar», independientemente de si estoy disgustado o no. El hecho de que haya preguntado si estoy recordando probablemente signifique que sabe que algo me preocupa.

Al rato le digo a Aurora:

—Padre se equivoca.

—Hacía mucho que no te oía referirte a tu padre como «padre». ¿En qué se equivoca tu padre?

—En lo de ir a Oak Ridge High el curso que viene. Sé que es eso lo que te resistes a decirme. El lugar de Marcelo está en Paterson. Allí aprenderé a ser independiente como desea Arturo. Es allí donde estoy aprendiendo a funcionar como Arturo quiere que funcione Marcelo.

—Tu padre quiere hablar contigo cuando lleguemos a casa. Muéstrate receptivo a lo que tenga que decirte. Puede que tenga razón.

—Estoy receptivo. He pensado en ello más de lo que imaginas. Pero se equivoca al querer sacar a Marcelo de Paterson.

—Tu padre no estaba de acuerdo con que estudiaras en Paterson y llevas ahí desde primer grado. Se opuso a tus visitas con la rabina Heschel y sin embargo llevas cinco años viéndola cada dos semanas. Tampoco aprobaba tus sesiones con el doctor Malone. Ni que vivieras en la cabaña del árbol. Y pese a sus recelos, te dejó hacer todas esas cosas.

—También se equivocaba en cuanto a lo beneficiosas que eran para Marcelo.

—Lo que intento decirte es que quizá te haya llegado el turno de confiar en sus métodos. Por lo menos, no te cierres en banda. Escúchale con confianza. ¿Confías en tu padre? ¿Confías en que quiere lo mejor para ti?

«Confiar» es una de esas palabras abstractas que me cuesta comprender. En este caso puedo sustituir la palabra «confiar» por la palabra «creer» y parece que funciona. ¿Creo que mi padre quiere lo mejor para mí?

—Sí —digo—. Pero, no obstante, se equivoca.

3

Bajo del coche y me dirijo a la puerta de atrás. Veo a Arturo en el jardín asando filetes en la parrilla. Espero poder entrar en casa sin que me vea. No estoy preparado para la conversación que sé que tendrá lugar y necesito más tiempo para prever sus preguntas y memorizar mis respuestas. Pero Aurora le grita desde la puerta de atrás:

—Perdona el retraso. Había mucho tráfico.

Arturo responde sin darse la vuelta.

—No vi nada cociéndose en la cocina, así que se me ocurrió asar unos filetes.

—Yo prepararé la ensalada —le dice Aurora, y entra en casa.

Me dispongo a entrar yo también cuando Arturo me dice:

—Marcelo, ¿podemos hablar?

Me acerco todo lo despacio que puedo. Arturo está pinchando la carne roja con un tenedor gigante.

—Todavía les falta —dice. Coloca la tapa negra sobre la parrilla y se sienta en una de las sillas de hierro blanco—. Siéntate un momento. —Me acerca una silla—. ¿Qué tal con el doctor Malone?

—Bien. —Continúo de pie. Estoy mirando la aguja roja del termómetro que va incorporado a la parrilla. Está sobrepasando los trescientos grados.

—Marcelo —le oigo decir. Tiene en la mano una copa de vino rojo rubí. Sé que a Arturo no le hacen gracia mis visitas al despacho del doctor Malone. Cree que las pruebas implican que tengo algún problema, algo con lo que no está de acuerdo—. ¿Y qué te ha hecho el buen doctor esta vez?

—Escaneó el cerebro de Marcelo mientras escuchaba música.

—Prueba a decirlo otra vez.

—Me escaneó el cerebro mientras escuchaba música. —Me recuerdo que no debo hablar de mí en tercera persona. También debo acordarme de no llamarle Arturo.

—Gracias. ¿En serio? ¿Música real o esa música que solo oyes tú?

He aprendido que a Arturo le pone nervioso hablar de la MI. Intento cambiar de tema.

—Después de la visita al doctor Malone fuimos a ver el poni que acaba de nacer en Paterson.

—Eso es genial, pero no has contestado a mi pregunta.

Con Arturo nunca es posible cambiar de tema.

—Música real —respondo. No miento. La MI es tan real como cualquier otra.

—¿Cuánto tiempo durarán esas visitas?

—Duran más o menos una hora.

—No me refiero a eso. Me refiero a que cuánto tiempo más se alargarán esos experimentos u observaciones. —Antes de que pueda responder, dice—: Tengo una propuesta de la que me gustaría hablarte.

Noto una opresión en el pecho.

—No pienso ir a Oak Ridge High. —La voz me tiembla mientras lo digo.

Arturo se pone serio. Me preparo. Conozco la rapidez con que Arturo puede pasar de padre a abogado. La cara del Arturo padre no se me muestra con tanta frecuencia como se le muestra a mi hermana Yolanda. Yo recibo más la cara del Arturo abogado: los ojos quietos, clavados en mi cara, el volumen de la voz modulado, bajo control. Se convierte en una persona que perderá la calma solo si así lo decide.

—He aquí lo que me gustaría proponerte. —Espero que haga una pausa porque está hablando más deprisa de lo normal. Pero sigue hablando tan deprisa como le habla a Yolanda—. Quiero que este verano trabajes en el bufete de abogados.

Le miro petrificado. Tardo un rato en encontrar palabras, las que sean. Cuando lo hago, digo:

—Tengo un trabajo en Paterson para este verano.

—Ayudarás en la sala de mensajería. —No me oye o decide no oír lo que digo.

—Ya tengo un trabajo —repito.

—Siéntate, por favor. —Señala la silla. Me siento.

Se inclina en su silla hasta que nuestras rodillas casi se tocan. Baja la voz. Ahora es un padre.

—Hijo, quiero que tengas un trabajo donde interactúes con gente, donde tengas que resolver por ti solo cosas nuevas. ¿Qué haces en Paterson que te enseñe cosas que ya no sepas?

—Aprenderé a adiestrar ponis.

—Pero estás en una etapa de tu vida en que necesitas trabajar con gente.

—¿Por qué?

—Porque es una experiencia que en realidad no has tenido. En Paterson estás en un entorno protegido. Los chicos que van allí no son… normales. La mayoría de ellos serán como son ahora el resto de su vida. Tú, en cambio, tienes la capacidad de crecer y adaptarte. Hasta tu doctor Malone lo cree así. Lleva diciéndolo desde la primera vez que lo vimos. En realidad no era necesario que fueras a Paterson todos estos años. En realidad tú no perteneces a ese lugar. Sé que tú también lo sabes. No tienes ningún problema. Simplemente te mueves a una velocidad diferente de otros chicos de tu edad. Pero para que crezcas y no te estanques necesitas estar en un entorno normal. Ha llegado el momento. Te propongo lo siguiente: si trabajas en el bufete este verano, al final del mismo tú decidirás si quieres pasar tu último año en Paterson o en Oak Ridge High.

Hace una pausa. Sabe que necesito tiempo para asimilarlo. Un verano en el bufete a cambio de un año entero en Paterson. Me perderé los primeros meses de Fritzy, pero podré adiestrarlo el curso que viene. Arturo interrumpe mis pensamientos.

—Solo una cosa. —Le veo levantar la copa y llevársela a los labios. Esta vez sus palabras salen muy lentamente—. Podrás hacer lo que quieras en otoño... —Espera a que mis ojos se posen en los suyos para continuar—. Pero este verano debes seguir todas las reglas del... mundo real.

—El mundo real —digo en voz alta. Es una de las expresiones favoritas de Arturo.

—Exacto, el mundo real.

Pese a lo vago y amplio del término, intuyo lo que significa y las dificultades que entraña. Seguir las reglas del mundo real significa, por ejemplo, entablar conversaciones con otras personas. Significa abstenerme de hablar de mi interés especial. Significa mirar a la gente a los ojos y estrechar manos. Significa «improvisar», como decimos en Paterson, es decir, hacer cosas que no han sido programadas con antelación. Puede significar entrar en lugares que no conozco, calles de la cuidad llenas de ruido y caos. Aunque intento aparentar tranquilidad, una oleada de pánico me inunda cuando me imagino caminando solo por las calles de Boston.

Arturo sonríe como si supiera lo que pasa por mi cabeza.

—No te preocupes —dice para tranquilizarme—, empezaremos despacio. El mundo real no va a hacerte daño.

Hay una pregunta flotando dentro de mí pero todavía no consigo encontrar las palabras. Abro y cierro los puños mientras espero que la pregunta se formule por sí sola. Finalmente llega. Le digo a Arturo:

—Al final del verano, ¿decidirá Marcelo, decidiré yo, dónde quiero pasar mi último año... ocurra lo que ocurra?

—¿Ocurra lo que ocurra? No te entiendo.

—Dijiste que si sigo las reglas del mundo real este verano, yo decidiré adónde iré el curso que viene. ¿Quién decidirá si he seguido o no las reglas? Yo no conozco todas las reglas del mundo real. Son incontables, por lo que he podido observar.

—Eeeh. —Ahora es el Arturo padre el que habla—. Veamos. El mundo empresarial tiene sus reglas. El bufete tiene sus reglas. La sala de mensajería tiene sus reglas. El sistema jurídico tiene sus reglas. El conjunto del mundo real tiene sus reglas. Las reglas tienen que ver con las conductas y la forma de hacer las cosas para tener éxito. Tener éxito significa completar la tarea que nos han asignado o que nos hemos asignado nosotros mismos. Tendrás que adaptarte en la medida de lo posible al entorno gobernado por esas reglas. En Paterson el entorno se adapta a ti. Si necesitas más tiempo para terminar un examen, te lo dan. En la sala de mensajería los paquetes tienen un margen de tiempo limitado para salir. En cuanto a quién determinará qué, me parece a mí que para que este ejercicio tenga algún sentido, debería haber algo en juego. Si te limitas a acudir cada día al bufete pero no te esfuerzas, no tendrás la capacidad para decidir dónde pasarás el próximo curso porque no habrás seguido las reglas del mundo real. Me parece a mí que cuando termine el verano, los dos sabremos con absoluta certeza si tuviste éxito o no. No obstante, si por alguna razón discrepamos, me parece que debería ser yo quien tome la decisión final. Yo soy el padre y tú eres el hijo. Yo seré tu jefe y tú serás el empleado. ¿Entiendes lo que digo?

Asiento con la cabeza. Yo nunca miento. Pero esta vez sí. Hay algo de lo que acaba de decir Arturo que no entiendo.

Arturo aguarda para ver si hay más preguntas. Sabe que necesito tiempo para procesar la información. Tengo una última pregunta.

—¿Cómo conseguirá Marcelo tener éxito en la sala de mensajería? —Me gustaría tener un diagrama o imagen de lo que eso representa para poder ir preparándome.

—Cada tarea que te sea asignada llevará consigo una definición de éxito. Tendrás derecho a solicitar instrucciones de cualquier persona del bufete que te asigne una tarea. El éxito se basará en tu capacidad para seguir esas instrucciones. Sé que todo esto suena muy vago y que querrías que fuera un poco más preciso. Has de confiar en mí. No se te pedirá que realices tareas que estén por encima de tus capacidades. ¿Confías en mí? Siempre he sido justo, ¿no es cierto?

Esta vez ignoro con qué sentido se utiliza la palabra «confiar». Pero comprendo lo de «justo».

—Sí —digo. Es cierto. Arturo siempre ha sido justo.

—Bien —dice—. Seré franco contigo. Tengo la esperanza de que después del verano elijas ir a Oak Ridge High. Hay una vida ahí fuera saludable y normal de la que necesitas formar parte. Entonces, ¿trato hecho?

—Hay algunas cosas que no puedo hacer aunque quiera —digo.

—¿Como qué?

—Son tantas las cosas con las que aún tengo dificultad… No puedo entrar solo en un lugar desconocido sin un plano. Me aturdo cuando se me pide hacer más de una cosa a la vez. La gente dice palabras que no entiendo o sus expresiones faciales me resultan incomprensibles. Esperan de mí respuestas que no puedo dar.

—Tal vez el hecho de que no puedas hacer esas cosas se deba no a que no seas capaz, sino a que no has estado en un entorno que te empuje a hacerlas. Jasmine, la chica que controla la sala de mensajería, te enseñará cómo funciona. Ya le he hablado de ti. Al principio irá despacio contigo. Pero ir despacio no significa que no vayas a necesitar sobrepasar tu zona de comodidad.

Estoy pensando que el próximo otoño podré trabajar a tiempo completo en Paterson entrenando a Fritzy y los demás ponis. Este verano podré ir a ver los ponis los fines de semana. Arturo me está pidiendo, básicamente, que finja ser normal, según su definición, durante tres meses. Se trata de una tarea imposible, en mi opinión, sobre todo porque me cuesta mucho sentir que no soy normal. ¿Por qué no pueden los demás pensar y ver el mundo como lo veo yo? Pero después de los tres meses todo eso habrá terminado y podré ser yo mismo.

—Piénsalo. Comunícame tu decisión mañana a primera hora.

—De acuerdo —digo—. Lo pensaré. —Echo a andar hacia mi cabaña. Namu, que ha permanecido tumbado a mis pies todo el rato, camina a mi lado.

—Te estás haciendo mayor para vivir en lo alto de un árbol —dice Arturo mientras me alejo.

Hago como si no le oyera.

4

La cabaña en el árbol fue idea de Yolanda. Cuando yo tenía diez años, estábamos en el sótano viendo una película titulada *La familia de los robinsones suizos*, y se le ocurrió que yo debería tener una cabaña en un árbol. Pensaba que sería bueno para mí tener un lugar propio donde poder hacer frente al miedo de dormir en un lugar que no fuera mi cuarto. Una cabaña en un árbol me permitiría ser más autosuficiente, según Yolanda.

Yolanda enseguida puso manos a la obra. Encontró un sitio web dedicado a cabañas construidas en árboles y bajó los planos de una de ellas. Al día siguiente llevó los planos al instituto y convenció a su profesor de manualidades para que hiciera de la construcción de la cabaña en el árbol un proyecto de clase.

La construcción fue fácil. La clase de Yolanda incluso armó una caseta para Namu debajo de la cabaña. Lo difícil fue persuadir a Arturo para que nos dejara hacerlo. Pensaba que la cabaña en el árbol me volvería aún más solitario. Hizo falta insistir mucho, pero finalmente Aurora y Yolanda lograron convencerlo. Todavía ignoro cómo. Arturo puso como única condición que la instalación eléctrica la hiciera un electricista profesional.

A la cabaña se accede por una trampilla en el suelo. Para entrar hay que subir una escalerilla de cuerda de diez peldaños, abrir la trampilla y auparse empleando la fuerza de los brazos. Subo y me tumbo en la cama. Mis puños se abren y cierran como hacen cuando estoy enfadado. No sé qué hacer. Estoy demasiado inquieto para permanecer tumbado. Me levanto y me siento en la silla del escritorio. Sobre el escritorio tengo un equipo de música, unos auriculares y un ordenador portátil. Me pongo de pie y abro las dos ventanas. Vuelvo a sentarme y estoy a punto de coger los auriculares cuando oigo la voz de Aurora.

—Abre, que me caigo.

Abro la trampilla y la veo sujetándose por los pelos. Una de sus manos sostiene una bolsa de plástico con un bocadillo y la otra se aferra a la cuerda. Cojo la bolsa de plástico y le ayudo a subir.

—¡Uf! —suspira una vez arriba—. Se lo pones crudo a la gente para venir a verte.

Caigo en la cuenta de que Aurora solo ha estado en la cabaña una vez, aparte de esta. La tarde que Abba murió y subió a contármelo.

—¿Estás bien? —pregunta.

—No.

—Tu padre me ha dicho que ha hablado contigo sobre lo de trabajar en el bufete este verano.

—Ya sabías que iba a hablarme de eso. Por eso le preguntaste a Harry si podías hablar con él unos minutos. Querías decirle que Marcelo no trabajaría en Paterson este verano.

Baja la mirada y la sube de nuevo.

—Era importante que tu padre fuera el primero en decírtelo. Lleva tiempo queriendo hacerlo. Le dije a Harry que mañana le llamaríamos. La decisión sigue siendo tuya. Tu padre me ha dicho que te dio a elegir.

—Lo que quiero es trabajar en Paterson.

—¿Entiendes, por eso, su punto de vista?

—Entiendo su punto de vista. Pero se equivoca.

—Dime por qué crees que quiere que trabajes en el bufete.

—Porque es el mundo real.

Aurora ríe.

—Cada vez se te da mejor poner caras.

—No pretendía hacerte reír.

—Tu padre quiere que pruebes ese trabajo.

—Enviar cartas en la sala de mensajería.

—No es solo eso. Quiere que vivas la experiencia de ir a trabajar, de caminar solo desde la estación de tren hasta el bufete y relacionarte con gente… corriente. He conocido a Jasmine, la chica con la que trabajarías en la sala de mensajería. Solo te lleva dos años. Te gustará.

—La gente que monta en poni en Paterson es gente corriente. Harry es un hombre sumamente corriente.

Aurora se levanta del suelo, donde se había sentado, y camina hasta la silla del escritorio. Cuando vuelve a sentarse, dice:

—¿Recuerdas la primera vez que te llevé conmigo al hospital? ¿Tenías nueve, diez años?

—Marcelo tenía ocho años la primera vez.

—¿Solo? Fui a ver a Carmen. ¿Te acuerdas de Carmen? Fui un sábado pese a tener el día libre porque sabía que estaba delicada. Te llevé conmigo y te dejé en la sala de juegos. Cuando regresé, estabas construyendo un castillo de Lego con otros dos niños. No les hablabas. De hecho, ni siquiera estabas jugando con ellos. Los tres construíais el castillo en silencio, codo con codo. Después de eso hiciste lo posible para que te llevara conmigo al trabajo. Te sentías cómodo con esos niños.

—Carmen, Joseph, todos murieron.

—Sí. Pensaba que te hacía bien estar con los niños. Y a ellos también. Les gustabas aunque apenas les hablaras. El simple hecho de que estuvieras con ellos los calmaba.

—Marcelo les escuchaba. —Por la razón que sea, con Aurora paso a la tercera persona.

—En aquellos tiempos siempre me pedías que te llevara conmigo. Pensaba que era estupendo para ti y para los niños. Pero ahora tengo mis dudas.

—Dudas.

—No sé si hice bien al permitir que estuvieras rodeado de tanto sufrimiento, de tanta muerte.

—El sufrimiento y la muerte no me afectan de la forma en que parecen afectar a otros.

—¿No?

—Forman parte del orden universal de Dios.

—Los chicos de tu edad no suelen tener esa clase de pensamientos. Les interesan otras cosas, como estar con sus amigos, divertirse. Tu padre quiere que experimentes un poco el mundo donde vive la mayoría de la gente.

—¿En qué mundo vive la mayoría de la gente?

—Paterson y el St. Elizabeth, pese al sufrimiento que ves allí, son entornos seguros. Lo que haces en Paterson con los ponis y los chicos no te obliga a sobrepasar tu «zona de comodidad», como dice tu padre. No te impulsa o ayuda a crecer en las áreas que necesitas desarrollar para ser autosuficiente. ¿Lo comprendes?

Tardo unos instantes en asimilar lo que está diciendo. Entonces digo:

—Piensas que un chico de diecisiete años debería ser más autosuficiente de lo que yo soy.

—Tu contribución en Paterson es simplemente la de ser tú mismo. Es fácil para ti estar con los ponis y los chicos que van allí y relacionarte con ellos en la medida de tus capacidades. El trabajo en el bufete exigirá que desarrolles nuevas habilidades y te relaciones con gente que no siempre es amable.

—Piensas que me relaciono bien con los ponis y los chicos porque todavía soy un niño —digo.

—Eres ingenuo. Y eso forma parte de tu persona.

—¿Pero?

—Necesitas aprender a sobrevivir. —Aurora parece triste cuando dice eso.

—Marcelo tiene miedo.

—Ya lo sé. Y esa es la cuestión. Paterson no te da miedo, ¿a que no?

—No.

—Por eso sería bueno que aceptaras este reto y lo superaras como has superado otros muchos.

Abro y cierro las manos con rapidez.

—No quiero trabajar en el bufete.

Aurora no dice nada. Cierra los ojos y me digo que quizá sus esfuerzos por convencerme la han dejado agotada. Cuando abre los ojos, pregunta:

—¿Te he hablado alguna vez del señor Quintana?

—No.

—Cuando tenía tu edad conseguí un trabajo de verano como auxiliar de enfermería en el hospital Thomas Jefferson de El Paso. El señor Quintana era un anciano con cáncer de páncreas. Se estaba recuperando de un tratamiento de quimioterapia y estaba a la espera de saber si había salido bien. En realidad nadie daba un céntimo por él, porque el cáncer de páncreas es casi mortal, pero él sabía que durante algunas semanas después del tratamiento se encontraría más o menos bien. Después, probablemente vendría el deterioro final. El caso es que un día, mientras limpiaba su habitación, me preguntó si tenía carnet de conducir y le dije que sí. Entonces me preguntó si había alguna posibilidad de que le llevara en coche a un parque de atracciones que, por lo visto, tenía la montaña rusa más aterradora del país. Me dijo que jamás se había subido a una montaña rusa. Le daba pánico, pero no quería morir sin haberse montado en una. Durante su estancia en el hospital había conocido a dos muchachos que también tenían cáncer y quería invitarlos al viaje. Lo único que necesitaba era alguien que pudiera conducir.

Aurora calla para ver si estoy escuchando. Pero sabe que sí, y sabe qué preguntaré a continuación.

—¿Qué ocurrió entonces?

—Un pequeño milagro, supongo. Le dije que le acompañaría si mi madre lo aprobaba, sabiendo perfectamente que Abba jamás lo aprobaría. No obstante, cuando se lo mencioné, en lugar de decir de inmediato que no, como yo esperaba, dijo que primero quería conocer al señor Quintana. Jamás, ni en mis mejores sueños, pensé que consideraría siquiera la posibilidad.

—¿Y? —Una parte de mí quiere entender por qué Aurora me está contando esta historia, pero otra solo quiere saber qué pasó después.

—Se conocieron y Abba me dio su permiso. Era una respuesta increíble, viniendo de ella. Pero interpreté el hecho de que hubiera aceptado tan fácilmente como una señal de que estábamos destinados a hacer ese viaje. Y así fue como emprendimos esa loca, aterradora, emocionante, dolorosa y dichosa aventura. Un anciano moribundo, dos muchachos en remisión temporal de un cáncer solo un año menores que yo y una chica de diecisiete años que en su vida había salido de Texas. Los cuatro a la búsqueda de un viaje en una montaña rusa.

—Y los cuatro subisteis a la montaña rusa.

—A la más aterradora. Una trepidante montaña rusa de madera, en Tennessee, llamada «Big Woodie». Tenía una caída de cinco segundos. Pero antes de eso tuve que convencer al señor Quintana de que probara otras montañas rusas más pequeñas. Temía que le diera un ataque al corazón si no se habituaba primero a algo más suave. Cuando subió a Big Woodie seguía aterrorizado, pero lo hizo. Cuando bajó, le pregunté si estaba bien. ¿Sabes qué contestó?

—No.

—Contestó: «Te lo diré cuando las *pelotas* me hayan vuelto a su lugar». Entonces esbozó una amplia sonrisa y dijo: «Ahora ya puedo morir feliz». —Aurora ríe para sí. Yo también.

Me gusta cuando Aurora dice palabrotas. Sé que *pelotas* es una palabra española vulgar para testículos. (También nos enseñan esas cosas en Paterson.) Pero en cuanto dejo de reír, trato de descifrar por qué Aurora ha elegido contarme ese recuerdo en este preciso momento. Me doy cuenta de que espera que capte yo solo la moraleja de la historia. Pero la historia tiene varios mensajes y no sé cuál elegir. ¿Intenta Aurora decirme que el bufete es como un aterrador viaje en montaña rusa donde los testículos se me subirán a la garganta, metafóricamente hablando? Ignoro qué sensación produce eso, pero, francamente, espero que no sea el caso.

Al darse cuenta de que tengo problemas para responder, dice:

—Es solo durante el verano. Tu padre habla en serio cuando dice que al final del mismo tú decidirás dónde estudiar tu último año.

—Aurora.

—¿Sí?

—¿Las demás personas me ven como un niño?

—Pareces un muchacho como cualquier otro. Mejor. Eres más apuesto que la mayoría. Eres alto, guapo y fuerte.

—Como Arturo.

—Sí.

—Pero a veces pienso como un niño.

—Eres como eres.

—Si soy como soy, ¿por qué no puedo trabajar en un lugar donde puedo ser como soy?

Aurora ríe y sacude la cabeza.

—En el bufete adquirirás nuevas habilidades y herramientas para hacer frente a la vida.

—¿Diferentes de las que puedo adquirir en Paterson?

—Sí.

—¿Como cuáles?

Aurora hace una pausa. Respira hondo antes de hablar.

—Dos meses después del viaje, el señor Queen, que era como llamábamos al señor Quintana, falleció. Fue entonces cuando decidí que quería trabajar con niños con cáncer. Siempre había querido ser enfermera, pero fue después de ese viaje, durante su funeral, cuando decidí la clase de enfermera que quería ser. De todas las especialidades, esta era la que más me asustaba, pero también donde más probabilidades tenía de decir al final de mis días: «Ahora ya puedo morir feliz».

»No obstante, me di cuenta de que para trabajar con niños tenía que ser dulce y fuerte a la vez. Dulce y afectuosa con los niños, fuerte y dura con todo aquello que amenazara con aumentar su sufrimiento o reducir sus probabilidades de curación. En el St. Elizabeth a veces tengo que proteger a los niños de médicos arrogantes o incluso negligentes. A veces tengo que protegerlos de los llamados "sanos". Los protejo de los burócratas del hospital, de las compañías de seguros. A veces tengo que protegerlos de sus propios padres. En ocasiones los protejo incluso de sus propios pensamientos negativos. No sería capaz de hacer eso, de protegerlos, si no fuera una persona adulta, si no fuera fuerte, si no estuviera dispuesta a luchar por ellos. ¿Lo entiendes?

—Sí. —Es cierto. Sé que Aurora es dulce y fuerte. Entonces añado—: No quiero ir a Oak Ridge el curso que viene. Un instituto corriente no es para Marcelo. No encajo. Aurora acaba de decir que Marcelo no piensa en las mismas cosas que la mayoría de los chicos. En Paterson, la clase de cosas que me interesan o lo que pienso no tienen importancia. Puedo aprender mejor allí, donde a nadie le importa que Marcelo sea diferente. Aurora pudo elegir lo que quería hacer. Abba no le dijo que no podía ser enfermera. Nadie le impidió que trabajara con niños. Después de Paterson quiero ser enfermero como Aurora y trabajar con ponis haflinger y chicos discapacitados. No veo la diferencia.

Sonríe.

—Hablas como tu padre el abogado. —Deja de sonreír y asiente para indicarme que comprende—. No tendrás que ir a un instituto corriente en otoño si no quieres. Y después nadie te impedirá elegir tu camino. Si quieres hacer lo que hace tu madre, que el cielo te asista, nadie te detendrá.

—Arturo dijo que solo podré decidir si consigo seguir las reglas del mundo real durante tres meses.

—Trabaja en el bufete y esfuérzate por ser útil. Es cuanto necesitas hacer. Tú serás quien decida. —Se levanta, coloca su mano sobre mi cabeza y me alborota el pelo—. Ahora, ayúdame a bajar.

Cuando ha llegado al suelo, asomo la cabeza por la trampilla y la llamo.

—Aurora.

—¿Sí? —Levanta la vista.

—Marcelo trabajará en el bufete.

—Bien —dice—, muy bien. Tu padre quiere que empieces el lunes.

—El lunes es dentro de dos días.

—Es preferible que te lances a la piscina sin pensarlo demasiado. Llamaré a Harry para contárselo. A menos que prefieras llamarle tú.

—Llámale esta noche. Necesitará tiempo para encontrar un mozo de cuadra para el verano.

—O una moza —dice Aurora.

—Sea quien sea, debes decirle que es solo para el verano.

—Tú serás quien decida —dice mientras se despide con la mano—. Por cierto, la semana que viene tengo que inscribirte en Oak Ridge. Pero eso no significa que vayas a ir. Se lo prometí a tu padre. Quería que lo supieras.

—Puedes inscribir a Marcelo, pero es una pérdida de tiempo. Marcelo no irá a Oak Ridge en septiembre.

5

Apago la alarma del despertador tras el primer pitido. Han sido muy pocas las noches de mi vida que no he dormido de un tirón, pero la noche que acaba de terminar es una de ellas. La he pasado despierto, dentro de mi saco de dormir, inmóvil, escuchando los extraños sonidos en mi cabeza. La MI era diferente. Era deshilvanada, irregular, con fogonazos repentinos, como los relámpagos que iluminan la noche durante una tormenta eléctrica.

No fui capaz de completar el programa del día, como suelo hacer, porque no tenía claro a qué hora Arturo y yo regresaríamos a casa del bufete. Esta noche, cuando conozca el horario de los trenes para volver a casa, podré elaborar un programa completo. Sin un programa que me guíe durante el día me siento desorientado. Este es el programa de esta mañana que preparé anoche.

5.00   DESPERTARME.

5.05   RECORDAR.

5.35   DAR DE COMER A NAMU.

5.40   PESAS.

6.00   CONTINUAR CON LA LECTURA DE SALMOS.

6.30   DESAYUNO (CREMA DE TRIGO INSTANTÁNEA, AZÚCAR MORENO, PLÁTANO, ZUMO DE NARANJA).

6.45   DUCHARME Y VESTIRME.

7.00   ESPERAR A ARTURO PARA IR A LA ESTACIÓN.

Arturo me informó de que tomaríamos el tren de las siete cuarenta y cinco en West Orchard, que está a unos veinte minutos en coche yendo a la velocidad máxima permitida. Arturo dice que puede hacerlo en diez minutos, sin problemas.

Realizo cada tarea de acuerdo con el programa y a las siete estoy sentado en la mecedora de la sala, la mochila con las cosas que quiero llevarme al bufete a los pies.

Oigo los pasos de Aurora en la escalera.

—Buenos días —dice al verme—. Estás muy elegante hoy.

Aurora dice eso cada mañana a pesar de que casi siempre visto lo mismo: camisa blanca con cuello abotonado (mangas cortas en verano, mangas largas en invierno), pantalón de algodón azul (verano) o pantalón de pana azul (invierno), calcetines negros y zapatillas deportivas negras.

—Aurora está muy elegante —digo. Aurora lleva un pantalón blanco de enfermera, blusa verde menta con sonrientes caras amarillas, medias blancas y zapatos blancos con gruesas suelas de goma blanca.

—Te he preparado el almuerzo. —Saca una bolsa de papel de la nevera y me lo trae.

Abro mi mochila roja y meto la bolsa de papel.

—Gracias, madre, por prepararme el almuerzo —me recuerda.

—Gracias, madre, por prepararme el almuerzo —la imito.

Se sienta en el sofá, frente a mí.

—¿Estás nervioso?

—Sí —respondo sin el más mínimo titubeo.

—Es normal. No sabes qué esperar. Pero mañana estarás menos nervioso y muy pronto ir al bufete será pura rutina.

Rutina. Cada vez que oigo esa palabra pienso en una ruta que no es una ruta completa, sino una ruta diminuta. Me pregunto si es la alteración de todas mis rutas diminutas lo que me tiene nervioso o es solo que todavía estoy resentido por que me obliguen a hacer algo que no me gusta.

—Cuéntame qué estás pensando —me insta Aurora—. Es bueno expresar lo que uno piensa.

Desvío la mirada. Estoy pensando que Arturo y Aurora no son los únicos que conspiran contra mi paz mental. Después de la noche que he pasado y los ruidos que retumbaban en mi cabeza, se diría que el propio Dios la tiene tomada conmigo.

—No —digo. Casi siempre digo no cuando la gente me pide que le diga lo que estoy pensando.

—De acuerdo. Voy a hacer de madre y a decirte cosas de madre durante unos segundos. Cuando camines por el centro de la ciudad tienes que estar atento. Cruza las calles solo cuando la señal blanca de caminar se encienda, como ya hemos practicado. —Se saca un móvil del bolsillo—. Quiero que lo lleves encima en todo momento. Lo he programado para que marque automáticamente mi teléfono, el de tu padre, el de la rabina Heschel y el de Yolanda. En el dorso del teléfono he anotado los números. Mantén el teléfono siempre conectado. Hagamos una prueba para asegurarnos de que funciona. —Marca un número y se lleva el teléfono a la oreja—. ¿Yolanda? Hola, soy yo. Marcelo está a punto de marcharse a trabajar con papá. ¿Quieres decirle hola? —Me pasa el teléfono—. Es Yolanda.

—¡Hola! —grito al teléfono.

—Hola, Marce. ¿Estás preparado para ir a trabajar? —Oigo la voz de Yolanda.

—No —respondo.

—Oye, Marce, no dejes que esos imbéciles del bufete te afecten. Eres mucho más inteligente que ellos. Acércate bien el teléfono a la oreja porque no quiero me mamá me oiga. —Aprieto el teléfono contra mi oreja derecha—. Marce, escúchame con atención. Papá también me hizo trabajar un verano en el bufete. Es lógico que ahora mismo estés nervioso. Ese lugar apesta. La mayoría de los abogados que trabajan allí son unos capullos. Ya los conoces, los has visto a casi todos en la barbacoa que papá da cada verano en casa. ¿Te acuerdas de Stephen Holmes y su hijo, cómo se llama, Wendell? ¿Recuerdas que una vez jugamos al tenis con ellos? Un capullo tanto el padre como el hijo. Marce, ¿sigues ahí?

—Sí.

—¿Puede oírte mamá?

—No.

—Bien. Escucha, Marce. Sobrevivirás. Yo sobreviví. Haz lo que esos monjes sobre los que tanto te gusta leer hacen cuando ingresan en el monasterio: abandona toda esperanza de que algún día te guste. Un verano, eso es todo. Habrá terminado antes de que te des cuenta. No permitas que nadie te joda. ¿Has entendido?

—Sí.

—¿Qué acabo de decir?

—No dejes que esos capullos te jodan.

—¿Qué? ¡Dame eso! —grita Aurora. Me arrebata el teléfono—. ¿Qué le estás diciendo a tu hermano? Menuda ayuda. No, no es verdad. No, no lo son. Por lo menos no todos. Muy bien, voy a colgar. ¡Adiós!

Aurora está riendo cuando Arturo entra en el cuarto.

—Vamos, colega —me dice.

—Vais a perder el tren —dice Aurora.

—¡Qué va! —Arturo está sirviendo café en una taza.

—Son las siete y veinticinco —señalo, mirando mi reloj.

—No te olvides el almuerzo —dice Aurora.

—Adiós, Aurora —digo.

En cuanto salimos, Arturo se detiene y me coloca delante de él. Me desabrocha el último botón de la camisa.

—Así está mejor —dice—. No hace falta que te abroches el último botón si no llevas corbata.

Namu echa a andar a mi lado.

—No, Namu. Namu tiene que quedarse en casa —le digo.

Ojalá Namu pudiera venir conmigo. Entonces no tendría ningún problema en cruzar las calles. Todavía recuerdo la respuesta de Arturo cuando le pregunté si podía llevarme a Namu al centro comercial: «No eres un inválido», me dijo.

Me hundo en el asiento delantero del coche deportivo de Arturo. La primera explosión del motor me sobresalta. Arturo echa un rápido vistazo a su reloj de pulsera y pisa el acelerador a fondo.

Acabamos de aparcar cuando llega el tren. Somos los últimos en subir, y únicamente porque el revisor nos ve correr y decide esperarnos. La camisa blanca me cuelga por fuera del pantalón e intento remetérmela y caminar por el pasillo al mismo tiempo, pero el tren da un bandazo y me agarro al hombro de una señora para no caer.

—Lo siento —se disculpa Arturo en mi nombre.

La mujer levanta la vista y la expresión de su cara es de fastidio.

Al final del tren encontramos dos asientos vacíos.

—Te dije que lo conseguiríamos. —Arturo está resoplando.

—Es más relajado llegar pronto —digo.

—Esto es trabajo, colega. Se acabó la relajación para ti.

Después de que el revisor acepta nuestro dinero, Arturo saca un periódico de su maletín y lo despliega sobre su regazo. Mentalmente tomo nota de traerme un libro mañana. Quizá pueda leer sin marearme como me pasa cuando intento leer en el coche. Me digo que es una buena oportunidad para recitar el rosario. Saco el rosario de cuentas multicolores que Abba me regaló antes de morir y empiezo a pronunciar en silencio el Avemaría. Siempre rezo el rosario en español. Abba y yo lo rezábamos así y así se ha quedado conmigo.

Arturo dobla lentamente el periódico.

—Deberíamos dejar claras algunas cosas —dice.

Termino un Avemaría y me detengo.

—A ver cómo te lo explico. Estás a punto de ingresar en el mundo laboral. Sabes que no tengo nada en contra de tu interés por la religión. Quiero que seas religioso. Hemos ido a misa cada domingo desde tu primera comunión e incluso antes de eso. Dejo que veas a la rabina Heschel a pesar de que no eres judío, sino católico. Apruebo al cien por cien tus intereses religiosos, tus libros religiosos, tus oraciones, o recuerdos, como tú las llamas, que reces el rosario en español y todo eso. Así pues, no quiero que malinterpretes lo que voy a decirte. Quiero que seas religioso pero, al mismo tiempo, quiero que seas parte del mundo laboral de todos los días, o sea mi mundo, y ahora también tu mundo. Y para eso has de aceptar algunas costumbres ya establecidas. En el mundo laboral, las personas llevan su religión con discreción. Rezan en privado. No citan las Escrituras a menos que sea una figura retórica como, no sé, «ojo por ojo, diente por diente», «un ciego guiando a otro ciego», cosas así. Expresiones que son de uso corriente.

—¿Puede un ciego guiar a otro ciego? —digo.

—¿Cómo dices?

—Las palabras exactas de Jesús fueron: «¿Acaso puede un ciego guiar a otro ciego? ¿No caerán ambos en el hoyo?», Lucas, capítulo VI, versículo 39.

—A eso me refiero exactamente. No es algo habitual citar las Escrituras a otra persona, y ya no te digo especificar el capítulo y el versículo. Creo que para que te beneficies de esta experiencia es importante que intentes actuar como los demás.

Saco la libreta amarilla que siempre llevo en el bolsillo de mi camisa. Escribo: «No rezar de manera que los demás vean a M. rezar. No citar las Escrituras. Nota: estar atento a expresiones religiosas que se han convertido en figuras retóricas. Estas sí están permitidas, aunque sean inexactas. No facilitar la versión correcta ni citar dónde aparece en la Biblia».

Arturo espera a que termine de escribir y dice:

—Hay una capilla cerca de la estación. Te enseñaré dónde está. Si quieres puedes detenerte en ella antes de ir al trabajo para rezar el rosario.

Guardamos silencio durante los siguientes cinco minutos. Arturo no abre su periódico, por lo que estoy pensando que quiere informarme de más costumbres laborales. Ojalá fueran lógicas, esas costumbres. Ojalá las reglas se limitaran a algo tan sencillo como «No hagas nada que pueda herir a los demás». Si esa fuera la única regla, tendría el cincuenta por ciento de posibilidades de acertar. Por ejemplo, me preguntaría si rezar el rosario en silencio en el tren puede herir a los demás. La respuesta sería no y entonces rezaría. Tal y como son las cosas, las razones por las que algo está bien y algo está mal parecen arbitrarias.

—Ya que estamos, quizá sea un buen momento para comentar algunas cosas del bufete.

Yo tenía razón. Arturo quiere informarme de más cosas que se pueden y no se pueden hacer.

—Un bufete de abogados no se parece en nada a Paterson. En un bufete el entorno es competitivo. Yo compito contra Stephen Holmes, por ejemplo. Yo intento conseguir más casos que él y él intenta conseguir más casos que yo. Los socios compiten entre ellos intentando trabajar más y mejor. Eso no significa que la gente no sea amable. Puedes ser amigo de alguien y al mismo tiempo competir con él. La competencia es buena para todos los implicados. Cuanto más trabaje Stephen, más y mejor trabajaré yo. Cuanto más trabajen los socios, mejor le irá al bufete. Cuando Yolanda solicitó entrar en Yale, tuvo que competir con cientos de jóvenes que también querían estudiar allí. Trabajó duro y consiguió entrar, mientras que otros no. Lo mismo te ocurrirá a ti cuando busques universidad. Tendrás que competir. Pero es necesario que estés dispuesto a competir. No puedes tener miedo a competir. Esa es una de las cosas que espero que aprendas este verano.

Saco de nuevo mi libreta amarilla y estoy a punto de ponerme a escribir cuando se me ocurre preguntar:

—¿Con quién competirá Mar... competiré yo en el bufete?

—Con todo el mundo. La gente te pondrá a prueba. Querrán comprobar si puedes hacer el trabajo o si estás allí únicamente porque eres el hijo del jefe.

Empiezo a marearme. ¿Que quién se supone que debo trabajar más o ser más listo?

Arturo continúa.

—La competencia es una actitud. Es comprender que la motivación detrás de la acción de una persona puede ser el interés personal y actuar en consecuencia.

—Es imposible conocer con certeza las motivaciones de una persona —digo.

—Justamente. Por eso resulta útil dar por sentado que la mayoría de la gente solo piensa en sí misma, que solo da prioridad a sus intereses personales.

—Los primeros serán los últimos —digo, olvidando que no debo citar las Escrituras.

—En el mundo laboral, los primeros son los primeros y serán los primeros y los últimos son los últimos y serán los últimos.

—No entiendo. ¿Puedes darme un ejemplo?

—Te daré un ejemplo actual, real. Hace un par de semanas mencioné a Stephen Holmes que ibas a trabajar en el bufete de abogados durante el verano, así que el viernes pasado me dice: «Por cierto, Wendell nos ayudará con una investigación jurídica este verano». ¿Te acuerdas de Wendell?

—Sí. Yolanda dice que es un capullo. —Enseguida lamento mis palabras. Espero no haber metido a Yolanda en un apuro.

Arturo ríe.

—Probablemente tenga razón. Pero lo que intento decirte es que después de que Stephen me dijera que Wendelll trabajaría en el bufete, me pregunté cuáles eran sus motivaciones. ¿Por qué obliga a su hijo a pasar el verano haciendo un trabajo jurídico? Wendell cursará su último año en Harvard el año que viene y podrá conseguir el trabajo en la City que quiera. ¿Y por qué me lo dijo de la manera que me lo dijo? «Algún día podría sacar a tu chico a comer», me dijo. Y la respuesta es que quería que yo y todos los demás supiéramos que mi hijo es…

Aguardo a que termine la frase. Sé que cuando la gente se interrumpe en medio de lo que está diciendo significa que de repente se dan cuenta de que no deberían decir lo que tenían pensado decir. Lo que ocurre es que la persona ha empezado a hablar antes de darse cuenta del impacto que sus palabras tendrán en el oyente. Por eso yo pienso muchas más cosas de las que expreso y por eso a veces la gente cree que soy lento. Pienso demasiado en lo que estoy escuchando y en lo que voy a decir, y eso es un problema cuando intento llevar una conversación. Naturalmente, algunas cosas se me escapan. Como hace un rato, cuando le dije a Arturo lo que Yolanda había dicho de Wendell. «Quería que yo y todos los demás supiéramos que mi hijo es…» Me digo que he de intentar completar la frase de Arturo más tarde, cuando tenga tiempo para reflexionar.

El tren reduce la velocidad y oigo el chirrido de metal contra metal. Me llevo instintivamente las manos a las orejas. Los ruidos discordantes me dan dentera.

—Hemos llegado —dice Arturo mientras me retira las manos de las orejas—. Lo que estoy intentando decirte es que necesitas espabilar. Una de las razones de que quiera que trabajes en el bufete es que llegues a comprender mejor las motivaciones de la gente. Es así, hijo. Cada día, cuando vengo a trabajar, yo soy un guerrero y esto es una batalla, y me pongo mi careta guerrera. Es otra figura retórica. Es una forma de decir que soy consciente de que necesito estar atento a las motivaciones de la gente y ser competitivo, como en una guerra, donde unos ganan y otros pierden. Es importante que veas ese lado de la vida.

«El mundo real.» Eso me digo yo.

6

Una vez en el bufete sigo a Arturo hasta la sala de mensajería. Hay una mujer de pie frente a una fotocopiadora enorme. Sé que es una fotocopiadora porque puedo ver una raya de luz que va y viene, como en la máquina que tienen en Paterson. Arturo dice «Buenos días» tres veces antes de que ella se dé la vuelta. Inmediatamente siento que su mirada me recorre de arriba abajo y de abajo arriba, como la raya luminosa de la fotocopiadora. Cuando me obligo a mirarle a los ojos, me sorprende su azul intenso. «Azur» es la palabra que me viene a la mente. Un mechón de suave pelo negro le cae sobre la cara. Me dispongo a estrecharle la mano pero no se acerca.

—Te presento a Marcelo —dice Arturo. Me da una palmadita en la espalda y me dice—: Esta es Jasmine. Jasmine será tu jefa este verano. Haz todo lo que te diga. Pero no le pierdas ojo, le gusta comer niños para desayunar.

«Debe de ser otra figura retórica», me digo. Pero ignoro qué significa.

En cuanto Arturo se marcha, Jasmine se da la vuelta y sigue mirando la fotocopiadora. «A lo mejor la raya luminosa la hipnotiza», pienso. Me quedo de pie, contemplando el lugar que Arturo llama la sala de mensajería. Es una sala grande separada del resto del bufete por una pared con un mostrador como los que hay en las oficinas de correos. La fotocopiadora que Jasmine está mirando se encuentra en la pared opuesta a la puerta por la que hemos entrado. Hay dos mesas, cada una mirando a una pared, de manera que cuando dos personas se sientan frente a ellas se dan la espalda. Decido que me gusta la distribución, dando por supuesto que me tocará sentarme frente a una de las mesas. Me resultaría muy incómodo tener a otra persona sentada delante de mí.

La mesa situada junto a la fotocopiadora es de metal gris y más pequeña que la mesa de madera que hay junto a la puerta. La mesa grande tiene un reproductor de CD blanco con auriculares y en la pared hay una foto de una montaña con la cima nevada. El resto del cuarto está lleno de estantes metálicos que van desde el suelo hasta el techo. Estos estantes metálicos están abarrotados de grandes carpetas marrones. Observo que los estantes metálicos tienen ruedas de acero y que debajo de las ruedas hay unas guías que permiten deslizar lateralmente los estantes para tener acceso a los estantes de atrás.

—Puedes dejar tu mochila ahí —dice Jasmine, volviéndose brevemente hacia mí. Con la mano izquierda señala la mesa pequeña situada junto a la fotocopiadora.

Me quito la mochila y la dejo sobre la mesa. Luego observo hipnotizado las hojas que la fotocopiadora arroja en diferentes bandejas. Jasmine se limita a observar la raya luminosa que va y viene, va y viene. Pienso que hacer fotocopias es algo que probablemente me gustaría hacer.

Cuando la fotocopiadora se detiene, Jasmine coge las hojas que se han amontonado en las bandejas.

—Puedes sentarte si quieres. Esa es tu mesa.

—Gracias —digo. Retiro la silla negra encajada en la mesa. Como los estantes, tiene ruedas de acero. Me siento y la silla se desliza inmediatamente hacia atrás, conmigo encima.

—Pondremos una alfombrilla de goma para que la silla no resbale —dice Jasmine.

—Gracias. —Visualizo la alfombrilla de goma que tenemos en la bañera y me pregunto si servirá. Entonces veo trozos de celo pegados en la pared que tengo delante. A lo mejor la última persona que trabajó aquí tenía colgadas algunas fotos. Pienso que podría traer una foto de Namu y pegarla ahí. En las hendiduras que separan los bloques de hormigón de la pared alguien ha escrito algo en letras minúsculas. Me acerco y leo las siguientes palabras: «Que se joda este lugar con toda su gente». Sé, de Paterson, que «joder» es una palabra mal vista que significa el acto sexual pero que muchas veces se utiliza para transmitir rabia e incluso odio.

Me doy la vuelta. Jasmine ha terminado de recoger las hojas y ahora las está guardando en carpetas de plástico. Lo hace en la mesa grande de madera que tengo a mi espalda. Debe de ser su mesa. Me doy de nuevo la vuelta. Hay más cosas escritas en la pared, pero decido no leerlas. Me pregunto si a la última persona que ocupó esta mesa también la obligaron a trabajar en el bufete.

—Tu padre dijo que tenías un portátil. —Es Jasmine, hablando a mi espalda. Intento darme la vuelta, pero cuando lo hago salgo rodando hasta el centro de la sala.

—Oh —digo.

Jasmine se marcha de la sala sin decir una palabra. Me quedo ahí en medio, sin saber qué hacer. Al cabo de unos minutos regresa con un recuadro de plástico gigante que deja caer delante de mi mesa. Así que esa es la alfombrilla de goma de la que estaba hablando.

—Sí —digo.

—¿Sí qué? —pregunta.

—Sí, mi padre te informó correctamente. Tengo un portátil. ¿Te gustaría verlo?

—No especialmente. Hay una conexión justo debajo de tu mesa. Te enlazaré con el servidor de la oficina cuando regresemos de la ronda de reparto.

—Gracias. —Me recorre una sensación de alivio. Con mi portátil me sentiré menos perdido. Si no entiendo algo que dice alguien, puedo buscarlo. Me inclino para sacar el portátil de la mochila. Lo coloco sobre la mesa y lo abro. Pienso que ahora podría ser un buen momento para enseñarle a Jasmine todo el software especial que tengo.

—No me hace gracia que estés aquí.

Tardo unos segundos en comprender que me está hablando a mí. Me vuelvo hacia ella.

—Entiendo —digo. Me estoy preguntando dónde debo poner las manos. Cuando digo algo que no era lo que pretendía decir, me hago consciente de mis manos.

—¿Lo entiendes?

Quiero explicar que entiendo lo que ha dicho, no por qué lo ha dicho, pero tardo demasiado en encontrar las palabras.

—Hagamos la ronda. —La sigo hasta un rincón de la sala—. Este es el carro del correo. Sabes leer, ¿verdad?

Me pregunto por qué me pregunta eso. A lo mejor es una broma que no comprendo.

—Sí —respondo.

—Cuando llega el correo, lo pones en la carpeta que lleva el nombre de la persona. Las carpetas están ordenadas geográficamente. Siguen la forma en que están dispuestos los despachos, de manera que al recorrer la oficina simplemente vas avanzando de una carpeta a la siguiente.

Pienso para mis adentros que es una idea excelente.

Continúa.

—Habrá correo que no irá dirigido a nadie en particular y tendrás que decidir dónde ponerlo. Una buena parte es correo basura. Si no puedes decidir dónde va, ponlo en esta caja y yo lo miraré más tarde. No tires nada sin que yo le eche un vistazo primero, ¿entendido?

Esta vez la entiendo de verdad.

—Sí —digo con aplomo.

—Esta mañana ya he ordenado el correo. Hacemos cuatro rondas de reparto: una a primera hora de la mañana, que es la que vamos a hacer ahora, luego a las once y media, la una y media y las tres. Como es lógico, si traen algo en mano o por correo urgente, lo entregamos enseguida. También repartirás los periódicos. ¿A qué hora piensas llegar aquí por las mañanas?

Hago un rápido cálculo en mi cabeza. Arturo y yo hemos tardado veinte minutos en caminar desde South Station hasta el bufete, pero nos hemos desviado tres manzanas para que Arturo pudiera enseñarme dónde estaba la capilla. El tren llega a las ocho y veinte, y si luego voy a la capilla…

—No importa —dijo Jasmine—. Lo harás a la hora que puedas. Los periódicos no corren prisa. Vendrás a trabajar cada día, ¿verdad?

—Cada día —digo. Me pregunto si eso incluye sábados y domingos. Arturo viene a trabajar a menudo esos días. A lo mejor espera que yo haga lo mismo.

—Pues en marcha. —Jasmine empuja el carro lleno de carpetas verdes. Cuando salimos de la sala de mensajería, me tiende una hoja—. Es un diagrama de la oficina con todos los nombres de los abogados y secretarias y dónde se sientan. Tendrás que memorizarlo para no perder tiempo buscando a la gente. Como he dicho, además de las rondas tendrás que repartir el correo entregado en mano y el correo urgente en cuanto llega. Todas las cartas, pedidos, paquetes y demás llegan primero a la sala de mensajería. Nosotros los registramos y luego los repartimos.
—Espera a que le dé alcance y me mira—. Supongo que podrás registrarlos si yo no estoy. Todo lo que esta gente hace es urgente y todo necesita hacerse para ayer.

—Ayer ya ha pasado.

—Dile eso a los abogados que trabajan aquí.

Nos detenemos en el primer despacho. Delante hay una mujer sentada a una mesa.

—Hola, Marcelo —dice la mujer—. ¿Te acuerdas de mí? ¿De la barbacoa en tu casa?

Recuerdo su cara pero no recuerdo su nombre. ¿Significa

eso que debo responder sí o debo responder no a su pregunta? Decido responder sí porque al menos es parcialmente correcto. Alargo una mano.

—Encantado de conocerla —le digo. En cuanto lo he dicho, sé que no es lo que se le dice a alguien a quien acabas de decir que recuerdas.

—Encantada de conocerte... otra vez —dice la mujer—. Caray, eres aún más guapo que tu padre. —Me mira de arriba abajo, como hizo Jasmine, pero a diferencia de Jasmine su inspección es más lenta y se detiene en la parte intermedia de mi cuerpo—. ¡Santo Dios! Primero el señor Holmes trae a Wendell y ahora esto. ¿Cómo se supone que debe concentrarse una chica con tanto hombretón paseándose por la oficina?

—Mantente alejada de él —dice Jasmine.

—No seas egoísta —responde la mujer.

Jasmine se aleja con el carro.

—Lo que pasa es que tienes celos porque eres una canija —dice la mujer.

Jasmine detiene el carro y la mira.

—Para tu información, no son celos lo que tengo, sino envidia. Tengo envidia porque si las dos voláramos en un avión sobre el océano y el avión se estrellara, no tendría la misma área de flotación que tú.

—¡Víbora! —ríe la mujer, y hace ver que le da un cachete.

Seguimos. Área de flotación. Conozco el significado de esas palabras, pero el contexto en que las utilizan me desconcierta. Saco la libreta del bolsillo mientras caminamos y escribo: «¿Cuál es la diferencia entre celos y envidia?». La distinción entre estos dos estados internos siempre me genera confusión.

Cuando termino de escribir, Jasmine dice:

—Yo en tu lugar me mantendría alejado de las secretarias.

—¿Cómo les entrego el correo si me mantengo alejado?

—Me refiero a que no dejaría que se tomaran confianzas, sobre todo las solteras y desesperadas, como Martha.

—¿Por qué?

—Martha, por ejemplo, no dudaría en abalanzarse sobre tus huesos.

Pienso en el pasaje de la Biblia en que el profeta Ezequiel salta sobre un montón de cráneos y huesos. La rapidez con que estoy adquiriendo nuevos conceptos me produce vértigo.

—¿Qué problema tienes?

—Has de hablar con claridad. No sé qué significa la expresión «abalanzarse sobre tus huesos». Me ayudarías mucho si fueras más literal.

—¿Literal?

—Si utilizaras palabras de acuerdo con su significado literal en lugar de su significado metafórico.

—Estaba siendo literal. Martha se abalanzaría literalmente sobre tus huesos si pudiera.

—Oh.

—Me refería a qué problema tienes con tu forma de pensar. Tu padre dijo que tenías una especie de trastorno cognitivo.

—¿Eso dijo? —Me sorprende saber que Arturo se refiere a mí en esos términos. Siempre ha insistido en que no tengo ningún problema. El término «trastorno cognitivo» implica que hay algún problema con la forma en que pienso o con la forma en que percibo la realidad. Yo percibo bien la realidad. A veces percibo más realidad que otras personas.

—Estoy casi segura de que esas fueron sus palabras.

—«Trastorno cognitivo» no es una descripción precisa de lo que ocurre dentro de la cabeza de Marcelo. «Búsqueda exagerada del orden cognitivo» se acerca más a lo que me ocurre.

—¿En serio? A mí me gusta el orden exagerado. ¿Es eso una enfermedad?

—Si te impide funcionar dentro de la sociedad de la forma que la gente piensa que debería funcionar una persona normal, entonces, según nuestra sociedad, es una enfermedad.

—La sociedad no siempre tiene razón, ¿no crees?

No contesto porque todavía estoy pensando en la descripción que ha hecho mi padre de mi afección. Él me ha enseñado a dudar siempre de las etiquetas que los demás intentan ponerme. Titubeo unos segundos y luego hablo.

—Desde el punto de vista médico, lo que más se ajusta a mi afección es el síndrome de Asperger, pero no tengo muchas de las características que tienen otras personas que padecen ese síndrome, de modo que ese término no es del todo preciso.

—¿Como qué? ¿Qué características?

Es un tema de conversación que conozco bien pero que no me gusta demasiado. Las explicaciones sobre mi afección parten siempre del supuesto de que hay algún problema en mi forma de ser, y en Paterson he aprendido con los años que en nada beneficia verme a mí o a los demás chicos de allí de ese modo. Me considero diferente por cómo pienso, hablo y actúo, pero no me considero alguien anormal o enfermo. Sin embargo, ¿cómo puedo explicarle las diferencias a la gente? Es más fácil decir que el SA es lo que mejor describe mis diferencias. A la gente le tranquiliza tener un término que suena científico. Pero, de hecho, siento que soy deshonesto cuando digo que tengo el SA porque los efectos negativos de mis diferencias son muy leves en comparación con los de otros chicos que tienen el SA u otras formas de autismo y sufren de verdad. Cuando uso ese término médico, siempre tengo la sensación de que les hago un flaco favor a las personas que tienen realmente este síndrome, porque la gente dice: «Oh, no parece algo tan malo. ¿A qué tanto alboroto?».

A regañadientes, trato de responder a la pregunta de Jasmine.

—Las principales características del SA, que es la abreviatura del síndrome de Asperger, se manifiestan en las áreas de comunicación e interacción social, y generalmente hay algún tipo de interés dominante. La persona con SA es diferente de la mayoría de la gente en dichas áreas.

—¿En serio?

Saco las manos de los bolsillos y me abrocho el último botón de la camisa. Estamos en medio del pasillo y la gente pasa por nuestro lado al llegar a la oficina. Algunos dicen buenos días a Jasmine, pero Jasmine está demasiado absorta en lo que le estoy contando para responder.

—Sí, por regla general.

—Eso describe bastante bien a todos los tíos con los que he salido.

—Sí. —Lo interpreto como un intento de Jasmine de bromear e intento reír, pero la risa me sale en forma de tos.

—¿Y cuál es tu interés dominante?

Devuelvo las manos a los bolsillos y cierro los puños. Esta es siempre la parte más delicada. He visto cómo una especie de pared de cristal desciende entre mi interlocutor y yo en cuanto llego a este punto. Por tanto, me pregunto hasta dónde debería sincerarme con Jasmine. Al rato, digo:

—Algunas personas utilizan la palabra «obsesivo» en lugar de «dominante». Pero interés obsesivo no es el término adecuado, pues implica algún tipo de compulsión o de incapacidad para impedir que los mismos pensamientos o conductas se repitan. En Paterson, mi colegio, preferimos utilizar el término «interés especial o dominante». Es un interés en el que la persona elige pensar porque eso le produce placer e incluso alegría. Absorbe la atención de la persona con SA hasta el punto de excluir otros intereses, porque es más importante y más divertido que otros intereses. Las personas con SA con intereses especiales se convierten en especialistas en esa área.

—Como memorizar horarios de trenes o sumar números muy deprisa.

—Mucha gente piensa en esos ejemplos en particular, pero memorizar horarios de trenes o tener facilidad con los números es, en realidad, una caricatura. Mucha gente con SA tienen intereses especiales que exigen pensamientos e interpretaciones complejas.

—¿Y cuál es el tuyo?

Cómo me gustaría un vaso de agua. Tengo la boca completamente seca. Vuelvo a toser.

—Mi interés especial es Dios.

—¿Perdona?

—La religión. Lo que la humanidad ha experimentado, dicho y pensado sobre Dios. Me gusta leer y pensar en eso.

—¿De veras?

—Sí.

Jasmine empieza a empujar nuevamente el carro, pero muy despacio esta vez. Pienso: «Ahora cree que soy un bicho raro. No quiero estar aquí. En Paterson nadie me mira con recelo ni se mantiene alejado porque me interesa la religión. Tengo que acordarme de no hablar de nada relacionado con la religión cuando estoy aquí. Espanta a la gente». Entonces se me ocurre decir:

—Ese es mi interés especial, pero también me gusta escuchar música. Tengo cientos de CD en casa. —Por la razón que sea, nadie considera eso algo anormal.

Detiene el carro y pregunta:

—¿Qué clase de música?

—Se llama música clásica. Bach es mi favorito. Mi instrumento preferido es el piano. Después el violín. Lo que más me gusta son los solos de piano y violín. La razón es que en los solos puedo oír las diferentes notas y las diferentes combinaciones de notas por separado. Eso me gusta mucho.

—¿En serio? —Tiene los labios entreabiertos, como si nunca hubiera oído a nadie hablar así. Pienso que a lo mejor me he excedido en la descripción de mi segundo interés.

—Sí.

Me alegra verla finalmente sonreír.

—También me gustan los caballos, en especial los ponis haflinger.

—¿En serio? —Abre mucho los ojos, lo que significa que está sorprendida.

—Sí, en serio. Mi trabajo en Paterson este verano debía consistir en cuidar de los quince ponis que tiene la escuela. —Caigo en la cuenta de que al hablarle a Jasmine de los ponis justo después de hablarle de la religión y la música clásica, estoy insinuando que los ponis son también un interés especial, pero en realidad yo nunca les he otorgado esa categoría. Un interés especial es algo que impregna tu cerebro de una curiosidad por saber todo lo que hay que saber al respecto. Yo nunca he sentido eso con la MI o con los ponis. La MI es la MI y los ponis son los ponis. Sencillamente son. Me gusta pasar todo el tiempo que puedo con ellos, pero no me interesa saber todo lo que hay que saber sobre ellos.

Seguimos andando. Después de entregar el siguiente fardo de cartas, dice:

—¿Quieres saber por qué no me hace gracia que estés aquí?

—Sí.

—Hasta hace tres meses tenía un ayudante. Se llamaba Ron. En pocas palabras, tuve que despedirle. Pero, pese a lo vago que era, me aligeraba el trabajo, y cuando le despedimos tu padre me dijo que podía buscar un sustituto. Encontré a una chica, Belinda, que trabajó aquí un verano mientras estaba en el instituto y yo estaba encantada porque era fantástica. ¿Voy demasiado deprisa para ti?

—No importa. —En realidad está hablando más deprisa de lo que desearía. Hay palabras y expresiones que se me escapan. Pero una de las cosas que aprendí en Paterson fue dejar a la gente hablar aunque no entienda todo lo que dicen. A medida que hablan el significado se va haciendo patente. Tardé años en entrenar mi cerebro a no buscar el significado de cada palabra que la persona pronunciaba.

Jasmine continúa.

—El caso es que cuando me decido a contratar a Belinda tu padre va y me dice que me espere, porque quiere que trabajes aquí este verano.

—Entiendo.

—Ahora ya lo sabes.

—Soy muy bueno concentrándome. Si Jasmine me enseña cómo hacer algo, aprenderé.

Llegamos al final del pasillo. Detrás de un tabique de cristal hay una mujer sentada a una mesa más grande y más elegante que las mesas de las demás secretarias. La mujer se está mirando en un espejo mientras se pinta los labios de un color que no he visto antes. Pienso que quizá eso es lo que la palabra «carmín» representa.

—Esta es Juliet —me dice Jasmine—. La secretaria de Holmesy.

—Señor Holmes —le corrige la mujer.

—Lo que tú digas —dice Jasmine.

—Así que —dice Juliet, chasqueando los labios— tú eres el nuevo chico del correo. El señor Holmes me dijo que empezarías hoy. Quiere verte, así que te llamaré cuando tenga un minuto libre.

—¿Por qué? —pregunta Jasmine—. ¿Qué quiere de él el señor Holmes?

—Creo que eso no es de tu incumbencia —dice Juliet.

—Trabaja para mí —le responde Jasmine.

—Y tú trabajas para el señor Holmes.

—No te equivoques, cielo. Yo estoy bajo las órdenes directas del jefe, o sea, su padre.

—No me cabe la menor duda. —Los labios de Juliet se curvan hacia arriba al decir eso. Luego, volviéndose hacia mí, dice—: Te llamaré cuando el señor Holmes pueda verte. Supongo que el muchacho tiene la misma extensión que el joven delincuente que trabajaba antes para ti.

Jasmine se inclina sobre la mesa de Juliet y la señala con el dedo índice.

—Escúchame bien. Voy a decirte lo mismo que le diré al señor Holmes cuando lo vea. Él no va a hacer ningún trabajo que sea competencia de su secretaria o ejecutiva arrogante o como se llame tu cargo. No archivará ni fotocopiará ni hará nada que tú puedas hacer. Y tampoco será el chico de los recados de Wendell. Todos los encargos que provengan de ti, Holmesy o Wendell pasarán primero por mí. Si Holmesy necesita que se hagan cosas que están por encima de tu capacidad intelectual, que se lo pida a Wendell. —Jasmine señala el despacho situado justo delante de la mesa de Juliet.

En el rápido segundo que miro a Juliet veo que las fosas nasales se le hinchan. Luego dice a Jasmine:

—Oliver Wendell está ayudando a su padre con el litigio de Vidromek. No está aquí para hacer las tareas simplonas. —Me mira a mí cuando dice las dos últimas palabras.

Jasmine se vuelve hacia mí y dice:

—Vámonos antes de que pierda el control y haga algo que me lleve directa a la cárcel.

—Ha sido un placer conocerte —dice Juliet. Pero cuando la miro, no veo atisbo alguno de placer en su semblante.

Cuando nos alejamos por el pasillo, Jasmine suelta un fuerte bufido.

—Esa mujer es una auténtica arpía. Y estoy siendo completamente literal. Escúchame bien: si ella, Holmes o el niñato de Wendell te piden que hagas algo, lo que sea, debes comunicármelo de inmediato. ¿Entendido?

—Sí. Conozco a Wendell. No es un niñato. Es tres años mayor que yo.

—Puede, pero tiene la madurez emocional de un niño de ocho.

—Un día jugué al tenis con él. Bueno, no exactamente. Él golpeaba la pelota y yo se la devolvía. —Estoy a punto de decir lo que Yolanda me dijo esta mañana pero me detengo a tiempo. En lugar de eso, digo—: Estudia en Harvard.

—Lo sé, lo sé. Cree que es un regalo de Dios para las mujeres. Lo único bueno de tenerlo por aquí este verano es verlo tan fastidiado. Odia tener que pasar el verano aquí cuando podría estar compitiendo con su yate, pero su padre lo ha obligado. Solo Dios sabe por qué.

—Dios sabe por qué —le digo. Me pregunto si mencionar a Dios en el lugar de trabajo es otra cosa que no debe hacerse, como rezar o citar las Escrituras. Sea como fuere, a Jasmine no parece importarle.

—A lo que íbamos —dice Jasmine—. Por eso te dije que no me hacía gracia que trabajaras aquí.

Tardo un rato en recordar la conversación que estábamos manteniendo antes del encuentro con Juliet.

—Acepté que trabajaras conmigo, más vale que lo sepas, únicamente porque tu padre me pagará dos mil dólares más por mes y necesito el dinero. No obstante, con los dos mil o sin los dos mil, seguiría prefiriendo tener a Belinda. Solo quería que lo supieras.

—Entiendo —vuelvo a decir.

—La primera ronda es fácil porque todavía no hay muchos abogados en la oficina. Llegan en torno a las nueve y trabajan hasta bien entrada la noche. Es la cultura de esta empresa.

—A mí tampoco me hace gracia estar aquí. —Oigo que las palabras salen de mí y no estoy seguro de ser yo quien las dice—. Preferiría trabajar en Paterson cuidando de los ponis.

Jasmine me mira fijamente un largo rato y luego asiente con la cabeza. Abre la puerta de la sala de mensajería y mete el carro.

—Esta puerta debes cerrarla con llave cada vez que salgas de la sala y yo no esté aquí. Te daré una llave. Nadie puede entrar aquí salvo tú y yo. Si alguien necesita una carpeta, esperan al otro lado del mostrador a que se la demos. Antes la gente entraba y agarraba ella misma las carpetas, hasta que un día se perdió una y el bufete fue denunciado por negligencia. Desde entonces nadie puede entrar aquí, ni siquiera el personal de limpieza. Al final del día, dejamos las papeleras al lado de la puerta. ¿Vale?

—Sí.

—Ahora, vamos a conectar tu portátil.

7

Jasmine conecta mi portátil al sistema del bufete, así que ahora puedo recibir correos electrónicos de todos los abogados y empleados. En cuanto se marcha del cuarto, decido buscar el término «trastorno cognitivo» en internet. Nunca he oído a Arturo emplear ese término y me intriga saber qué quería decir con él. Hay muchas enfermedades mentales graves que reciben el nombre de trastorno cognitivo: demencia, esquizofrenia, paranoia, alucinaciones (auditivas y visuales). Decido que Arturo utilizó un término demasiado amplio para describir una realidad difícil de explicar. Es la única explicación que se me ocurre. ¿Desearía Arturo que yo trabajara en un bufete o estudiara en un instituto corriente o fuera a la universidad si creyera que no estoy en contacto con la realidad? Toda su vida ha luchado contra todo lo que me separa de lo normal.

Oigo el teléfono que descansa sobre mi mesa. El timbre es fuerte, más fuerte que cualquier otro teléfono que he oído en mi vida, y por alguna razón suena como si transmitiera furia.

—¿Diga? —respondo.

Oigo la voz de una mujer.

—El señor Holmes quiere verte ahora.

—Ahora —repito.

—Sí, ahora. O sea, ya. Solo tiene unos minutos antes de su reunión de las once. Sería fantástico que pudieras venir de inmediato.

—Vale. —Me levanto. No estoy seguro de poder encontrar yo solo el despacho de Stephen Holmes. En ese momento oigo la voz de Jasmine. Ha estado todo ese rato sentada frente a su mesa y yo lo ignoraba.

—Déjame adivinar. Holmes quiere verte.

—Ahora. Quiere verme ahora.

—Con Holmesy siempre es ahora.

Me quedo unos instantes ahí de pie, cortado.

—¿Qué pasa? —pregunta.

—He olvidado cómo se llega a su despacho. —Jasmine se levanta y me indica que la siga—. Memorizaré dónde se sienta todo el mundo en cuanto vuelva. Iba a hacerlo al regresar de la ronda de reparto pero me entretuve con otra cosa.

Jasmine no parece molesta por tener que acompañarme al despacho de Holmes. Parece absorta en sus cosas.

—Podrías intentar ganarte la simpatía de Holmesy. Le gusta que la gente le alabe el despacho y muestre admiración por cada palabra que sale de su boca. Es ahí. Cuando hayas terminado, mejor dicho, cuando Holmesy haya terminado contigo, sal del despacho, gira a la izquierda, luego otra vez a la izquierda, y estarás en la sala de mensajería. Izquierda e izquierda. ¿Sí?

—Izquierda e izquierda —repito.

Gira sobre sus talones y se va. Estoy delante de Juliet, que está tecleando con rapidez.

—Entra —dice sin levantar la vista.

Entro y veo a Stephen Holmes detrás de una gran mesa de cristal. Todo en el despacho parece hecho de cristal e increíblemente frágil. Stephen Holmes cubre el auricular del teléfono con la mano y dice:

—Siéntate, Gump, enseguida estoy contigo.

Al principio pienso que alguien llamado Gump ha entrado en el despacho, pero entonces recuerdo que Gump es como me llama Stephen Holmes desde que lancé las pelotas de tenis con Wendell en la barbacoa de verano. «Tu hijo es un Forrest

Gump», dijo Stephen Holmes a Arturo cuando Wendell y yo terminamos.

«¿Qué quieres decir con eso?», respondió Arturo. Recuerdo que toda la gente sentada en el jardín dejó de repente de hablar.

«Ya me entiendes —dijo Stephen Holmes—. Es como Forrest Gump con el ping-pong en aquella película.»

Recuerdo que Aurora empujó a Arturo contra la silla. También recuerdo que ese mismo día, Stephen Holmes y Arturo se detuvieron más tarde debajo de la cabaña del árbol, ignorando que yo estaba arriba. Arturo estaba explicando que la cabaña tenía electricidad y que la habían diseñado y construido los compañeros de clase de Yolanda. Entonces dijo: «Por cierto, nunca vuelvas a ponerle nombres a mi hijo». Arturo hablaba en un tono de voz que no le había oído antes.

Oí a Stephen Holmes soltar una risita y decir:

«No seas tan susceptible, Art.»

Al día siguiente pregunté a Yolanda por qué Stephen Holmes me había llamado Gump y alquilamos la película *Forrest Gump*. Cuando vi la parte en que se convertía en campeón de ping-pong comprendí por qué Stephen Holmes me llamaba Gump. Lo que no entendí entonces y sigo sin entender ahora es por qué Arturo se disgustó tanto. El protagonista de la película es una persona muy buena.

Stephen Holmes cuelga y enseguida coloca los pies sobre la mesa de cristal. No hay nada sobre la mesa salvo el teléfono y un bolígrafo de plata.

—Siéntate, Gump, siéntate.

—Yo no me llamo Gump —digo—. Me llamo Marcelo Sandoval.

—Por supuesto. Siéntese, señor Marcelo Sandoval.

Stephen Holmes dice Marchelo en lugar de Marcelo, que es como debe pronunciarse.

—¿Cómo va el tenis?

—Yo en realidad no juego al tenis —digo, sentándome en el borde de una silla negra.

—Tonterías. Estás hecho todo un Pancho Gonzales. Oye, ya sabes que Wendell está trabajando aquí este verano, ayudándome con un litigio. Deberíais ir juntos al club para jugar al squash.

—Yolanda me enseñó a devolverle la pelota para que pudiera practicar. Puedo devolver la pelota si la tengo cerca. Si no me tiran la pelota directamente a mí, normalmente no la pillo.

—Seguro que el squash se te da bien. No tendrás que perseguir la pelota como en el tenis.

—No soy bueno en los deportes competitivos. A Marcelo le cuesta moverse deprisa. Tiendo a pensar demasiado.

—Eso me recuerda por qué quería verte. Me gustaría que ayudaras a Wendell en el litigio que está preparando. Es un chico listo pero los pequeños detalles no son su fuerte. Ya sabes, organizar, archivar. Y hay un montón de fotocopias que hacer.

—Jasmine me dijo que antes de trabajar para usted o para Wendell lo hablara con ella.

—Jasmine, Jasmine. No entiendo qué ve tu padre en ella.

De repente siento un calor en la cabeza. Aunque no lo comprendo del todo, intuyo que Stephen Holmes está atacando a Arturo, algo que siempre me enoja. Sin meditarlo, digo:

—Jasmine debe de trabajar bien si a Arturo le gusta. —No me importa si lo que digo o la forma en que lo digo suena irrespetuoso.

Stephen Holmes sonríe. En realidad, eso que Stephen Holmes hace con los labios podría describirse mejor como una sonrisita.

—Seguro que si a tu padre le gusta es porque algo hace bien. —Otra sonrisita—. Intenta averiguar por qué tu padre mantiene a Jasmine en el bufete. Ese sería un gran proyecto para ti este verano. En cualquier caso, no te preocupes por Jasmine. Yo me encargo de ella.

—Marcelo no está preocupado. —Sigo enfadado, pero el

enojo va en descenso. Respiro muy, muy hondo, como me han enseñado a hacer en Paterson.

—Sé que Marcelo no está preocupado. —Holmes ríe—. Ojalá tampoco yo me preocupara. Debe de ser genial tener un cerebro simple, sin complicaciones.

—Puede tenerlo si quiere.

—¿No me digas?

—No es difícil simplificar los procesos pensantes del cerebro. Lo único que tiene que hacer es impedir que surjan los pensamientos no deseados.

—¿En serio?

—He descubierto que la mejor forma de conseguirlo es memorizar un pasaje de las Escrituras y recordar ese pasaje cada vez que se quiera detener un pensamiento no deseado. —Me pregunto si eso es algo que no debería haber dicho. Me acuerdo de la regla de Arturo de no hablar de temas religiosos en el lugar de trabajo.

Stephen Holmes baja los pies y los coloca al mismo tiempo sobre la alfombra roja que hay debajo de la mesa. Noto que me está estudiando. Siempre me siento incómodo cuando me hallo en presencia de Stephen Holmes.

—Un día podríamos comer juntos para que me cuentes cómo hacer eso. Me temo que tengo una teleconferencia hace diez minutos. Le diré a Wendell que te saque algún día a comer. Él podría enseñarte a despilfarrar y tú podrías enseñarle a concentrarse. Caray, qué gran idea acabo de tener.

Me quedo sentado, buscando en mis archivos mentales el significado de la palabra «despilfarrar».

—Bien, Gump, ya puedes volver a la sala de mensajería y los auspicios de la protegida de tu padre. Por cierto, ¿cómo está Yolanda? ¿Le está gustando Yale?

Yolanda siempre se queja de lo duros que son sus estudios, así que no sé muy bien cómo responder a esa pregunta. Finalmente decido contestar que sí, aunque no sea del todo exacto.

—¿Qué está estudiando? ¿Quiere ser enfermera como tu madre?

—Yolanda quiere estudiar el cerebro humano. Tiene un trabajo como ayudante de investigación en un hospital de Nueva York.

—Vaya, vaya, qué interesante. Bueno, puedes irte. Le diré a Wendell que te lleve al club para jugar a squash.

En cuanto salgo del despacho de Stephen Holmes, escribo la palabra «squash» en mi libreta amarilla. Deduzco que la palabra hace referencia a algún juego parecido al tenis, pero ignoro por qué le han puesto nombre de hortaliza.*

—¡Marchelo! ¡Eh, Marchelo!

Al principio pienso que Stephen Holmes me está llamando desde su despacho, pero luego compruebo que la voz sale del despacho de enfrente. Me asomo y veo a Wendell sentado detrás de una pila de cajas de cartón. Parece una versión más joven y descuidada de Stephen Holmes.

—Mi nombre se pronuncia Mar-ce-lo —digo. Pienso en la palabrota que Yolanda utilizó para referirse a Stephen Holmes y a su hijo Wendell.

—Sí, claro. Siéntate, Marcelo, siéntate un segundo.

—Tengo que ayudar a Jasmine. Va a enseñarme a utilizar la fotocopiadora —digo, todavía de pie.

—Solo un minuto. —Wendell rodea las cajas de cartón y retira una bolsa de papel de la silla donde quiere que me siente—. Necesito descansar un rato la mente de toda esta mierda.

Me siento y coloco las manos sobre las piernas. Quiero decirle algo a Wendell, que parece estar esperando a que yo inicie la conversación, pero no se me ocurre nada. Pese a las horas de práctica en Paterson, iniciar una «conversación trivial» sigue siendo todo un reto para mí.

---

* Squash significa «calabaza». *(N. de la T.)*

—Juegas al squash —se me ocurre decir al fin, pero me doy cuenta de que no he enunciado la frase en forma de pregunta.

—Veo que has estado hablando con el viejo.

—Tu padre no es viejo.

—Se lo diré de tu parte. Seguro que se pone muy contento.

—Es bueno estar contento. —Pienso en Jasmine. Jasmine no está contenta de que yo trabaje en el bufete. Yo tampoco lo estoy. El esfuerzo que requiere tener conversaciones corteses consume hasta la última gota de mi felicidad.

—Hablando de contento, yo estaría muy contento de pasar mis días en el mismo cuarto que Jasmine. Está como un tren, ¿no crees?

—Tren. —¿Por qué cuando no entiendo el sentido de una palabra tiendo a repetirla?

—¿Reparas en esas cosas, Marcelo? Ya sabes, si una mujer está como un tren, si es agradable a la vista, atractiva. ¿Sientes el mismo gusanillo que todos sentimos cuando vemos un buen cuerpo femenino?

—No. —Creo que la respuesta a esa pregunta es no. Deduzco que Wendell está hablando de atracción sexual.

—Estás de broma, ¿verdad?

—No.

—Eso es imposible. ¿Te atraen los hombres? ¿Es eso?

—No.

—Puede que aún no se te haya disparado la testosterona. Si es el caso, no tardará en hacerlo. Puede que aún no se te haya despertado la necesidad del hombre de plantar su semilla donde sea, cuando sea, tantas veces como sea. ¿Cuántos años tienes? ¿Dieciocho?

—Cumplí diecisiete el veintiséis de marzo.

—En ese caso, hace tiempo que las hormonas de la adolescencia empezaron a fluir. No hay más que verte. Mírate. Eres casi tan alto como yo, y yo mido metro ochenta y dos. Tienes la voz grave. Te afeitas, ¿verdad?

—Sí.

—Eres de constitución fuerte. Fíjate en esos bíceps.

Wendell me coge el brazo y aprieta. Me aparto. No me gusta que la gente me toque sin avisarme primero. Espero no haberle ofendido.

—Levanto pesas todos los días.

Wendell hace caso omiso de mi comentario y regresa a su tema de conversación inicial.

—¿Quieres decir que para ti es lo mismo mirar a Jasmine que mirarme a mí?

—Tú y Jasmine sois personas.

—Pero tenemos cuerpos diferentes.

—Los dos sois personas. En esencia sois iguales.

—Qué profundo, Marcelo. En serio. Si realmente piensas eso y no estás intentando tomarme el pelo, me quito el sombrero. Pero no las tengo todas conmigo. No creo que estés siendo del todo franco.

—No llevas sombrero —digo para bromear y cambiar de tema, pero no funciona ni lo uno ni lo otro.

—¿Me estás diciendo que tú nunca —Wendell baja la voz— nunca quieres, ya sabes... hacerlo? —Wendell ha formado un círculo con los dedos índice y pulgar y está introduciendo y sacando el dedo corazón de la otra mano en el círculo.

—Hacerlo.

—Hacerlo. —Ahora Wendell levanta lentamente un brazo, como un elefante alzando la trompa.

Sé que el movimiento del dedo en el círculo es un gesto que significa el acto sexual y que levantar el brazo significa una erección. Las reglas referentes a la sexualidad y las conversaciones sobre sexualidad son vagas, confusas. No sé si Wendell está bromeando o si está interesado en hablar seriamente del tema. Decido que Wendell probablemente bromea y que no necesito responder. Me levanto y digo:

—Tengo que ayudar a Jasmine.

—Espera, espera. —Wendell me empuja contra la silla—. No era mi intención ofenderte. Solo sentía curiosidad desde un punto de vista antropológico.

—No me has ofendido —digo. Me levanto de nuevo.

—Espera un segundo —dice, levantándose a su vez—. Deja que te arregle el cuello. —Antes de que pueda darme cuenta de lo que está haciendo, me desabrocha el botón superior de la camisa—. Si vas a pasar tiempo con Jasmine, será mejor para ti que no parezcas un repelente.

Cuando regreso a la sala del correo, Jasmine me tiende una hoja y dice:

—He hecho una lista de las tareas que debes aprender. Empezaremos después de comer. Pasaremos la tarde repasándolas y mañana las harás solo.

Camino hasta mi mesa y leo la hoja que Jasmine me ha dado.

12.30   FOTOCOPIAR, AGRUPAR, ENCUADERNAR.

13.30   IR A LOS JUZGADOS FEDERALES PARA PRESENTAR DO-
CUMENTOS.

14.20   ESCANEAR.

15.00   CLASIFICAR CORRESPONDENCIA.

15.30   RECUPERAR Y ARCHIVAR CARPETAS.

16.30   ÚLTIMA RONDA DE REPARTO (MANTENTE ALEJADO DE
MARTHA. SU ESTADO EMPEORA CUANDO SE ACERCA LA
TARDE).

17.00   HORA DE VOLVER A CASA (SOBREVIVISTE AL PRIMER
DÍA DEL CAMPAMENTO MINI-INFIERNO. CONSIDERA
SERIAMENTE NO PASAR OTRA VEZ POR ESTO Y QUE-
DARTE MAÑANA EN CASA).

Aurora me dijo en una ocasión que se dio cuenta de que yo era diferente a los pocos meses de nacer porque nunca lloraba. No podía saber si tenía hambre o me dolía la barriga hasta que fui lo bastante mayor para señalar y hablar. Ni siquiera lloraba cuando me caía y era evidente que me había hecho daño. Cuando no me salía con la mía, me marchaba solo a otro lado o agarraba una rabieta. Pero nunca lloraba. Más tarde, cuando tenía once años y Abba murió, no lloré. Cuando Joseph, mi mejor amigo del St. Elizabeth, murió, no lloré. Puede que no sienta lo que otros sienten. No puedo saberlo. Pero siento. Lo que pasa es que lo que siento no genera lágrimas. Lo que siento cuando otros lloran se parece más a una soledad vacía, seca, como si fuera la única persona que queda en el mundo.

Por eso se me hace tan extraño sentir que los ojos se me llenan de lágrimas mientras leo la lista de Jasmine.

8

Cada mañana, durante esta semana, después de la primera ronda de reparto mi tarea ha consistido en recorrer las fotocopiadoras e impresoras de la oficina y ponerles papel, además de dejar paquetes de hojas al lado. Pasearme por la oficina con un carro lleno de correspondencia o papel para las fotocopiadoras e impresoras es la tarea que menos me gusta hacer. Siempre hay alguien que me dice algo y me veo obligado a responder.

Conversaciones triviales. Lo sé todo sobre conversaciones triviales. Las estudié en Paterson y tengo una serie de respuestas para las conversaciones triviales que inician otros, así como algunas preguntas triviales para aquellas ocasiones en que, por la razón que sea, me veo obligado a iniciar yo la conversación trivial. En la clase de interacción social aprendimos a formular cuatro o cinco preguntas sobre los acontecimientos del día. Leyendo el periódico o buscando en nuestros ordenadores, memorizábamos preguntas sobre el tiempo, sobre deportes, sobre los últimos sucesos. Cada mañana de esta semana he consultado una página web que informa de los acontecimientos locales y he anotado algunas preguntas por si acaso. «¿Qué me dices de que los Boston Red Sox hayan perdido contra los New York Yankees?», y otras preguntas por el estilo.

Por suerte, no he tenido que utilizar ninguna de mis preguntas preparadas. Cuando llego por la mañana, Jasmine ya está en la sala de mensajería. Me entrega mi lista del día y cada cual se pone a hacer lo suyo en silencio. Me gusta así. Y creo que a Jasmine también, porque la mayor parte del trabajo que hace en su mesa lo hace con los auriculares puestos. A veces, no obstante, me pregunto cómo era Belinda y si Jasmine se pondría los auriculares si Belinda estuviera trabajando aquí en mi lugar.

Abrir cajas y sacar paquetes de folios es algo que puedo hacer sin excesiva concentración. Muchos de los trabajos del bufete son así, y me viene bien, porque de ese modo puedo pensar en otras cosas, como estoy haciendo ahora. Lo que estoy pensando ahora es si en el bufete hay alguna vez «conversaciones serias». A veces oigo a los abogados hablar de su trabajo. Hablan sobre el contenido de cartas que han recibido o sobre lo que alguien les dijo al teléfono o sobre lo que ocurrió en una reunión. Oigo mucho «Entonces él dijo» o «Entonces ella dijo» y esta transmisión de lo que otra gente ha dicho se explica con gran emoción. Esto, creo, es el equivalente en el bufete a las conversaciones serias, pues la emoción no es algo que acompañe a las conversaciones triviales.

Me pregunto cómo definiría yo una conversación seria. La mayoría de mis conversaciones con la rabina Heschel son serias porque implican preguntas sobre Dios. La conversación que Aurora y yo tuvimos después de que Arturo me hablara de trabajar en el bufete durante el verano fue seria. Todas las conversaciones con mi amigo Joseph en el hospital eran serias, aunque trataran de pequeñas cosas. Y era así porque los dos sabíamos que cada palabra contaba. Lo que no entiendo es por qué nunca hice una distinción entre conversación trivial y conversación seria en Paterson. Sé que no tiene sentido, pero por la razón que sea todas las conversaciones que tenía y escuchaba en Paterson me parecían serias.

—Perdona.

Alguien me está hablando. Me doy la vuelta y veo a la secretaria que se sienta en el espacio número dieciocho. Busco su nombre. Espacio dieciocho. Beth. Trabaja para el abogado

Harvey Marcus. Me quedo mirándola sin saber muy bien qué decir.

—¿Dónde está Jasmine?

Me gustan esa clase de preguntas.

—Ha ido a la oficina de correos.

—¡Mierda!

Es una respuesta inesperada. Veo una pila de documentos sobre el mostrador y caigo en la cuenta de que necesita que Jasmine haga algo por ella. La veo mirar el gran reloj blanco que cuelga sobre mi mesa.

—Le dije que le traería unos documentos que es preciso encuadernar antes de las once.

Yo estoy al tanto de la encuadernación de documentos porque Jasmine me señaló la máquina del fondo que se utiliza para encuadernar, pero todavía no me ha enseñado a utilizarla.

—Estará de vuelta a las diez. —Me giro para mirar el reloj. Son las nueve y media.

—Harvey lo necesita para una reunión de la junta directiva que tendrá lugar a las once.

Miro los documentos que ha dejado sobre el mostrador.

—Aquí solo hay seis documentos —digo.

—Necesito diez fotocopias de cada, y hay que poner lengüetas y encuadernar cada copia. —No me está mirando. Está escribiendo algo en una de las hojas de solicitud que hay sobre el mostrador. Hace tanta fuerza contra el papel que se desgarra—. ¡Mierda! Dime que esto no me está ocurriendo.

No creo que me esté pidiendo que se lo diga. No sé qué significa poner «lengüetas» y no sé encuadernar, pero sí sé hacer fotocopias, así que le digo:

—Puedo hacer las fotocopias. Puedo empezar la tarea.

Me mira.

—¿No se supone que eres re… quiero decir lento o algo por el estilo?

¿Cómo puedo responder a eso? En este caso sé lo que seguía

después de que se interrumpiera: «retrasado». De modo que Beth esperaba que yo fuera retrasado o lento o algo por el estilo, y yo dije algo o me ofrecí a hacer algo que contradecía esa impresión. Pero ¿de dónde sacó ella la impresión de que yo era retrasado? ¿Quién se la transmitió?

—Oye, ¿estás ahí? —Está chasqueando los dedos—. Supongo que si trabajas aquí significa que puedes hacer el trabajo, ¿no?

No respondo. Pero no creo que esa conclusión sea forzosamente correcta.

—¿Ves estas pegatinas amarillas? Son los lugares donde deben ir las lengüetas. Tienes que sacarlas de los documentos cuando hagas las fotocopias, pero luego has de volver a ponerlas para poder colocar las lengüetas.

—¿Qué son lengüetas?

Beth mira el reloj de la pared. Hace una mueca. He visto a chicos en Paterson hacer esa mueca segundos antes de romper a llorar de rabia y frustración.

—No puedo perder más tiempo con esto. Aquí tienes la solicitud. La he traído con tiempo suficiente para que pueda hacerse a tiempo. Si el bufete no puede contratar ayuda como es debido… que sea Harvey quien lidie con el problema. Yo ya he hecho mi parte. —Mientras habla sus manos sacuden el aire. Me pregunto cómo es posible que sienta eso que parece que está sintiendo por una tarea tan sencilla como fotocopiar y encuadernar.

A las diez llega Jasmine. En la mano lleva una bolsa de plástico que deja sobre su mesa. Se acerca y mira los seis montones de documentos que he hecho: diez copias de cada uno de los documentos que Beth dejó conmigo. Sé que se está preguntando qué estoy haciendo.

—Beth —digo. Le tiendo la hoja de solicitud—. Hay que ponerles lengüetas y encuadernarlos. Hay una reunión a las once. Estaba muy enfadada porque no estabas aquí.

Jasmine asiente con la cabeza. A diferencia de la mayoría de las personas que trabajan en el bufete, Jasmine siempre está tranquila. Incluso cuando se enfada, como por ejemplo con Juliet, se nota que el enfado no le afecta. Lo sé porque su respiración nunca se altera. Una persona que está realmente enfadada tiene reacciones físicas que le duran un rato, incluso cuando ya ha pasado el suceso que le ha provocado el enfado.

—Has hecho las fotocopias —dice. Coge la primera fotocopia del primer montón—. No hay índice. ¿Cómo sabemos dónde van las lengüetas?

Camino hasta mi mesa y le enseño los seis documentos que trajo Beth con las seis pegatinas amarillas. Jasmine coge uno.

—¿Los trajo así?

—Sí, así, con las pegatinas amarillas para marcar dónde quiere las lengüetas.

—De modo que retiraste las pegatinas para hacer las fotocopias y luego volviste a colocarlas en los originales de Beth. Las pegaste en la misma página que estaban antes, ¿verdad?

Cojo de mi mesa una hoja y le muestro la lista con los números de las páginas que tenían pegatina. No tengo que decirle lo que son. Me obligo a mirar detenidamente la cara de Jasmine y veo que empieza a formarse una pequeña sonrisa.

—Bien. Terminemos con esto para que a Beth no le dé un ataque de nervios. —Lo dice como si Beth hubiera tenido antes ataques de nervios.

Trabajamos en silencio salvo cuando leo en alto el número de una hoja. Jasmine pega las lengüetas en todas las fotocopias y luego saca la máquina de encuadernar. Me enseña cómo colocar el documento entre dos tapas de plástico antes de ponerlo en una prensa eléctrica que hace los agujeros y lo encuaderna. Después de hacer unos cuantos, Jasmine se aparta y me indica que lo haga yo.

Miro el reloj. Son las diez y media y Beth necesita los documentos para las once. Sé lo que tengo que hacer, pero no creo que pueda hacerlo lo bastante deprisa para terminar cincuenta y seis documentos en media hora.

—No estoy seguro —digo.

—¿De qué?

—Marcelo no es tan rápido como Jasmine.

—Marcelo está perdiendo tiempo hablando cuando podría estar actuando.

Luego se dirige a su mesa y se pone los auriculares.

El primer documento que pruebo sale mal. No he alineado las tapas de plástico correctamente. Decido dejarlo a un lado y pasar al siguiente en lugar de pedir a Jasmine que lo arregle. El segundo sale bien, pero tardo tres minutos en encuadernarlo. Solo se precisan unos movimientos manuales, pero el hecho de saber que el tiempo corre me hace ir más despacio. Entonces pienso que quizá esta sea la tarea que me enviará a Oak Ridge. ¿No era ese el trato? «Cada tarea tendrá sus reglas —dijo Arturo—. Tu éxito dependerá de tu capacidad para seguirlas.»

Paro. Respiro hondo. Cierro los ojos. Me imagino, nada más y nada menos, retirando el estiércol con la pala en las cuadras de Paterson. Imagino el lento movimiento de la pala, me imagino llenando la carretilla y sacándola al exterior, por donde más tarde pasará un camión para llevársela. Harry siempre decía que yo recogía el estiércol como si cada palada contuviera oro, tal era el cuidado que ponía. Esa es la forma en que necesito trabajar ahora, despacio pero sin pausa. ¿Qué otra cosa puedo hacer? ¿Puede Marcelo ser alguien diferente de Marcelo? Cuando abro los ojos, veo que Jasmine se ha dado la vuelta y me está mirando. Busco preocupación o enojo en su cara por no trabajar lo bastante deprisa, pero en lugar de eso veo que me mira en silencio, sin reproche alguno.

A las diez cincuenta y cinco aparece Beth en el mostrador. Mira primero los documentos que he encuadernado, luego a mí y luego a Jasmine.

—No puedo creerlo —le oigo decir.

Jasmine se quita los auriculares pero no se levanta.

—¿Has dicho algo? —pregunta a Beth.

—¿Acaso no puse en la solicitud que Harvey tenía una reunión a las once y que necesitábamos los documentos encuadernados para entonces? Solo va por la mitad y la gente ya está aquí. Harvey necesita repartirlos en cuanto comience la reunión.

—Harvey hubiera debido darnos los documentos con más tiempo.

—Los traje a las nueve treinta. Hace una hora y media. A mí me da igual, tengo una copia de la solicitud para demostrarlo.

—Te va a dar un infarto. Mírate. —Jasmine está viendo lo mismo que yo. La cara de Beth está tan roja que empieza a ponerse morada. Sus manos aprietan el mostrador con tanta fuerza que tiene los nudillos blancos. Ha empezado a temblar.

—¿Por qué no le ayudas? Si le hubieras ayudado, ya estaría terminado. —Ahora Beth está gritando a Jasmine. Sigo encuadernando—. ¿Qué te ocurre? ¿Quieres que lo haga mal para poder recuperar a Belinda? ¿Es eso?

Dejo lo que estoy haciendo para mirar a Jasmine. Me pregunto si esa es la razón de que no me ayudara. Jasmine se levanta lentamente y se coloca delante de Beth.

—Todo el bufete acabará oyendo tus gritos. ¿Crees que merece la pena? Harvey tendrá sus documentos dentro de media hora. La misma hora a la que los habría tenido si lo hubiera hecho yo. Además, este trabajo solo puede hacerlo una persona. No puedo ayudarle. —Jasmine se acerca a la mesa donde estoy trabajando y recoge uno de los documentos que acabo de encuadernar—. Mira. La encuadernación es perfecta. No habría salido tan bien si la hubiera hecho yo. Me habría apresurado y habría cometido errores.

Por un momento da la impresión de que Beth acaba de descubrir que un público ha presenciado su arrebato.

—Tendrás que vértelas con Harvey —dice—. Yo ya he hecho mi parte. Los traje con tiempo. Tengo una copia de la solicitud. —Se aleja.

Ahora Jasmine me mira y menea la cabeza. Ignoro qué significa ese gesto. Quizá significa que no debería creer nada de lo que dice Beth.

—Gracias —digo.

—¿Por qué?

—No le dijiste la verdad a Beth. Los documentos ya estarían encuadernados si los hubiera hecho Jasmine. Jasmine tardó treinta segundos en encuadernar un documento. Lo más deprisa que Marcelo puede encuadernar un documento sin cometer errores es dos minutos y veinticinco segundos.

—¿Lo has cronometrado?

—Tenía que hacerlo para determinar mi velocidad óptima.

—Tu velocidad óptima.

—En Paterson lo llamamos velocidad óptima. Significa encontrar la mejor velocidad para realizar una tarea de acuerdo con quien eres. Todo el mundo tiene una.

—Increíble —dice Jasmine. Luego—: Será mejor que aumentes tu velocidad óptima para terminar esos documentos antes de que Harvey se presente aquí resoplando. Si crees que a Beth le gusta el melodrama, espera a ver actuar a Harvey.

—Los documentos no estarán terminados a tiempo para la reunión.

—Pero eso ya lo sabías. Solo tenías que multiplicar tu velocidad óptima por el número de documentos que te quedaban por hacer.

—Sí.

—Pero no lo hiciste.

—No.

—¿Por qué?

—No era posible cumplir el plazo de entrega sin cometer errores.

Se acerca a mí.

—Todo el mundo cree aquí que sus plazos de entrega son importantes. Unos lo son y otros no. Nada ocurrirá, el mundo no se acabará, no se perderá ninguna vida y tampoco dinero si los documentos no están listos a las once. Lo peor que puede pasar es que Harvey tenga que decir que los documentos tardarán unos minutos. Pero no lo dirá porque durante la reunión no se hablará de los documentos, ni siquiera se abrirán. Harvey quiere que la gente de la reunión se lleve los documentos al irse. De modo que el plazo de las once es, únicamente, porque Harvey quiere quedar bien. Quiere los informes sobre la mesa cuando la gente llegue porque cree que eso causará buena impresión.

—No es importante causar buena impresión a la gente.

—¡Es importantísimo! —Jasmine sacude la cabeza, como aterrada, pero sé que no va en serio—. La reunión se interrumpirá a las doce para comer. Llevaremos los documentos entonces y Harvey seguirá causando buena impresión. Iré a verle para impedir que le dé un soponcio.

—Fue culpa de Marcelo.

Jasmine baja la vista. Pensaba que yo era el único que temía mirar a la gente a los ojos, pero a ella también parece asustarle.

—Oye, hay plazos de entrega reales donde, si no se cumplen, la gente puede perder probablemente no la vida pero sí dinero. Se tarda un tiempo en reconocerlos.

—Aunque reconozca los plazos, Marcelo solo puede trabajar a una velocidad determinada.

—Lo que haremos será dividir el trabajo. Tú harás las tareas que no dependan de plazos y yo haré el resto.

—Me concentro mucho cuando puedo trabajar a mi velocidad óptima. —Intento decirlo de una forma que suene graciosa, pero Jasmine no sonríe. Entonces se me ocurre decir—: Belinda habría cumplido el plazo de las once. —Mi intención es plantearlo como una pregunta, pero sale como una afirmación.

—Sí.

La veo salir de la sala de mensajería. Va a evitar que a Harvey le dé un soponcio.

9

Cada día que trabajo en el bufete hago progresos, progresos
según la definición de Arturo, esto es, soy capaz de completar con éxito las tareas que se me asignan. Puedo caminar por
las calles si me ciño a una ruta memorizada y sigo el plano y no
presto atención a las palabras y sonidos de la ciudad. Hay palabras por todas partes. Lo cubren todo. Hay palabras en edificios
y en ventanas, en coches y en la ropa de la gente. Hay gente sentada en las acercas con letreros como SOBRIO SIN TECHO. Si me
detuviera a leer cada palabra que veo, nunca llegaría a los juzgados, adonde voy casi cada día para presentar documentos.

Lo mismo me sucede con los ruidos. Parece que la mayor
parte de mi cerebro necesita estar desconectado para poder funcionar eficazmente. Cientos de personas no tienen problemas
para asimilar diferentes ruidos. Caminan y hablan por el móvil.
Esquivan los coches mientras conversan. Al principio me sor-
prendía la cantidad de gente que caminaba por la calle hablando sola. Jasmine tuvo que señalarme el diminuto micrófono que
les colgaba delante de la cara.

Cada día, durante la hora del almuerzo, camino hasta un pequeño parque que hay frente al edificio del bufete. Me siento
y me como un bocadillo de atún, una barrita de cereales y una
manzana. Observo. Últimamente he estado mirando a las mujeres, tratando de no hacerlo fijamente, viendo si puedo determinar si son atractivas. Supongo que es el resultado de las conver-

saciones que tengo con Wendell. En realidad no son conversaciones. Wendell habla y yo escucho. Casi cada día Wendell com-
parte conmigo sus vastos conocimientos sobre las mujeres.

Me dirijo a la sala de mensajería después de comer cuando
Wendell me agarra.

—Solo unos minutos, Marcelo, te lo ruego. Estoy harto de
leer gilipolleces.

—Jasmine me está esperando para ir al registro de la propiedad —digo.

—Tómatelo como tu obra buena del día —suplica.

Me siento.

—¿Sabes a qué dedico mi tiempo?

—A leer gilipolleces.

—Exacto. Tengo que revisar treinta y cinco cajas de gilipolleces buscando memorandos, cartas e informes, algunos en español.

—¿Hablas español?

—Más o menos. Estudié tres años en el colegio.

—Yo antes rezaba en español con mi abuela, cuando vivía
con nosotros.

—¡No me digas! Hablando de rezar, estoy rezando para que
Jasmine salga conmigo. No entiendo por qué se me resiste. ¿Te
habla alguna vez de mí?

Pienso en su pregunta pero decido no responder. En lugar
de eso, le hago otra pregunta. Es algo que he aprendido de la
rabina Heschel. Cuando no quieres o no sabes responder a una
pregunta, formula otra. Pregunto:

—¿Crees que Jasmine es bella?

La cara de Wendell se ilumina.

—Has ido a hacerle la pregunta a la persona adecuada, amigo mío.

Me pregunto si alguien considerado normal me ha llamado
antes «amigo». Ni siquiera Joseph me llamaba «amigo», pese a
serlo. Me alegra que Wendell me llame «amigo».

—Sí, puedo decirte con absoluta certeza que Jasmine es bella.

—Por tanto —digo—, si una mujer se parece a Jasmine, significa que también es bella.

—No siempre funciona así, señor Spock. —A Wendell le ha dado por llamarme así cada vez que digo algo basado en la lógica—. Jasmine tiene un pelo negro cautivador, pero una rubia o una pelirroja o incluso una calva pueden ser igual de bellas. A veces la delgadez está bien y a veces el hombre prefiere más sustancia. Pero sí, como punto de partida, si una mujer se parece a Jasmine, puedes tener la seguridad de que es bella. Pero no limites tus horizontes. Amplía tu criterio a la hora de apreciar la belleza. —Wendell ríe para sí.

—¿Quién más es bella? —pregunto.

—Aquí, en el bufete, prácticamente todas las secretarias tienen algo. Es lo único que salva a este lugar. Con excepción, quizá, de la vieja Margie. Pero incluso en su caso puedes decir que era guapa digamos que hace ochenta años.

«Las mujeres son el interés especial de Wendell», me digo.

—Existen tres clases de belleza femenina —dice Wendell. Habla como el señor Rafferty, mi profesor de estudios sociales de Paterson—. Campechana, Elegante y Elemental.

—¿Podrías ponerme un ejemplo, por favor? —Enseguida lamento la pregunta. Ya llego diez minutos tarde y Jasmine me está esperando para ir al registro de la propiedad.

—Desde luego. Tomemos a tres mujeres bellas de este bufete. Cada una representará una de las tres clases de belleza que acabo de mencionar. En primer lugar tienes a la Campechana Martha. Las mujeres campechanas están bien dotadas en un sentido maternal, mamario. Son sexys en su abundancia, facilidad, naturalidad, y se entregan con generosidad. El sexo es parte de su naturaleza sustentadora. La atracción que sienten los hombres por las mujeres Campechanas viene de su deseo infantil de ser protegidos, despertando así en la mujer el deseo de proteger.

»En cuanto a la segunda categoría, Juliet es un caso representativo de la mujer Elegante. Las Elegantes suelen ser delgadas. Su comportamiento es frío y distante. Son muy conscientes del efecto que ejercen en el género masculino y le sacan partido. Provocan el instinto competitivo del hombre. La atracción aquí se basa en la necesidad del hombre de conquistar y domar, pero también de acaparar y privar a los demás del premio. Las Elegantes son trofeos, posesiones vistosas. El simple hecho de ser vistos con ellas genera la envidia de los demás. Por eso mi padre contrató a Juliet.

Wendell calla de repente.

—Jasmine debe de ser un ejemplo de belleza Elemental —digo.

Wendell sale de su ensimismamiento y me da una palmada en la rodilla.

—Tú lo has dicho. Aprendes deprisa, muchacho. —Regresa a su silla. Su tono es diferente de cuando describía las otras clases de belleza. Es solemne y serio—. La belleza Elemental depende menos de los atributos físicos que los otros tipos de belleza. Teóricamente, supongo, una mujer puede ser una Mujer Elemental sin ser físicamente atractiva. ¿Has oído hablar de la tabla periódica de elementos?

—Sí.

—¿Qué es?

—Es una tabla de todos los elementos químicos ordenados por el número de átomos que contienen.

—Exacto. ¿Por qué sospechaba que sabrías la respuesta a esa pregunta?

—Lo aprendí en Paterson.

—Buen colegio, ese Paterson. Bien, sigamos, porque ya no hay quien me pare. Todo lo que existe en el universo está formado por una combinación de los elementos de la tabla de elementos.

Discrepo de Wendell. Los elementos de la tabla periódica de

elementos hacen referencia a las partes más obvias de la realidad, las que podemos ver y tocar. Pero hay fuerzas energéticas dentro del átomo que también forman parte de la realidad y más allá de eso hay fuerzas que todavía no podemos reconocer. Decido no interrumpir porque si Wendell me pidiera que se lo explicara, podríamos acabar hablando de cuestiones religiosas.

—¿Qué tiene que ver eso con la belleza?, sé que te estarás preguntando.

En realidad me estoy preguntando si las conversaciones con los amigos siempre son así: dos mentes unidas por su atención en un mismo tema.

Wendell prosigue.

—La fuerza de atracción que se esconde tras la belleza Elemental es que ofrece la promesa de totalidad, de satisfacción plena, completa e infinita. La mujer que tiene esta clase de belleza es como la tabla periódica: posee todos los elementos que constituyen la feminidad, pero de forma discreta, como la propia materia.

—¿Jasmine es así? —Esta vez consigo enunciarlo como una pregunta.

—Ella es sólida. No solo sólida de cuerpo, en el sentido de que está firme, de que levanta pesas todos los días, sino que también es inquebrantable, audaz, permanente, básica, orgánica. Si te encontraras perdido en el desierto con ella, encontraría agua.

—Jasmine levanta pesas —digo casi para mí. La idea me pone contento.

—Pero lo verdaderamente especial de este tipo de mujer poco común es que pese a su fortaleza, en muchos aspectos sigue siendo sumamente lujuriosa. Oh, Dios. Te produce un empalme que surge de las profundidades del alma. Por eso Jasmine es Elemental.

—Entiendo. —Quizá sea la extraña forma en que Wendell menciona a Dios, pero de repente me siento incómodo. Me levanto. Wendell también se levanta pero sigue hablando. La lección no ha terminado.

—El único problema con las mujeres Elementales es que tan pronto puedes amarlas como no. No son frías y calculadoras como las mujeres Elegantes. Sencillamente, siguen su propio camino. Puedes subirte a su tren y viajar con ellas, pero seguirán apuntando hacia su destino contigo o sin ti. Hablando del demonio.

Jasmine está en la puerta. Me mira.

—Si no llego al registro de la propiedad antes de que cierren, a Riese le dará un soponcio.

—Es culpa mía —dice Wendell—. Estábamos hablando del sentido de la vida.

—No hará tu trabajo —le dice Jasmine.

—Tranquila, tigresa, es todo tuyo.

—Adiós, amigo —le digo a Wendell.

Pero Wendell no me oye.

—¿Has pensando en lo que te propuse? —está diciendo a Jasmine.

—¿Qué parte de la palabra «no» no entiendes? —Jasmine lo dice mientras se aleja.

Camino del registro de la propiedad, me dice:

—Ten cuidado con Wendell, no es de fiar.

—¿Qué quieres decir? —pregunto—. ¿Qué ha hecho para que digas eso?

—Es una sensación —dice—. Es todo apariencia, como su padre, e igual de cruel por dentro. No me inspira confianza.

Pienso en un par de semanas atrás, cuando Arturo me preguntó si confiaba en él y le dije que sí. Es cierto. Confío en Arturo. Confío en que mantendrá su promesa y me dejará decidir dónde quiero estudiar el curso que viene. Pero mi confianza en él es más un conocimiento que una sensación. Se basa en la experiencia de que siempre ha hecho lo que dijo que iba a hacer. Nunca he pensado en la confianza como una sensación, pero ahora oigo a Jasmine utilizar la palabra como si fuese una sensación.

—¿Qué se siente cuando no confías? —pregunto.

—Escalofríos.

—Escalofríos.

—Sí, escalofríos. Wendell me pone la carne de gallina.

—Carne de gallina. ¿Puedes concretar un poco más?

—¿Alguna vez has ansiado mucho algo?

—Sí.

—¿Qué?

—Discos compactos. Nunca tengo suficientes. Veo un CD y quiero comprarlo aunque no lo necesite, aunque tenga uno en casa con la misma música.

—Bien. Pues cuando yo estoy en presencia de Wendell, me siento como se sentiría ese CD si pudiera sentir.

10

Esta mañana, mientras esperaba a Aurora para que me acompañara a la estación, Arturo me pidió que cogiera unas zapatillas de deporte, una camiseta y un pantalón corto. Ahora sé por qué. Nos dirigimos al gimnasio. No tenía ni idea de que Arturo «entrenara», como él lo llama, casi cada día. Prefiere entrenar por la mañana, cuando llega al trabajo. A Arturo le gusta ir al trabajo en coche solo, a pesar de que yo estoy despierto cuando se marcha, y luego Aurora me deja en la estación camino de su trabajo. Arturo cree que aprendo más del mundo real viajando cada día en tren. Quizá piense que interactúo más con la gente si tomo el tren, pero por lo general hago el trayecto en silencio, tratando de recordar mi MI, a la que cada vez me cuesta más acceder.

—¿Cómo te va en el trabajo? —me pregunta Arturo.

—Dabuten —respondo. Intento decirlo como lo dice Jasmine, pero no consigo darle la entonación adecuada.

—¿Dabuten? —pregunta Arturo.

No sé por qué me cuesta más ahora llegar al lugar de la MI. Me es imposible escuchar la MI en el trabajo, incluso en las raras ocasiones en que estoy sentado frente a mi mesa sin nada que hacer. Es como si la MI temiera dejarse oír por miedo a que se burlen de ella.

—Nunca te había oído decir eso —dice.

—Lo dice Jasmine —digo.

—Ya.

Ahora Arturo camina en silencio. Lo prefiero. Normalmente, en torno a esta hora voy al pequeño parque de delante del edificio y como. Este viaje al gimnasio interfiere en la única hora del día en que puedo dirigir mis pensamientos hacia donde quiera sin interrupciones. Me irrité cuando me dijo lo que íbamos a hacer a la hora de la comida, pero no dije nada. A estas alturas ya sé que tengo tendencia a irritarme cuando me piden que haga algo imprevisto. He trabajado mucho a lo largo de los años para reducir el nivel y la duración de la irritación. Llevo trabajando en ello desde donde me alcanza la memoria.

—Entonces tú y Jasmine debéis de llevaros bien.

Me suena a conclusión y no a pregunta, así que no respondo. Estamos detenidos en la esquina, esperando a que la personita del semáforo se ponga blanca para poder cruzar. Parte de mi irritación pasajera por tener que entrenar es que no necesito entrenar. Levanto mis pesas cada mañana, llevo haciéndolo desde que mi tío Héctor me enseñó.

—Te he preguntado si tú y Jasmine os lleváis bien.

Así que era una pregunta. Vacilo porque Arturo está cruzando la calle a pesar de que la personita sigue roja. Me quedo en el bordillo pero Arturo me hace señas para que le siga. Miro si viene algún coche al tiempo que empiezo a cruzar. Un coche gira desde una calle lateral y avanza hacia nosotros, pero Arturo no aprieta el paso. Automáticamente, me cojo a su brazo. Eso es algo que haría un niño pequeño, pienso.

—Ella no se ha quejado de ti —dice en medio de la calzada.

Llegamos al otro bordillo. Arturo parece estar hablando solo. Tardo unos segundos en comprender quién es «ella».

—Entonces, ¿va todo bien con Jasmine?

—Sí, padre.

¿He sonado brusco? La entonación de mis palabras es prácticamente la misma independientemente de lo que diga, aunque últimamente estoy siendo capaz de elevar la voz al final de una frase cuando se trata de una pregunta. La mayoría de las personas no se da cuenta de que hablar con ellas me pone nervioso o de que me preocupa qué voy a decirles a continuación. Sin embargo, me ocurre con todo el mundo menos con Aurora, Yolanda, la rabina Heschel, los chicos del hospital y los chicos de Paterson. Y ahora que lo pienso, menos con Jasmine. Qué extraño. No lo había pensado antes. Me pregunto cómo ha podido ocurrir sin que lo notara.

Es cierto que Arturo me pone nervioso a veces. Siempre está haciendo preguntas, instándome a acelerar mi capacidad de respuesta. Ahora que me dirijo con él al gimnasio estoy nervioso. Nunca he estado en un gimnasio. Me pregunto si se parecerá a la sala de ejercicio de Paterson.

Abre la puerta del gimnasio y muestra su tarjeta a una joven sentada detrás de un mostrador.

—Buenos días, señor Sandoval.

—Hola, Jane.

Todo el mundo conoce a mi padre y mi padre conoce a todo el mundo. Nadie le llama Arturo salvo, quizá, Holmesy. Holmesy. Probablemente me lo ha contagiado Jasmine.

Pasamos por las bicicletas estáticas y un hombre que está pedaleando saluda a Arturo. Se seca el sudor de la cara con una toalla. Arturo se detiene.

—Necesito hablar contigo —dice el hombre a Arturo en voz baja, como si no quisiera ser oído.

—No me extraña —responde Arturo.

El hombre suelta una risa ahogada.

—¿Te va bien que te llame esta tarde? —pregunta Arturo.

—Imposible —dice el hombre. Observo que tiene floja la carne de la barriga y las piernas, y los brazos llenos de manchas marrones—. Vuelo a Los Ángeles a las tres. ¿Por qué no agarras la bici de al lado y charlamos unos minutos?

—Estoy con mi hijo —dice Arturo. Se vuelve hacia mí—. Marcelo, te presento al señor Gustafson.

—Encantado —digo. Sus enormes manos no abandonan el manillar, así que no alargo el brazo.

—Encantado —dice, imitándome. Entonces se echa a reír y le dice a Arturo—. Muy guapo, el muchacho. De tal palo tal astilla. Aún me quedan veinte dolorosos minutos en esta maldita máquina. Ya he hablado con Holmes y está de acuerdo con el proceso. Te necesito en esto. Veinte minutos, eso es todo.

Estoy contemplando la hilera de televisores situada frente a las bicicletas. Debe de haber doce o más aparatos en diferentes canales. Entonces oigo decir a Arturo:

—De acuerdo, enseguida vuelvo.

El vestuario está lleno de hombres que se pasean sin ropa, de modo que mantengo la mirada gacha. No me es difícil, porque es donde la tengo la mayor parte del tiempo. No entiendo cómo alguien puede caminar sin ropa delante de otros sin sentirlo como una violación de su intimidad. Las únicas veces que me he quitado la ropa delante de otra persona ha sido en la consulta del médico. Levanto los ojos lo justo para buscar las duchas. Respiro aliviado al ver que tienen cortinas de plástico.

Arturo tiene una taquilla con una combinación. Señala la taquilla contigua y me dice que puedo guardar ahí mi ropa, menos la cartera, que guardará en su taquilla. En Paterson el vestuario de los chicos no tiene taquillas. Hay perchas en la pared y no tienes que preocuparte por la cartera.

Encuentro un taburete y empiezo a cambiarme. Arturo ya se ha puesto el pantalón corto y la camiseta cuando yo apenas he terminado de quitarme los zapatos y me estoy desabotonando la camisa. Sobre nuestras cabezas hay un altavoz blanco del que sale música moderna. Estoy intentando comprender qué canta la mujer, pero es imposible. Pesco palabras sueltas. Su voz se pierde bajo los golpes de la batería.

—Estaré en las bicicletas —me dice Arturo mientras me pongo la camiseta—. Reúnete conmigo cuando te hayas cambiado.

—Me gusta levantar pesas —digo.

—Lo sé, pero he pensado que podríamos pasar un rato juntos. Cuando termine de hablar con el señor Gustafson, podremos entrenar y charlar sobre cómo van las cosas.

—Charlar.

—Sí, charlar. Ya sabes, un padre y un hijo pasando un rato juntos hablando de nada en particular. Te estaré esperando, ¿de acuerdo?

—De acuerdo.

Cuando Arturo se va, me quito el pantalón y lo doblo con cuidado. Luego me pongo el pantalón corto de color azul, con la insignia de Yale, que me regaló Yolanda. Caigo en la cuenta de que no me he traído calcetines blancos, así que me dejo puestos los calcetines azules y me pongo las zapatillas de deporte. Estoy pensando en lo difícil que me resulta comunicarme con mi padre. Es la persona con la que más me gustaría «charlar» de este mundo. Podríamos sentarnos en el jardín de casa y tener conversaciones triviales o conversaciones serias. No importaría. Pero eso requiere un esfuerzo, o, mejor dicho, una ausencia de esfuerzo que parece estar fuera de nuestro alcance. Ahora vamos a «charlar» y pienso que eso es bueno, pero no será fácil para mí. Sé lo que de verdad le interesa cuando pregunta «¿Cómo estás?». Quiere que le confirme que él tenía razón, que puedo funcionar en el mundo real. Ojalá no le preocupara tanto eso. Ojalá él y yo pudiéramos charlar de algunas de las cosas sobre las que charlo con la rabina Heschel. Ojalá me preguntara sobre Buda, Jesús o Jacob, la clase de cosas que llenan mi cabeza.

Salgo del vestuario y encuentro una bicicleta junto a la de mi padre. Empiezo a pedalear y una serie de luces aparecen en el panel de control de la bici. Arturo está hablando con el hombre hinchado que nos saludó cuando entramos. En el manillar hay un juego de auriculares. Me los pongo, pensando que quizá tengan una música diferente, pero los auriculares transmiten el sonido del televisor que hay delante. Me los quito. Quiero ahuyentar la música estridente que sale del centenar de amplificadores pero, en lugar de eso, me concentro en la voz de mi padre. Él y el otro hombre tienen que hablar alto para poder oírse y el volumen de sus voces es lo bastante elevado para que también yo pueda oírles.

—Oye. —El señor Gustafson está hablando mientras se seca la frente con una toalla blanca—. Todos salimos ganando con esto. Conseguimos que nuestros clientes se conformen con la suma que acordemos y nosotros nos llevamos una pequeña bonificación extra. De todos modos, tendrían que pagar las costas si siguiéramos litigando.

No sé por qué tengo la sensación de que Arturo me está mirando. Me giro y lo veo interrogándome con la mirada. Recelo. Eso es lo que parece reflejarse en el rostro de mi padre. Vuelvo la cara y cierro los ojos.

Al rato oigo decir a Arturo:

—No será fácil convencer a la gente de Vidromek para que acepte. Le tienen odio a tu bufete. Creen que te buscaste a cinco personas heridas por sus parabrisas y básicamente les dijiste que podían hacerse ricas si les demandaban. Vidromek quiere que te destruya, en realidad. Quieren que te arruine a fuerza de aplazamientos hasta que lamentes haber empezado todo esto.

—No me vengas con sermones. No nos fue tan difícil «buscar» a gente, como tú dices. Mis cinco clientes se mostraron muy dispuestos desde el principio.

—No eres el único que nos ha demandado, ¿sabes? Hay una pandilla de picapleitos ahí fuera haciendo cola para sobornarnos. Les hemos dicho que no a todos, incluso a los que se habrían conformado con dos o tres mil pavos para desaparecer. Vidromek no quiere ceder con nadie.

De pronto me doy cuenta de que nunca he oído a mi padre hablar de su trabajo. Aquí estoy, trabajando en el bufete, y sin saber muy bien qué hace.

—Precisamente por eso. Esos otros infelices están siendo representados por incompetentes. Yo soy el único por el que Vidromek ha de preocuparse. Si te libras de mí y de mis cinco clientes, tienes la victoria asegurada. Podrás aplastar a los otros.

Arturo baja la voz.

—Oye, este es un asunto muy arriesgado en muchos aspectos, como bien sabes. Para que salga bien, tendré que convencer a mi cliente de que serás la única excepción y de que podremos hacerlo sin que nadie lo descubra. Luego tendremos que hacer todo el papeleo para que dé el pego. Los riesgos superan con mucho la «pequeña bonificación», como tú la llamas.

—Entonces, ¿qué me dices?

—No quiero hablar de eso aquí. Habla de números con Stephen. Estaré de acuerdo con lo que él decida.

—Maldita sea, Art, no me hagas hablar con Holmes. No he conocido un buitre más avaro que él.

—Por eso dejo que se encargue de las pequeñas bonificaciones.

—Ja, ja. De acuerdo. Me largo de esta cámara de tortura, y no lo digo solo por las máquinas.

Le oigo bajar de la bicicleta y marcharse. He mantenido los ojos cerrados durante toda la conversación. He intentado llevar un ritmo regular con las piernas pero no lo he conseguido. La conversación entre Arturo y el señor Gustafson me tenía absorto. Me recordaba a cuando estaba aprendiendo lenguaje de signos. Los chicos de Paterson movían las manos tan deprisa que solo alcanzaba a pillar palabras sueltas. Pero en esta conversación había algo más, como si estuviera escuchando algo que no debería estar escuchando o viendo una parte de mi padre que no debería ver.

—¿Estás despierto o dormido? —Me doy cuenta de que Arturo me está hablando a mí.

Abro los ojos.

—Despierto.

—¿Has oído mi conversación con el señor Gustafson?

Por un segundo siento la tentación de decir que no, tal vez por el modo de formular la pregunta, como si esperara que no la hubiera oído. Pero digo:

—Sí.

—¿Y qué opinas?

—Opinas.

—De la conversación. ¿Qué te ha parecido? ¿Qué has entendido?

—No he comprendido todos los términos. ¿Qué significa ceder?

—Significa que aceptamos pagar a la gente que nos ha demandado sin ir a juicio. Llegamos a un acuerdo con ellos. Les pagamos y ellos retiran la demanda.

—Habéis utilizado palabras como «odio» y «destruir», pero tú y el señor Gustafson no parecíais enfadados.

—Exacto. Así es como funciona. Es solo trabajo. Nada personal.

—Vidromek quiere que hundas el bufete de abogados del señor Gustafson. Vidromek odia al señor Gustafson.

—No necesariamente a él.

—«Odio» es una palabra muy fuerte. Es el deseo de herir a alguien física o emocionalmente de palabra u obra. ¿Era tu intención usar esa palabra?

—Sí, supongo que sí. Vidromek no quiere hacerle daño físicamente, pero sí le gustaría hacerle daño económicamente y... puede que también emocionalmente.

—Quiere que Arturo haga daño al señor Gustafson económicamente y puede que emocionalmente.

—Soy el abogado de Vidromek, de modo que sí, ese soy yo.

—¿Arturo puede hacer eso? ¿Puedes hacer eso?

—Sí. A veces es necesario. Has dejado de pedalear. ¿Te ocurre algo?

No lejos de las bicicletas hay una fuente.

—Perdona —digo.

Bajo de la bicicleta, camino hasta la fuente y vierto agua en un vaso de papel con forma de cono. Siento en el pecho los latidos del corazón y tengo la cara caliente, como quemada por el sol. Sé que no es de pedalear. No sé qué me ocurre. Es un sentimiento extraño. Como el día que me llevé la mano al pecho y descubrí que había perdido la cruz que Abba me regaló justo antes de morir.

—¿Estás bien? —Noto la mano de Arturo en el hombro e instintivamente me aparto.

—Sí. Ahora me gustaría levantar pesas.

Noto que Arturo me mira mientras se pregunta qué estoy pensando. Me detengo y le digo:

—Antes me hiciste algunas preguntas pero yo no te contesté.

—¿Qué preguntas?

—Me preguntaste cómo me iba en el trabajo. Luego me preguntaste si me llevaba bien con Jasmine.

—Es cierto. Tienes buena memoria.

—Me gustaría responder ahora a tus preguntas. Me va bien en el bufete. Puedo hacer las tareas que se me asignan, aunque algunas las hago más despacio de lo deseado. Sigue sin gustarme trabajar ahí. En cuanto a tu segunda pregunta, Jasmine y yo nos llevamos bien en el sentido de que no discutimos y ella es amable conmigo y no me reprende por los errores que cometo. Estoy seguro de que, así y todo, preferiría tener a Belinda. No estuvo bien ponerle a Marcelo cuando se le había prometido Belinda.

—Excelente resumen de la situación. No te preocupes por Belinda. Y no es necesario que tú y Jasmine os hagáis amigos, ni siquiera que habléis de otras cosas que no sea el trabajo. Deberías hacerte amigo de Wendell. Puede serte de gran ayuda. Adelante, vete a levantar pesas. Iré a buscarte cuando sea la hora de volver.

Me acerco a la zona donde están las pesas libres. No estoy seguro de que mi padre y yo hayamos tenido la clase de charla que él esperaba, esto es, como un padre y un hijo pasando un rato hablando de nada en particular.

11

La tarea más estresante del bufete probablemente sea entregar documentos en los juzgados. Es estresante porque los abogados, por la razón que sea, nunca consiguen tener los documentos preparados hasta el último segundo. Jasmine tarda por lo menos media hora, yendo como una bala, en llevar los documentos a los juzgados y hacer que el actuario se los selle con la fecha y la hora. Yo tardo el doble. Por eso Jasmine se encarga de las cosas que corren prisa o me acompaña, como hoy.

Cuando llegas a los juzgados tienes que ir a la Oficina del Actuario, donde siempre hay gente haciendo cola. Por lo visto, esperar hasta el último minuto es una regla universal de todos los bufetes. Jasmine y yo estamos detrás de otras tres personas, observando cómo las manecillas negras de un reloj blanco se van aproximando a las cinco. Hoy hemos venido juntos porque Juliet no nos entregó los documentos hasta las 16.35.

—Lo hizo a propósito, estoy segura —dice Jasmine.

Está hablando de Juliet.

—¿Por qué haría una cosa así? —pregunto—. Si no entregamos a tiempo los documentos, los perjudicados son Stephen Holmes y su cliente.

—Para meternos en problemas. La creo muy capaz de eso. «Les di los documentos con tiempo de sobra.» —Jasmine imita la voz chillona de Juliet.

No me preocupa la posibilidad de no entregar los documentos antes de las cinco. He estado antes en la Oficina del Actuario con Jasmine y he visto al secretario, que se llama Al, hablar con Jasmine. Siempre es muy amable con ella. La última vez que vinimos le aceptó los documentos a las 17.03, pero se las ingenió para que la hora sellada en los documentos fuera las 16.59. Ahora lo veo mirar y sonreír a Jasmine mientras sella los documentos de otra gente.

—¿Al es tu novio? —pregunto.

Jasmine me mira como si acabara de materializarme.

—Nooooo —dice.

—Le gustas —digo.

—¿Cómo lo sabes?

—Siempre te está mirando y sonriendo, y contigo es más simpático que con los demás. Cuando vine solo el miércoles pasado, me fijé para ver si era tan simpático conmigo como contigo y no lo fue. No me sonrió. Ni una sola vez.

Avanzamos un puesto en la cola.

—¿En serio? Hum. Siempre he creído que era simpático con todo el mundo.

—¿Sabe Jasmine que es bella?

—«¿Sabe Jasmine que es bella?» ¿Qué clase de pregunta es esa? ¿Qué se supone que debo responder?

—Es solo una pregunta.

Tenemos tiempo de sobra. Al trabaja muy deprisa. Acaba de sellar quince documentos de la mujer que tenemos delante en treinta segundos. Ahora está sonriendo y saludando con la cabeza a Jasmine. Jasmine no parece prestarle atención. Tal vez esté meditando mi pregunta.

—¿Qué se supone que debo responder? Es una pregunta estúpida —dice, pero no parece enfadada.

Nos llega el turno y decido observar detenidamente a Al. Tengo esta manera peculiar de mirar en que mantengo la cabeza gacha pero muevo los ojos vertical y horizontalmente. La gente cree que no le estoy prestando atención, pero se equivoca.

Es algo que debo trabajarme porque confunde a las personas, pero a veces resulta muy útil. Me permite observar sin que nadie lo note.

Al parece nervioso en presencia de Jasmine. Sostiene un documento entre las manos mientras le pregunta qué tal le ha ido el día y el documento tiembla.

—Perdona que haya llegado en el último minuto —le dice Jasmine—. Ya sabes cómo son estas cosas.

—Oh, no te preocupes, no es ningún problema.

Puedo incluso notar que las mejillas de Al pasan por diferentes tonos de rosa hasta alcanzar un rojo atenuado. Parece incapaz de levantar los ojos y mirar directamente a Jasmine, como si Jasmine fuera el sol. Me fijo ahora en Jasmine. Se comporta con Al exactamente como con las demás personas con las que habla. Raras veces sonríe. Su concentración es como un láser sobre lo que sea que esté haciendo. Se muestra cortés con la gente, dice «por favor» y «gracias» cuando la ocasión así lo requiere, bromea o pega un corte cuando la provocan, pero siempre parece responder en lugar de iniciar, y su respuesta dura estrictamente lo justo y necesario. Es como si el sol no quisiera brillar demasiado.

Cuando salimos a la escalinata de los juzgados me dice:

—Si nos damos prisa llegarás a tiempo para tomar el tren.

—Hoy vuelvo en coche con Arturo. —Hoy toca otra evaluación de los progresos de Marcelo.

—Tu padre trabaja hasta tarde.

Advierto que Jasmine no camina con su apremio habitual.

—Me he traído un libro.

Asiente. Caminamos sin hablar. Se me ocurre que en este preciso instante Jasmine está pensando. ¿Qué está pensando? ¿Ve sus pensamientos deslizarse por una pantalla, como yo veo los míos?

—¿Qué libro?

La pregunta me sobresalta. Esperaba que regresáramos al bufete en silencio, como siempre. Además, es una pregunta que nunca habría esperado de Jasmine.

—Es un libro que me ha prestado la rabina Heschel. Se llama *Dios en busca del hombre*. Lo escribió un señor llamado Abraham Joshua Heschel, pero no está emparentado con la rabina Heschel.

—¿Quién es la rabina Heschel? Pensaba que eras católico. Te he visto rezar el rosario en tu mesa… cuando creías que nadie miraba.

—Oh —digo, notando que un calor me sube por el cuerpo, como si me hubieran pillado haciendo algo malo. Qué extraño que sienta eso sobre algo que siempre he considerado bueno.

—No te preocupes, no se lo contaré a tu padre —dice con una sonrisa. Probablemente ha visto una expresión de preocupación en mi cara.

Asiento con la cabeza. Agradezco que me viera rezar el rosario y no me dijera nada.

—Mi familia va a una iglesia católica. Bueno, no toda. Aurora no viene. Ella es religiosa a su manera. No va a la iglesia. Desde niño a Marcelo siempre le ha gustado leer sobre las religiones. La rabina Heschel trabaja con Aurora en el hospital St. Elizabeth. Voy a verla cada dos semanas. Hablamos de los textos religiosos que leo. A veces nos centramos en textos concretos y a veces saltamos de uno a otro. Ahora estamos leyendo los salmos.

—Mi madre adoraba los salmos. Se sabía muchos de memoria —dice Jasmine.

—Yo también los memorizo. —Es genial poder hablar de mi interés especial. Me digo que no debo monopolizar la conversación, como suelo hacer cuando hablo de lo que más me gusta, sino hacer preguntas también. Me pregunto si Jasmine es religiosa, pero en ese momento se me ocurre otra cosa que quiero preguntarle—. Al hablar de tu madre has utilizado el pasado. Has dicho que «adoraba» los salmos.

—Murió hace cuatro años. —Jasmine está mirando el semáforo en rojo. Cuando la gente te dice que se le ha muerto un familiar, debes decir que lo sientes. Me dispongo a hacerlo cuando Jasmine dice—: Estás mejorando en la sala de mensajería.

Quiere cambiar de tema. A veces la gente necesita hacer eso para evitar recuerdos dolorosos. Le sigo la corriente.

—¿Es mejor Marcelo que Belinda?

—No. —La respuesta de Jasmine es rauda, más rauda de lo que esperaba. Entonces añade—: Pero el trabajo de Marcelo está bien. —Veo que una sonrisa intenta abrirse paso en sus labios, pero al final se desvanece—. ¿Le estás cogiendo el gusto a trabajar en el bufete?

—No. —Me sorprende que mi «no» haya sido tan raudo como el de Jasmine. Entonces pregunto—: ¿Le gusta a Jasmine trabajar en el bufete?

—Ehhh. —Su respuesta vuelve a ser inmediata.

—¿Qué significa «ehhh»? —Arrugo la nariz mientras lo digo, como ha hecho ella.

—Significa que está bien. Significa que es un trabajo. Bien mirado, no está tan mal. Hay trabajos peores. Cuando empecé a trabajar en el bufete hace dos años lo hice como ayudante de Rose, una mujer mayor que llevaba haciendo ese trabajo desde que tu padre abrió el bufete. Al año de entrar yo, Rose se jubiló para estar con su marido y solicité su plaza. Le había visto hacer el trabajo y sabía que podía hacerlo, pero mucha gente del bufete pensaba que una chica de dieciocho años no era lo bastante madura para manejar la responsabilidad de pagar recibos a tiempo, enviar facturas de honorarios, controlar suministros, en fin, todas las cosas que hacemos. Convencí a tu padre de que me dejara probarlo y me dio una oportunidad.

—No le decepcionaste.

—He tenido mis momentos malos. Ron solo estuvo seis meses pero no fue fácil trabajar con él. Era mayor que yo y me resultó difícil hacer de jefa y ganarme su respeto.

Jasmine y yo recorremos una manzana en silencio. Pienso en las palabras que hay escritas en la pared, frente a mi mesa.

—A Ron no le gustaba trabajar en el bufete.

—No. —Jasmine me mira como si estuviera intentando tomar una decisión. Cuando habla de nuevo, lo hace en un tono que no le he oído antes. De vacilación. Eso es justamente lo que pienso cuando la oigo—. Hay un parque muy cerca de aquí al que me gusta ir. ¿Quieres que vayamos? Me gustaría enseñarte algo. Volverás a tiempo para encontrarte con tu padre, pero probablemente no tendrás tiempo para leer tu libro. ¿Te parece bien?

—Sí. —No me da ningún miedo caminar por las calles de la ciudad con Jasmine y pienso que elegir pasear con Jasmine, ver los lugares interesantes de la ciudad, oír sus sonidos, oler sus olores, es algo que Abraham Joshua Heschel haría. Quiero cogerme de su brazo para poder caminar y hablar más relajadamente, pero desconozco las reglas relativas a tocar a alguien como Jasmine. Porque, ¿qué es Jasmine? ¿Es mi amiga? ¿Mi jefa? ¿Soy para ella lo que era Ron? Aunque ella no necesita ganarse mi respeto.

—El parque que quiero enseñarte está a unas manzanas de aquí.

Caminamos por aceras de calles abarrotadas de coches. Es difícil avanzar debido a la cantidad de gente que corre para tomar el tren o el autobús, supongo, o para alejarse de sus trabajos lo más deprisa posible. Pero a medida que nos alejamos del centro hay más espacio y puedo caminar al lado de Jasmine sin tener que esquivar a los peatones con prisa. Decido decirle lo que tengo acechando en un rincón de mi mente desde que entramos en los juzgados.

—No era una pregunta estúpida.

—¿El qué?

—Marcelo estaba verdaderamente interesado en saber si Jasmine sabe que es bella.

—Sí es una pregunta estúpida. ¿Por qué me la haces?

—Los hombres encuentran bella a Jasmine.

—¿Qué hombres?

—Wendell.

—¡Oh, el corazón me late de tanta emoción! —Se lleva la mano al pecho y la agita como si fuera un corazón.

—Eso se llama sarcasmo —digo. Aunque no tengo razón para enorgullecerme por haberlo identificado, me enorgullezco igual.

—Si me estás preguntando todo eso pensando en Wendell, olvídalo. Wendell pierde más de un tornillo cuando una mujer se le pone delante.

Me gusta mucho esa expresión, a pesar de que discrepo. Si acaso, Wendell tiene más tornillos de los que necesita cuando se trata de mujeres.

—Hay otros hombres que miran a Jasmine. Al, todos los abogados del bufete. Te miran como quien mira las estrellas por la noche.

—Ahora resulta que eres poeta —replica Jasmine, riendo. Su risa es nueva para mí. Es la risa de una niña. Aminoro el paso. Me cuesta hablar y caminar al mismo tiempo. Jasmine también aminora el paso—. ¿Es eso lo que hace bella a una mujer? ¿Que los hombres la miren?

—No lo sé. —De repente no sé qué decir. Entonces se me ocurre algo. Suponiendo que Jasmine sea realmente bella, no debe de ser fácil para ella estar siempre llamando la atención, que la gente se le quede mirando.

—¿No lo sabes?

Tengo la impresión de que Jasmine se está burlando de mí, pero en ese momento aprieta el paso y no consigo verle la cara. Le doy alcance y trato de no rezagarme. Quiero responder a su pregunta. Estamos hablando de un misterio que Jasmine podría ayudarme a resolver dado que, a decir de todos, es bella. Pero para poder responder necesito estar quieto. Hablar de lo que hace bella a una mujer y caminar al mismo tiempo está por encima de mis capacidades.

—Ya hemos llegado —dice.

Cuando dijo que íbamos a un parque, imaginé una gran explanada de césped con árboles, flores, bancos y senderos. Su «parque» es un recuadro de cemento alambrado, no mucho más grande que la pista de tenis de casa. Está abarrotado de niños. Veo criaturas diminutas trepando por las barras y bajando por el tobogán metálico. El ruido que mana del parque es como el zumbido de una colmena de abejas multiplicado por diez. Pegada a la alambrada hay una hilera de bancos. Jasmine abre la verja y camina hasta uno de ellos.

Me siento en el borde del banco, a su lado.

—¿Este es el lugar al que sueles venir?

—Mira esas caras —dice, señalando a los niños.

Miro y veo docenas de caras alegres, gritando, aullando y riendo.

—Son chinos —digo. Reconozco las facciones por mi clase de geografía en Paterson.

—La mayoría. El colegio y las guarderías infantiles están cerca y los traen aquí a jugar. Me gusta verlos cuando entran. Lo hacen de dos en dos, cogidos de la manita, o en fila india y agarrados a una cuerda, como pequeños prisioneros.

Pienso que ahora que estamos sentados podemos retomar la conversación.

—No sé qué hace a una mujer bella —le digo.

—¿Todavía estás con eso?

—Necesito saberlo.

—¿Por qué?

Trago saliva.

—Cuando miro a Jasmine no sé si es bella o no. No siento que sea bella. No siento que no sea bella.

—Hum. Lo tienes chungo.

Esta vez sé que se está burlando de mí.

—Nunca antes había pensado que hubiese un problema en mi forma de sentir, pero… a lo mejor sí lo hay. Puede que nunca llegue a sentir que alguien es bello.

—Puede.

Una niña con dos coletas se acerca a una mujer sentada junto a Jasmine. La mujer le acaricia el pelo y se inclina para decirle algo en un idioma que no entiendo.

—Es algo en lo que pienso a menudo —digo. ¿He incumplido una regla por hablar de lo que pienso con Jasmine? Cada vez que me vuelvo hacia ella la veo observando detenidamente las diferentes actividades de los niños. Justo cuando decido abandonar el tema, le oigo preguntar:

—¿Qué encuentras bello?

—¿Bello? Nadie me parece bello.

—No me refiero a las personas. ¿Hay algo de lo que puedas decir «Esto es bello»?

—Sí, creo que sí. Puedo decirlo de la música. Hay música de la que puedo decir que es bella.

Jasmine asiente. Aguardo a que me pida que describa la música, pero no lo hace, como si supiera exactamente a qué me refiero.

—¿Sabes qué otra cosa es bella? —me pregunta.

—No.

—Esto —dice.

Y señala el bullicioso patio.

12

Cuando mi sesión con la rabina Heschel termina, salimos y nos sentamos en los escalones de cemento de la puerta de atrás del Templo Emanuel. El aparcamiento está vacío salvo por el coche de la rabina Heschel, un Volkswagen escarabajo rojo al que llama Habbie, por el profeta Habakkuk, porque dice que el coche, como el profeta, lleva años dando voces sin que nadie le haga caso.

—Ojalá tuviera un cigarrillo —dice, sentándose en un escalón.

—Fumar hace daño.

—Lo sé, pero a veces estoy tan nerviosa que me gustaría fumar.

El muro del edificio ensombrece los escalones. Lo agradezco, porque hace una tarde calurosa. La rabina Heschel lleva un pantalón naranja chillón y una blusa de color verde lima fosforito. Cuando hace frío, se pone un sombrero que me recuerda al gato de los libros del doctor Seuss. Su pelo negro y suave tiene parches blancos que parecen copos de nieve.

—¿Sabes por qué Aurora te trajo aquí? —me pregunta sin mirarme—. ¿Cuánto hace de eso? ¿Siete años? Caray, solo tenías diez.

—No quería que Marcelo malinterpretara los libros sagrados.

Suspira.

—¿Te acuerdas de Joseph, aquel niño que te quería tanto?

Cuando Joseph murió, Aurora dijo que te trajo aquí porque estaba preocupada por ti. Pero creo que en realidad estaba preocupada por mí. La muerte de Joseph, por la razón que sea, me afectó mucho y tú, en cambio, parecías estar en paz con ella.

—Aurora llevó a Marcelo a la rabina Heschel porque eres un hombre santo. Un hombre santo pero en mujer.

—¡Ja! Este hombre santo pero en mujer, como tú dices, no está seguro de poder enseñarte mucho más.

—Marcelo tiene una pregunta.

—Oh, no. Que no sea sobre budismo. Si me preguntas qué entiende Buda por «vacuidad» me meteré en mi despacho a tirarme de los pelos.

—Sé que estás bromeando. La vacuidad es fácil de entender. Tengo una pregunta referente al Génesis, el libro sagrado favorito de la rabina Heschel.

—Esto me huele a encerrona. Está bien, dispara. —Respira hondo. Me doy cuenta de que mis preguntas le gustan, sobre todo las difíciles.

Saco la libreta amarilla del bolsillo de mi camisa y leo:

—¿Por qué Adán y Eva se avergonzaron de estar desnudos después de comer la fruta del árbol del conocimiento del bien y del mal?

—Ah, eso. Creía que habías dicho que era una pregunta difícil.

—¿La rabina conoce la respuesta? —Yo pensaba que era una pregunta difícil. Yo, por lo menos, no pude respondérmela, pese a leer y releer el pasaje y reflexionar sobre ello durante muchas horas.

—Estaba bromeando —dice—. Es una pregunta muy difícil. Cuéntame primero qué dice la Biblia.

—Adán y Eva estaban desnudos antes de comer la fruta del árbol del bien y del mal pero no sentían vergüenza. Luego, después de comer la fruta, se dieron cuenta de que estaban desnudos. Ni siquiera sabían que estaban desnudos antes de eso. Adán tenía miedo de que Dios le viera, lo que implica que estaba avergonzado. ¿Por qué la desnudez era considerada algo malo? ¿Por qué sentían vergüenza?

—Hum. ¿Crees que la desnudez es algo malo?

Siempre me irrita que responda a mis preguntas con otra pregunta.

—Dios no ve la desnudez como algo malo porque cuando creó al hombre lo creó desnudo, y después de crear al hombre dijo que lo que había hecho era muy bueno. La mujer nació de la costilla del hombre, por lo que también ella es muy buena.

—Excelente —dice la rabina Heschel—, aunque siempre he tenido problemas con eso de la costilla. —Tras un breve silencio, dice—: Antes de ahondar en la interpretación, ¿puedo preguntarte algo?

—Sí.

—¿Por qué me preguntas esto ahora? ¿Ha ocurrido algo en el bufete que te haya empujado a hacerme esa pregunta?

—No. Puede. Sí. He estado meditando sobre la naturaleza de la atracción y la belleza física. Wendell, alguien con quien trabaja Marcelo, habla de una atracción que para él es sexual. Sin embargo…

—Dime.

—Hay algo en lo que siente hacia las mujeres que me parece que no está bien, pero no sé por qué.

—Comprendo.

—A Marcelo le cuesta ver a las mujeres de la forma en que las ve Wendell. Cuando intentaba ver a las mujeres de la forma en que él las ve, algo me hacía pensar en Adán y Eva cuando se vieron desnudos y sintieron vergüenza. ¿Por qué? Si el sexo es bueno, ¿por qué hay vergüenza?

La veo pasarse los dedos por el cabello. Luego toma uno de los parches blancos y lo retuerce con los dedos. Finalmente, dice:

—¿Recuerdas, más adelante en el Génesis, que Caín mata a Abel?

—Sí. Pero ¿por qué tenía celos Caín? No puedo imaginar qué se siente cuando se tienen «celos».

—Un momento, vayamos por partes o acabaremos liándola. ¿Recuerdas qué utilizó Caín para matar a Abel?

—No lo dice.

—Vale, supongamos que utilizó una piedra.

—No lo sabemos a ciencia cierta.

—Tampoco sabemos a ciencia cierta que Caín existiera, así que sígueme la corriente. Utilizó una piedra.

—Utilizó una piedra. Tal vez.

—Bien. Cuando Caín vio la piedra en el suelo, no solo vio una piedra, sino que imaginó la piedra como un arma que podía emplear para matar a Abel. ¿Me sigues?

—Sí. —Intento imaginar una piedra como un arma.

—Caín también tenía conocimiento del bien y del mal, por lo que podía imaginar cómo darle un mal uso a algo bueno. ¿Comprendes adónde quiero llegar? ¿Con lo de la desnudez de Adán y Eva?

—No, Marcelo no comprende en absoluto adónde quiere llegar la rabina.

—La verdad es que ni siquiera yo estoy segura de adónde quiero llegar. Pero veamos. Después de que Adán y Eva comieran de la fruta del árbol del bien y del mal, se dieron cuenta de que su desnudez, que era buena, podía ser empleada también de forma dañina. Antes, como bien has dicho, todo lo que Dios creó era bueno, y el hombre era más que bueno, era muy bueno. De lo que se deduce, por tanto, que el cuerpo, desnudo o no, también es bueno. Pero entonces el hombre y la mujer tomaron conciencia de que el cuerpo bueno, suyo o de otro, también podía utilizarse de forma dañina si así lo elegían. Después de la fruta, Adán y Eva reconocieron que en ellos existía el deseo de actuar mal junto con el deseo de actuar bien.

Cierro los ojos. Hay una imagen de Adán y Eva que recuerdo de la Biblia que Abba tenía en su cuarto. Están desnudos, salvo por una hoja de parra, y cada uno mira hacia otro lado.

—No puedo imaginar que un cuerpo desnudo se pueda utilizar para algo malo. El mal es un acto destructivo, como el asesinato de Abel a manos de Caín. Pero no puedo entender lo que Adán vio cuando miró el cuerpo desnudo de Eva y eso que imaginó hacer que era malo. ¿Qué fue eso que imaginó hacer Adán?

La rabina Heschel me pregunta pausadamente:

—¿Te han hablado del sexo en Paterson?

—Los humanos se procrean a través del acto sexual. El pene erecto del hombre entra en la vagina de la mujer. No soy ningún niño.

—Lo siento, no pretendía ser condescendiente. Naturalmente que no eres un niño. Eres un hombre joven.

—Lo que pasa es que a una parte de mí le gustaría sentir lo que siente Wendell y otra parte piensa que hay algo en eso que no está bien, pero no sé qué es. Es frustrante no comprender. ¿Cómo puede el acto sexual ser algo malo?

—La gente llama al acto sexual «hacer el amor». ¿Has oído esa expresión?

—Sí. Algunas expresiones para el acto sexual son aceptables y otras no. «Hacer el amor» es aceptable. «Follar» no lo es.

—Excelente. El acto sexual es algo bueno y placentero. Dios nos lo dio para que dos personas puedan unirse y hacer el amor, esto es, crear amor en el mundo a través de los niños que surgen del acto así como a través de la proximidad que la gente siente durante el acto en sí.

Me pregunto en silencio cómo es esa proximidad. ¿Es algo que yo experimentaré algún día?

Continúa.

—Lo que el autor del Génesis quiere transmitirte, creo, es que el hombre, cuando está unido a Dios, no está dividido. En esta unidad no hay bien y mal. Todos nuestros deseos, incluso los sexuales, son buenos cuando estamos en el Edén, es decir, cuando caminamos con Dios y todas nuestras acciones, palabras y pensamientos buscan cumplir Su voluntad. El hombre, no obstante, puede elegir separarse de Dios, y en esta separación crea el mal, pues imagina formas de utilizar lo que es bueno para hacerse daño a él o a los demás, y luego pone en práctica lo que imagina.

—Marcelo no puede imaginar de qué manera puede utilizarse el sexo para hacer daño.

—Señor, eso es porque tú eres especial. Tú caminas con Dios en el Edén. Que el Altísimo, bendito sea, esté siempre contigo.

—Ponle un ejemplo a Marcelo.

La rabina Heschel cruza las manos y cierra los ojos, como si rezara.

—Señor, ilumíname —susurra, contemplando el cielo. Luego se vuelve hacia mí y dice—: Las formas en que usamos el sexo para hacernos daño son incontables e indescriptibles. Cada vez que tratamos a una persona como un objeto para nuestro propio placer. Cuando miramos a otra persona como un objeto y no como una persona como nosotros. Cuando el sexo consiste en solo tomar sin dar. Cuando una persona utiliza la fuerza física o psicológica para tener sexo con otra persona en contra de su voluntad. Cuando una persona engaña a otra para tener sexo con ella. Cuando una persona utiliza el sexo para herir física o emocionalmente a otra. Cuando una persona tiene sexo con un niño. Esas son algunas de las formas en que el sexo se vuelve nocivo. No puedo ofrecerte más descripciones. No me corresponde a mí darte imágenes de lo maligno. Me entristece saber que no tardarás en descubrir los diferentes métodos que hemos diseñado para hacernos daño los unos a los otros.

Calla y se frota los ojos como hace una persona que tiene dolor de cabeza. Quiero decirle que no tiene que preocuparse por mí, pero guardo silencio, incapaz de encontrar palabras para tranquilizarla.

13

Wendell y yo estamos comiendo en la última planta de lo que él llama «el club». El hombre alto y arrugado que nos recibió en la puerta se metió después en un cuartito y salió con una americana azul y una corbata de rayas rojas y azules. Me las tendió y no entendí por qué hasta que Wendell me dijo que tenía que ponérmelas. Wendell me ayudó con la corbata. Wendell ya llevaba americana y corbata, de modo que el hombre no tuvo que buscarle nada.

Estamos sentados junto a un ventanal con vistas al puerto de Boston. Otro camarero maduro se acerca y Wendell le pide una bebida llamada «martini». Yo pido una Coca-Cola.

—Te recomiendo el salmón —dice Wendell cuando ve que tengo problemas para decidir qué comer.

—Tomaré el salmón —digo al camarero, que lleva un rato esperando.

En cuanto el camarero se marcha, Wendell dice:

—Necesito tu ayuda.

—¿La ayuda de Marcelo? ¿Mi ayuda?

—Sí. ¿A qué viene esa cara de pasmo?

—No sabía que había algo que yo pudiera hacer para ayudarte.

—Hay algo con lo que puedes ayudarme bastante.

El camarero regresa, le pone un martini a Wendell y a mí una Coca-Cola. El martini es una bebida minúscula. Busco una pajita pero no hay. Wendell se come la aceituna y se bebe medio martini de un trago.

—Necesito tu ayuda para conseguir a Jasmine. —Deja su copa y me mira con una expresión que no reconozco.

—¿Qué significa «conseguir»?

—¿Tú qué crees que significa «conseguir»? Dale a la imaginación.

—No estoy seguro. —Digo—. ¿Quieres conseguir que Jasmine te ame?

—Mmm. Eso no sería necesario. —Apura su bebida.

—¿Amas a Jasmine? —pregunto.

—«Amar» es una palabra curiosa, ¿no crees? —Wendell está alzando su copa vacía hacia el camarero. El camarero asiente—. Significa muchas cosas. Yo amo el martini seco, por ejemplo. —Agita la copa—. Y amo el yate de mi padre. Si por «amar» te refieres a desear algo tanto que hasta resulta doloroso y sientes que si no lo consigues morirás, entonces sí, amo a Jasmine.

—¿Quieres casarte con Jasmine?

Wendell sacude la cabeza. El gesto puede significar que no quiere casarse con Jasmine o puede significar otra cosa. A veces la gente sacude la cabeza cuando digo algo que no puede creer que haya dicho.

—La gente como yo no se casa con gente como Jasmine. —Lo dice sonriendo, pero no es una sonrisa agradable.

—Pero Jasmine es una mujer Elemental. Tú mismo lo dijiste.

—Voy a tener que explicarte cómo funciona esto, amigo mío. —Wendell espera a que el camarero deje los platos en la mesa. Miro la carne rosada del salmón—. Deja que te pregunte algo. —Se mete un trozo de salmón en la boca. Después de engullirlo, me pregunta—: ¿Te ha dicho alguna vez algo de mí?

Esta es una pregunta que Wendell me hace constantemente y siempre me cuesta responderla. Jasmine ha dicho cosas sobre Wendell. Me ha dicho que no le inspira confianza, por ejemplo, y que le da «escalofríos», que ni idea de lo que eso significa. Me ha comunicado en términos vagos que no le gusta. Pero creo que esas cosas me las ha dicho de forma confidencial y no estoy seguro de que deba repetírselas a Wendell. Por otro lado, quiero ser amigo de Wendell. ¿Cómo puedes ser leal a dos personas cuando a una no le gusta la otra? ¿No tienes que elegir entre las dos en algún momento? Al cabo de un rato, digo:

—No le inspiras confianza.

—¿Qué dijo exactamente? —Wendell parece muy interesado en la respuesta.

—Es una sensación que tiene contigo. —Ahora ya no sé si Jasmine dijo que Wendell era escalofriante o que le daba escalofríos.

—¿Lo ves? Aquí es donde entras tú. Ella confía en ti porque eres inofensivo. Lo que estaba pensando, y ahí es donde puedes ayudarme, es que un día, después del trabajo, tú, Jasmine y yo podríamos salir con el yate de mi padre para un paseo nocturno por el puerto de Boston. Sé que ella no vendría sola, pero si le pides que te acompañe, lo hará.

Me gusta sentir que Wendell me necesita y quiero ayudarle como deben hacer los amigos. Pero, por otro lado, me siento incómodo. Hay algo en la petición de Wendell que me incomoda, y me pregunto si lo que siento son «escalofríos».

—¿Qué ocurre? ¿En qué estás pensando? Podemos organizar una cita doble, si quieres. Invitaremos a Martha. Le encanta venir al yate. Lo sé por experiencia. —Me guiña un ojo.

Necesito volver sobre lo que Wendell me ha dicho hasta el momento para encontrar el origen de mi malestar.

Hay palabras en la conversación que acabamos de tener que se contradicen con otras. Finalmente, caigo en la cuenta de lo que me tiene perturbado.

—¿Por qué la gente como tú no se casa con gente como Jasmine?

—No has probado el salmón. ¿Qué te ocurre?

Cojo el tenedor, juego un momento con el arroz y vuelvo a soltar el tenedor. ¿Cómo puede la gente masticar, saborear, pensar y hablar al mismo tiempo? Me noto la cabeza llena, como si las palabras de Wendell fueran comida que mi cerebro es incapaz de digerir.

—Siempre he creído que uno podía casarse con la persona que ama. Y tú has dicho que amas a Jasmine, aunque nunca he oído a nadie definir el amor como tú.

—Marcelo, Marcelo, ¿siempre tienes que pensar tanto? Te lo explicaré paso por paso. Sí, puedes casarte con la persona que «amas», como tú dices. Pero esa persona también ha de estar a la altura para poder formar parte de tu vida. ¿Te imaginas a Jasmine conversando en una cena con mis padres sobre lo que pasa en el mundo? Jasmine prácticamente acaba de salir del instituto, eso por un lado, y por otro, no es ninguna... santa.

—Santa.

—Digamos que está tan increíblemente buena que lo que sea o lo que haya hecho no afecta a mis objetivos de este verano. Además, no soporto que me rechacen. A mí nadie me rechaza, y aún menos alguien que ha... —Se interrumpe bruscamente, reconsiderando lo que quería decir. La mirada de Wendell en este momento me asusta. La he visto antes en los ojos de algunos chicos de Paterson cuando la frustración se transforma en ira—. En cualquier caso, qué y quién es Jasmine no tiene importancia por lo que a este verano se refiere. Bien, lo que quiero saber es si estás dispuesto a ayudarme. Lo único que tienes que hacer es decirle que te he invitado al yate y pedirle, como un favor personal, que te acompañe. Luego, lo único que tienes que hacer en el yate es entretenerte en cubierta mientras yo me llevo a Jasmine abajo.

No lo entiendo. ¿Por qué quiere Wendell estar a solas con Jasmine? Jasmine no confía en él. No accederá a nada de lo que él le pida.

—¿Por qué? —pregunto.

—¿Por qué qué?

—¿Por qué necesitas llevarla abajo para hablar con ella? ¿Cambiará eso lo que siente con respecto a ti?

—Una vez abajo, no importará lo que sienta con respecto a mí. Yo me encargaré de sus sentimientos. Hay formas de crear sentimientos o cambiarlos o hacer que desaparezcan durante un rato.

—Quieres follártela. —Odio utilizar esa palabra, pero es la que mejor describe lo que creo que Wendell quiere hacer. Las otras opciones, como «hacer el amor» o incluso el «acto sexual», no me parecen lo suficientemente precisas.

Wendell suelta una carcajada tal que la gente de la mesa de al lado se vuelve hacia nosotros.

—Caray, Marchelo, estás aprendiendo deprisa cómo funciona el mundo. No te preocupes, no voy a hacerle daño. Simplemente, no podrá decir que no. —Deja de reír y clava sus ojos en los míos—. ¿Y bien? ¿Qué me dices? ¿Puedo contar contigo, amigo?

Por la forma en que Wendell me está mirando intuyo que se enfadará mucho si digo que no. Si quiero seguir siendo su amigo, he de decir que sí. Esa es la sensación. Tengo miedo. No puedo distinguir si tengo miedo por Jasmine o por mí. ¿Es esto lo que siente uno cuando no confía?, me pregunto. ¿Esta sensación de que se avecina dolor?

—No. —Lo digo mirándole directamente a los ojos y veo que sus pupilas se dilatan.

—¿Cómo?

—No le pediré a Jasmine que me acompañe. —Confío en que no me pregunte por qué. No recuerdo ningún otro momento en mi vida en que haya dicho algo basado únicamente en una intuición, sin comprender por qué lo estoy diciendo.

—Entiendo. —Wendell tiene el rostro colorado. Puede ser por enojo o por vergüenza. Se pasa la servilleta por los labios y luego la arruga y la arroja sobre el plato. Su cara mira en todas direcciones menos en la mía. Cuando el camarero llega, le dice—: Póngalo en la cuenta de mi padre y añada un veinte por ciento.

—Sí, señor. Gracias.

Se levanta y vuelve a sentarse. Noto que me está mirando. No sé dónde poner los ojos mientras me mira. Me vuelvo hacia la ventana. Quiero decirle que siento no poder hacer lo que me ha pedido que haga, pero no estoy seguro de que sea lo adecuado. Lamento haberle decepcionado y temo perderle como amigo. Pero no lamento mantener a Jasmine alejada de él. En este momento, ella me parece más importante que mi amistad con Wendell.

El camarero le trae otro martini. Puede que Wendell lo haya pedido mientras yo miraba por la ventana. Menea ligeramente la cabeza al tiempo que empieza a hablar.

—¿Quieres oír una historia interesante?

Por la forma en que lo pregunta, me digo que a lo mejor Wendell y yo todavía podemos ser amigos. Vuelve a ser el de antes.

—Muy bien, allá va. Iré deprisa, así que intenta seguirme. Había una vez dos abogados superinteligentes. Los dos fueron a Harvard, los dos fueron los primeros de su promoción y los dos entraron a trabajar en el bufete más prestigioso de Boston después de terminar Derecho. Uno se especializó en litigios, el otro en patentes. Uno pertenecía a una antigua familia de Boston cuyo árbol genealógico se remonta a los tipos que llegaron en el *Mayflower*. Supongo que has oído hablar del *Mayflower*.

—Sí, lo aprendí en…

—Lo sé, en Paterson. Qué gran colegio, ese Paterson. Te lo enseñan todo ahí. ¿Por dónde iba?

—Uno pertenecía a una antigua familia de Boston —le recuerdo.

—Eso. El otro era lo que en círculos profesionales llaman un «empleado minoritario». ¿Sabes qué es eso?

—No.

—¿Qué? ¿Me estás diciendo que hay algo que no te han enseñado en Paterson?

Me cuesta mucho detectar el sarcasmo, menos cuando lo utiliza Wendell.

—Hay muchas cosas —digo.

—Un empleado minoritario es alguien cuyos antecesores son de otro continente o país, cuya piel es más oscura que la de la mayoría de la gente, alguien que no nace blanco como una azucena. Las empresas contratan a esas personas para demostrar lo tolerantes y compasivas que son.

—No lo entiendo.

—Da igual, tampoco importa demasiado. Digamos que, por la razón que sea, estos dos abogados no se caían bien. Corren diferentes rumores sobre el origen de su animosidad. Uno de ellos, el que a mí me parece más probable, es que el Empleado Minoritario demostró ser, contra todo pronóstico, un abogado excelente. No solo porque era supercompetente en su especialidad, sino por su espíritu emprendedor. Salía a la calle y generaba clientes para el bufete. Clientes ricos, importantes. Lo que el Empleado Minoritario hacía era, de hecho, brillante. Viajaba por su cuenta a México y a otros países de América Central y del Sur y buscaba a científicos que estuvieran trabajando en universidades o laboratorios pequeños, científicos que estuvieran inventando nuevos artilugios y productos químicos. El Empleado Minoritario les prometía que si se convertían en sus clientes, conseguiría patentarles los inventos en Estados Unidos y les ayudaría a encontrar compañías que los fabricaran. Así todos ganarían un montón de dinero. —Wendell levanta su copa. El camarero asiente—. ¿Me sigues?

—La persona a la que llamas Empleado Minoritario es mi padre —digo. Aurora me ha contado la historia de cómo triunfó Arturo, pero no exactamente como me la está relatando Wendell.

—Excelente. Me da igual lo que digan los demás. Yo pienso que eres brillante.

—Gracias —digo, aunque creo que su comentario es sarcástico.

—El otro abogado, al que llamaremos Abogado del *Mayflower* para identificarlo mejor, le tenía unos celos tremendos al Empleado Minoritario. Por lo menos, esa es mi teoría. No son más que especulaciones, pero tengo buenas razones para creer en su veracidad porque tengo acceso a información, cómo te diría yo, privilegiada. —El camarero llega con otro martini—. ¿Alguna pregunta?

—¿El Abogado del *Mayflower* es tu padre?

—Sí. —Aguardo a que diga algo más pero no lo hace. Creo que es la primera vez que Wendell responde a una pregunta mía con una sola palabra.

—Tu padre y mi padre son socios —digo—. Trabajan juntos y los dos son dueños del bufete.

—Así es. A partes iguales. Pero nos estamos adelantando. Lo realmente interesante aquí, el misterio que hay que desentrañar, es por qué estos dos abogados que tan mal se caían, que incluso se odiaban, y no creo que esté exagerando al usar la palabra odio, por qué estos dos individuos que tanto se odiaban decidieron, pese a todo, hacerse socios. —Wendell calla. Hay una arruga en medio de su frente y me doy cuenta de que está concentrado, puede que tratando de encontrar la respuesta al misterio, como él lo llama.

—Porque se necesitan —digo.

Wendell esboza una amplia sonrisa.

—Marchelo, nunca dejas de sorprenderme.

—MAR-CE-LO —digo.

—Lo que tú digas. Tienes toda la razón. Pero ¿qué clase de necesidad es esa que puede ser más fuerte que el odio?

—El odio es cuando quieres hacer daño a alguien —digo—. Arturo y tu padre no quieren hacerse daño. —Entonces recuerdo lo que Arturo me dijo en aquel primer viaje en tren al trabajo—. Puedes ser amigo de alguien y, así y todo, competir con él.

Wendell sonríe. He visto esa sonrisa antes, pero no sé dónde. Significa que alguien sabe algo que tú no sabes y no te están diciendo qué es.

—Bien, el caso es que transcurrido un tiempo el Empleado Minoritario ya no quería compartir con el bufete donde trabajaba todo el dinero que estaba generando con sus nuevos clientes, así que se los llevó y abrió su propio bufete. Pero no puedes tener un buen despacho de patentes sin un departamento de litigios. Cuando otros desarrollan productos que copian las ideas que has patentado, tienes que demandarlos. El Empleado Minoritario necesitaba al mejor litigante de la ciudad. También necesitaba a alguien con buenos contactos, y ese era el Abogado del *Mayflower*. Era una boda perfecta. El Empleado Minoritario ofreció al Abogado del *Mayflower* el cincuenta por ciento del nuevo bufete, y el Abogado del *Mayflower*, consciente de que ganaría mucho más dinero asociándose con el Empleado Minoritario que en el prestigioso bufete, se tragó su orgullo y aceptó. Esa es la historia. Interesante, ¿verdad?

—Sí —digo. Hay, de hecho, muchos aspectos para analizar. Tomo nota mentalmente de repasar la historia de Wendell y reflexionar sobre el misterio, pero ahora mismo me estoy preguntando si el hecho de que me la haya contado significa que Wendell y yo seguimos siendo amigos.

Wendell inclina la copa y la última gota de martini aterriza en su lengua. Noto que me está mirando fijamente. Está sentado en el borde de la silla y sé que en cuanto termine de decir lo que se dispone a decir, se levantará y se irá.

—Voy a dejar que medites un poco más tu decisión de no ayudarme —dice.

—Jasmine. —Está hablando de mi negativa a ayudarle a «conseguir» a Jasmine.

—Mi padre y tu padre, pese al odio que se tienen, jamás han

traicionado su vínculo, un vínculo basado en la necesidad mutua, no te lo niego, pero un vínculo al fin y al cabo. Lo que tenemos en el bufete es una especie de equilibrio de poder entre dos fuerzas. La empresa funcionará de forma fluida mientras el poder esté equilibrado. El caso es que, en un bufete de patentes, si transcurrido un tiempo no aparecen nuevas patentes, el departamento de litigios puede ganar en importancia. Mira, por ejemplo, el litigio en el que estoy trabajando ahora mismo, Vidromek. Vidromek es el cliente más importante del bufete. El mayor triunfo de tu padre. Incluyó a Vidromek en su cartera cuando Vidromek estaba formado únicamente por dos ingenieros químicos que trabajaban en el cuarto trasero de una casa en un lugar perdido de México. Pero ahora es mi padre y su equipo quienes hacen todo el trabajo legal relacionado con Vidromek. ¿Qué le impide a mi padre hacer algo que convierta a Vidromek exclusivamente en su cliente? ¿Qué le impide a mi padre sobrepasar la línea del cincuenta por ciento o borrar completamente a tu padre del juego? Si, por ejemplo, la gente de Vidromek se enterara de un gran error que cometió tu padre… podría decidir que ya no le necesitan.

—Mi padre no comete errores. —Lo digo con firmeza. Noto cómo me sube el calor de la rabia, algo que me sucede siempre que alguien habla mal de mi padre. La rabia me nubla la mente. Ignoro qué relación guarda la historia que Wendell acaba de contarme con Jasmine. Además, tengo miedo. El tono de voz que utiliza Wendell es amenazador.

Wendell está hablando ahora en un tono más suave.

—Yo te diré qué les impide a tu padre y a mi padre sobrepasar la línea del cincuenta por cierto: el vínculo. Puedes tener vínculos basados en el odio, ¿sabes? Lo siento, pones cara de estar completamente perdido. Intentaré ser más claro. El vínculo entre nuestros padres se extiende también a ti y a mí. Mantener ese vínculo, ese equilibrio de poder, es sumamente importante. Mantenemos el vínculo poniendo al otro por delante de cualquier otra persona. Eso no significa que yo tenga que caerte mejor que los demás. Puedes odiarme, si quieres. No importa. Mantenemos el vínculo ayudándonos mutuamente. Si tú me pidieras ayuda con algo, yo te la prestaría. Es parte del vínculo.

Wendell se levanta lentamente. Hago además de levantarme pero me indica que me siente. Luego vuelve a sentarse.

—Dime algo que desees mucho.

—Desear.

—Sí. ¿Qué es lo que más deseas en esta vida?

—¿Como Wendell desea a Jasmine? Nunca he experimentado un deseo así.

—Lo que sea. No tiene por qué ser «desear» a otra persona, como tan grosera pero no incorrectamente lo expresas.

La respuesta es, de repente, obvia.

—Quiero ir a Paterson el curso que viene. Quiero ir a Paterson y entrenar a los ponis.

Wendell afila la mirada. Se está concentrando.

—Explícate.

—Arturo, mi padre, dijo que podría estudiar en Paterson mi último año de instituto si hacía bien mi trabajo en el bufete este verano.

—Ahí lo tienes. Yo puedo ayudarte con eso. Sin problemas.

—Ayudarme.

—Eso.

—Me refiero a ayudar a Marcelo cómo.

—Pediremos a tu padre que te deje ayudarme con el litigio de Vidromek en el que estoy trabajando. Tu padre accederá porque… porque sí. Luego le hablaremos de lo bien que lo has hecho. Nos aseguraremos de que esté orgulloso de ti. De hecho, puedo garantizarte que si me ayudas a conseguir lo que quiero, tú también conseguirás lo que quieres. ¡Te lo garantizo!

—Jasmine me necesita.

—Lo que haces en la sala de mensajería puede hacerlo cualquiera. Le conseguiremos a Jasmine un ayudante temporal.

Estoy inquieto. Me gusta trabajar al lado de Jasmine, aunque a veces nos pasemos horas sin cruzar una palabra.

—Lo sé —dice Wendell—. Yo tampoco querría renunciar a trabajar con Jasmine. —¿Cómo lo hace? ¿Cómo consigue Wendell leer los pensamientos que tengo en mi cabeza?—. Muy bien. Te separaremos de Jasmine solo un par de horas una o dos veces por semana, así podrás seguir haciendo tu trabajo en la sala de mensajería. ¿Qué? Dímelo. ¿Qué estás pensando?

—Estoy confuso. —Jamás he estado tan confuso. Es un asunto tan complicado, hay tanto que tener en cuenta. Mi cerebro parece un pegajoso taco de goma de mascar.

—Medítalo. Tú me ayudas y yo te ayudo. La alianza Sandoval-Holmes. El vínculo. —Se levanta deprisa—. Creo que voy a tomarme el resto de la tarde libre. ¿Te importa volver solo?

Me da vergüenza decirlo, pero lo digo de todos modos.

—No creo que sepa regresar solo al bufete.

—Robert te indicará cómo llegar. —Señala al camarero—. ¿Te pensarás lo que te he dicho?

—Pensar.

—Te pensarás lo de ayudarme. Así lo entiendo yo. ¿También tú?

—Puede. —Lo digo automáticamente, sin meditarlo.

—Por ahora eso me basta. Estoy pensando que un día de esta semana podríamos tomarnos la tarde libre y dar un paseo con el barco, tú y yo solos.

Pero antes de que pueda responder, Wendell gira sobre sus talones y se marcha.

14

S algo del club y echo a andar en la que creo es la dirección de South Station. No quiero volver al bufete. Me voy a casa. Cuando llegue a South Station esperaré el tren de West Orchard y cuando llegue a West Orchard me sentaré en los bancos que hay junto a las vías hasta que Aurora llegue a casa del trabajo. Entonces le telefonearé y le pediré que venga a recogerme.

Camino cabizbajo, mirando cómo mis pies dan un paso detrás de otro. Nunca me ha sido difícil dejar de pensar. Mi cerebro es como un grifo que puedo abrir y cerrar. Pero ahora no logro cerrarlo y el torrente de pensamientos no cesa.

Quiero sentarme y anotar algunas de las palabras que ha empleado Wendell, pero hay tantas que no sé por dónde empezar. «Hay formas de hacer que los sentimientos desaparezcan durante un rato… Una necesidad que es más fuerte que el odio… No es ninguna santa… Equilibrio de poder… Vínculo… Empleado Minoritario… Nadie me rechaza… Follar.» Wendell no utilizó en ningún momento esta última palabra, pero es la que suena con más fuerza en mi cabeza; una palabra estridente, rabiosa, que me acribilla el cerebro. Se diría que es la palabra sobre la que gira todo lo demás.

Camino como hipnotizado por esta palabra, tratando de sentir lo que debe de sentir Wendell, de desear a Jasmine como él la desea, para follar. Jasmine me preguntó en una ocasión si yo anhelaba mucho algo, y probablemente lo que consume a Wendell se parece al anhelo que yo siento por un CD, solo que de forma más desesperada y temeraria. Deseo. Tal vez este «deseo» por otro ser humano sea amor, algo que yo nunca he sentido por ser como soy.

Me doy cuenta de que me he perdido. En realidad, sabía que estaba perdido prácticamente desde el momento en que salí del club. Solo que ahora empiezo a inquietarme. No reconozco dónde estoy, y los edificios de la calle por la que camino me impiden ver el contorno del elevado edificio del bufete, que esperaba utilizar como punto de referencia para orientarme. ¿Qué muchacho de diecisiete años se pierde a solo cuatro manzanas de su destino? En cierto modo, las extrañas calles son un reflejo de mis pensamientos. Parece del todo razonable que esté perdido por fuera cuando también lo estoy por dentro. Sin puntos de referencia.

Me llega un olor a pescado e inspiro profundamente. Me gustan los olores fuertes. Un comercio tiene peces muertos dispuestos sobre hielo, los ojos como botones, empañados y serenos. Parecen estar en paz, los peces. Delante de la tienda de peces hay un cajón de madera vacío. Me siento en él. Es lo bastante sólido para soportar mi peso. Por delante pasan chinos caminando. No me prestan la más mínima atención.

Mientras estoy sentado en el cajón de madera oigo el «Himno de la alegría» de Beethoven. La música me vibra en el muslo. Desconcertado, tardo unos segundos en comprender que lo que estoy oyendo es real y que el sonido sale del móvil que llevo en el bolsillo. Aurora lo programó para que sonara el «Himno de la alegría». Saco el móvil de su funda, lo miro y finalmente decido pulsar el botón que dice HABLAR.

—¿Eres tú, Marcelo? —Es la voz de Jasmine.

—Sí.

—¿Dónde estás?

—Junto a los peces muertos —digo, levantando la vista para ver dónde estoy.

—¿Qué? ¿Dónde? ¿Qué estás haciendo?

—Me he perdido.

—¿Qué? ¿Puedes ver el edificio?

—No.

—¿Puedes leer el nombre de la calle?

Me levanto y camino hasta la esquina. Pienso: «Ahora parezco tan normal como los demás, caminando y hablando por el móvil». Leo el nombre de la calle.

—Pone «Ping On».

—No te muevas de ahí. Sé dónde está. No tardo ni diez minutos.

—Vale.

—No te muevas de donde estás.

—No. Voy a sentarme en el cajón. Delante de los peces.

—Muy bien. Adiós.

Apago el móvil. Giro a la derecha y regreso al cajón, donde me siento seguro.

Trato de recordar la conversación que tuve con la rabina Heschel hace unos días. ¿Cuándo es el sexo algo dañino? Cuando utilizamos a otra persona como un objeto. Pero a Wendell no parece que tales consideraciones lo inquieten. Está tranquilo. En este momento me gustaría ser Wendell, y me doy cuenta de que eso es envidia. Hay una parte de mí que envidia a Wendell y su libertad. Marcelo, en cambio, está atrapado en un mar de interrogantes. Es como si Marcelo se hubiera comido la manzana del árbol del conocimiento del bien y del mal y Wendell hubiera sido lo bastante listo para no caer en las artimañas de la serpiente.

—Marcelo, Marcelo. —Es Jasmine. Está de pie, a mi lado, jadeando—. ¿Cómo has llegado hasta aquí?

—Caminando.

—¡Noooooo!

Sé que intenta ser graciosa, pero no sonrío.

—Deja que recupere el aliento antes de volver. ¿Qué ha pasado? ¿Dónde está Wendell?

—Se fue.

—¿Adónde? ¿No saliste a comer con él? Has estado fuera dos horas. Pensé que Wendell te había llevado a uno de sus bares o… Pensé que a lo mejor intentaba emborracharte.

—Hablamos y luego se marchó.

—¿Te dejó solo?

—Puedo caminar solo.

—Te has perdido.

—Es difícil ver el sol en la ciudad. Los edificios lo tapan y proyectan sombras todo el día. —No quiero hablar de perderme o de estar perdido o de Wendell.

Creo que Jasmine se da cuenta de que algo ha ocurrido, porque después de caminar media manzana dice en un tono suave, un tono que no suena a preocupación:

—En Vermont, donde me crié, las únicas sombras son las de los árboles y los graneros. Las nubes parecen estar tan cerca que a veces tienes la sensación de que puedes tocarlas. Aquí parece que las nubes sean parte del cielo. En Vermont parece que sean parte de las montañas. ¿Alguna vez ríes o sonríes? —me pregunta.

—Cuando estoy solo —respondo.

Jasmine suelta una risita.

—Yo también. Siempre me descubro sonriendo o riendo sola, como una idiota. Supongo que eso nos convierte en dos idiotas.

—Idiotas —repito.

—Mala palabra, ¿verdad?

—Imprecisa. Un idiota es una persona mentalmente deficiente cuya inteligencia se halla en el grado más bajo, es incapaz de protegerse de los peligros ordinarios e incapaz de tener una conversación coherente. A veces la gente cree que soy idiota. Solo es cierto en algunos aspectos.

—Créeme, la gente se piensa muchas veces que yo soy idiota.

—Juliet dijo en una ocasión que eras idiota.

—¿Eso dijo?

—Sí. Anteayer vino cuando tú no estabas y dijo: «¿Dónde está la otra idiota?». Estaba preguntando por ti. El otro idiota era yo.

—No le hagas caso. Tiene un ego tan grande que no le queda sitio para las neuronas.

—No vamos a hacer la ronda de las tres.

—Después de telefonearte cerré la sala de mensajería y colgué un letrero diciendo que tenía que ir a los juzgados y que el correo de las tres sería repartido con el de las cinco. Patty, la chica de la recepción, puede encargarse de los paquetes que lleguen durante nuestra ausencia.

—Mentiste para poder venir a buscarme.

—Pensé que a lo mejor habías tomado el tren, pero vi que el siguiente era a las cuatro. Fue una gran idea que pegaras el horario de los trenes en la pared de tu mesa.

—Para tapar los «Jodeos».

Noto que me mira fijamente unos instantes. Caminamos muy despacio. Supongo que nos dirigimos a South Station y que la razón de que caminemos despacio es que aún falta una hora y media para el próximo tren a West Orchard. Aun así, me gustaría caminar más deprisa. Tengo miedo de hablar con Jasmine porque siento algo triste dentro de mí y temo que la tristeza salga a la luz.

—No quiero seguir trabajando en el bufete.

—¿Por qué? ¿De qué hablasteis Wendell y tú?

—Dijo cosas que me confundieron.

—¿Como qué?

—No quiero hablar de ello.

—Pareces enfadado. ¿Qué dijo Wendell para enfadarte?

Me doy cuenta de que, junto con todo lo demás, también estoy enfadado. Me pregunto cómo lo ha notado Jasmine. De todas las cosas que dijo Wendell, ¿cuál hizo que me enfadara?

—No lo sé —respondo.

—Enfadarse puede ser algo bueno —dice. Nos detenemos en un cruce y esperamos a que se encienda la luz blanca—. Puede ayudarte a hacer lo que tienes que hacer. Estás haciendo un gran trabajo en la sala de mensajería. No dejes que gente como Wendell te desanime.

—Enfadarse nunca es bueno —digo—. Te hace querer decir y hacer cosas dañinas a otras personas.

La luz blanca se enciende y cruzamos la calle. Jasmine me agarra del brazo y me frena cuando un coche aparece inesperadamente.

—Si no eres capaz de enfadarte, la gente te pasará literalmente por encima —dice.

—¿La foto de las montañas que tienes delante de tu mesa es Vermont?

—Esa foto es lo que veo desde la puerta de mi casa.

—Las montañas son muy bonitas. ¿Necesitas enfadarte en las montañas?

Noto que se detiene durante una fracción de segundo antes de continuar.

—No —dice—, no necesitas enfadarte en las montañas. Necesitas algo parecido. Mi padre lo llama luchar. «Tienes que luchar, muchacha», me dice. Pero también en las montañas se enfada la gente.

—¿Con qué? ¿Te has enfadado tú alguna vez?

—Estuve enfadada con un caballo durante mucho tiempo —dice, riendo.

—¿Por qué?

Estamos pasando junto al patio de juegos, solo que ahora no hay niños. Jasmine entra, se sienta en un columpio y yo me siento en el columpio de al lado. Empieza a columpiarse suavemente, sin separar los pies del suelo.

—A mi hermano mayor y a un amigo suyo se les metió en la cabeza que querían comprar un caballo de carreras de Kentucky y llevarlo a Vermont para ganar dinero alquilándolo como semental. —Se detiene para mirarme—. ¿Sabes qué es eso?

—Sí —digo, algo abochornado. No me abochorna el significado de la palabra, sino que Jasmine haya creído necesario tener que preguntarme si sabía qué significaba—. En Paterson, después de clase trabajaba con los ponis —le digo—. Sé qué es un «semental».

Jasmine continúa.

—Todo el mundo les aconsejó que no lo hicieran. Vermont no es lugar para un caballo de carreras de pura sangre. Esos caballos necesitan ejercicio. ¿Qué haría el caballo durante los largos inviernos? Pero James, mi hermano, y su amigo Cody no hicieron caso. Fueron a Kentucky con un remolque y regresaron con un caballo de carreras de dos años. Lo llamaron Kickaz.

—Kickaz es el caballo con el que te enfadaste.

—Kickaz era un caballo muy nervioso. James y Cody tenían que trabajar con él para calmarlo. Un día estaban en los prados, guiándolo con una cuerda corta. Cody sostenía la cuerda y James caminaba del otro lado cuando, de repente, Kickaz se asustó por algo, probablemente por una abeja, se encabritó y le propinó una coz a James en la barriga.

Jasmine deja de columpiarse. No quiero mirarla. Espero a que siga hablando.

—James no parecía malherido. Lo llevamos al centro médico de West Lebanon únicamente para cerciorarnos de que estaba bien. En las radiografías y la resonancia magnética no salió nada, pero lo tuvieron bajo observación toda la noche, y esa noche se durmió y luego no hubo manera de despertarlo. Al día siguiente, como no despertaba, decidieron operarle pensando que a lo mejor tenía una hemorragia interna que no aparecía en las pruebas, pero no encontraron nada. Murió dos días más tarde.

»Todo el mundo odiaba a ese caballo. Cody quería matarlo. Yo quería matarlo. Todo el mundo. Solo Amos, mi padre, solo él dijo que quería conservar el caballo. No nos lo podíamos creer, sobre todo porque él había sido el primero en oponerse a que James lo comprara. "El caballo no tiene la culpa", dijo Amos, y lo instaló en el granero con Morgan, nuestro caballo de carga. "Morgan lo domesticará", dijo. Pero durante mucho tiempo yo no podía ni verlo. Juro que ese caballo es probablemente la razón de que decidiera venir a Boston. No soportaba verlo.

—¿Sigues enfadada con Kickaz?

—Qué va. Deberías verlo ahora. Es tan dócil como el viejo Morgan. Amos se lo lleva a las montañas a cazar, Kickaz cargando con todo el equipo como una mula. En invierno, Amos labra una pista alrededor del prado y le da varias vueltas al día, truene o nieve. Hacen una pareja perfecta, esos dos.

—¿Volverás a Vermont?

—Sí.

—No quiero trabajar en el bufete —digo.

—A mí tampoco me gusta trabajar ahí, pero lo hago.

—¿Por qué?

Salta del columpio.

—Ven conmigo. Quiero enseñarte algo.

Cruzamos la calle. Jasmine se detiene delante de una puerta de cristal, como si estuviera decidiendo si abrirla o no. Finalmente la abre y me invita a entrar.

Subimos por una escalera de caracol de madera. Durante el ascenso pasamos por decenas de puertas de madera. La mayoría tienen caracteres chinos escritos en hojas blancas.

—¿Quién trabaja aquí? —pregunto.

—Yo —responde con una risita.

Llegamos al final de la escalera, abrimos la última puerta y entramos en una habitación rectangular un poco más grande que mi cabaña del árbol.

—Mi casa lejos de casa —dice.

—Creía que Jasmine vivía en la sala de mensajería.

—Ja, ja, muy gracioso.

No era mi intención ser gracioso. Naturalmente que Jasmine

tiene que vivir en algún lugar, pero nunca se me había ocurrido pensar en ello.

—Antes esto era una residencia para estudiantes de la Universidad Tufts —explica—. Ahora lo utilizan, sobre todo, inmigrantes de Camboya. Es muy barato y muy seguro. Esta es la sala de estar, el comedor, el estudio, la cocina y el dormitorio. El cuarto de baño está allí. —Señala una puerta situada al fondo de la habitación.

A un lado, arrimada a la pared, hay una cama con una colcha de parches multicolores. Sobre la cabecera hay un zoológico de animales de peluche: un oso marrón, un jaguar con puntos negros, un perro de orejas blancuzcas y caídas, un caballo de topos, una morsa gris y un canguro tostado. A los pies de la cama, ocupando todo el espacio entre el colchón y la puerta, hay un teclado eléctrico con las ochenta y ocho teclas de un piano normal. Sobre las teclas, todavía conectados al panel del teclado, descansan unos auriculares acolchados. Al otro lado de la habitación, enfrente del teclado y la cama, hay una mesa, un archivador metálico, una estructura de madera de balsa con ropa colgada dentro, una ventana con cortinas azules, una cocina y una nevera diminuta. Cada espacio libre de las paredes de la habitación está forrado de estanterías con cientos de CD. El único espacio sin estanterías es el que hay encima del archivador, donde cuelga un póster blanco. Me acerco y lo examino. El póster tiene los márgenes blancos. En lo alto leo:

KEITH JARRETT
THE KÖLN CONCERT

Debajo veo la imagen en blanco y negro de un hombre tocando el piano. Tiene los ojos cerrados, la cabeza gacha y el mentón descansando sobre el pecho. Enseguida reconozco la postura de una persona en oración profunda. El hombre está tocando el piano, pero estoy seguro de que también está recordando.

Jasmine se detiene en silencio a mi lado. Parece dispuesta a darme todo el tiempo que necesite para ver lo que tenga que ver y comprender lo que tenga que comprender. Cuando termino de asimilar hasta el último detalle, me vuelvo hacia el teclado y aprieto suavemente la tecla intermedia C. La tensión de la tecla es menor que la de las teclas del piano de casa. Jasmine desconecta los auriculares. Aprieto de nuevo la tecla. Un sonido nítido, afilado, inunda el aire. Me recuerda a un golpe de aire invernal.

—Tocas el piano —digo.

Saca de debajo del teclado un taburete tapizado de negro, juguetea un momento con los mandos de la consola, cierra la puerta de la habitación y se pone a tocar.

No se parece a ninguna música que he escuchado antes. El comienzo me hace pensar en Bach, pero luego las notas siguen secuencias que mi cerebro no espera. Hay notas y acordes que desentonan con las notas y acordes que las anteceden, pero unos segundos después lo que parece disonante resulta ser parte de una melodía básica, esa melodía inicial que me recordaba a Bach y que ha estado ahí todo este tiempo, oculta pero constante. Lo que hace diferente la música que Jasmine está tocando es el ritmo. Hay más, como si el piano deseara ser un tambor o un corazón embravecido o una tormenta. La mano izquierda de Jasmine lleva un compás regular, semejante al bombeo de un corazón, y la derecha, como si quisiera contrarrestar el compás regular producido por la izquierda, ataca con una melodía demasiado compleja para poder asimilarla del todo.

Jasmine detiene la música, abre los ojos y me mira como si se hubiera olvidado de mi presencia.

—Por eso trabajo en el bufete, para poder venir a esta pequeña habitación y hacer esto.

Es evidente que lleva muchos, muchos años tocando. Lo sé porque de niño Aurora me llevaba a casa de la señora Rockwell, una vecina, para que me diera clases de piano. Pero de nada sirvió. Era incapaz de leer las notas y tocar al mismo tiempo. Tampoco podía mover simultáneamente la mano izquierda y la derecha. Sencillamente, mi cableado mental no puede soportar el voltaje necesario para tocar el piano.

—Tú inventaste esa música. Salió de tu cabeza. —Se sonroja. Por un momento temo haber dicho algo que haya herido sus sentimientos—. Es increíble —digo—. ¿Cómo lo haces?

—Practicas y practicas y de repente un día surge la música —dice—. La música que hago no está mal, pero no es genial. Está muy lejos de la clase de música que él hace. —Jasmine mira en dirección al póster. Se levanta, camina hasta un estante y coge un CD.

—Toma.

La carátula del disco es la misma que el póster de la pared.

—Está recordando —digo.

—¿Recordando qué?

—Es la palabra que utilizo para rezar. A veces es como esperar que del silencio brote música.

Jasmine coge el CD y lo examina, como si intentara ver lo que yo veo. Después vuelve a ponerlo en mi mano y se coloca frente a mí, y cuando hace eso de repente me entran ganas de reír.

—¿Qué? —pregunta. Parece una niña pequeña, la forma en que lo dice.

—Nada —farfullo.

—Tenemos que irnos —dice sin dejar de mirarme.

—Sí —digo—. Gracias.

—¿Por qué?

—Por enseñármelo.

Es todo lo que se me ocurre decir.

15

Estoy en mi mesa de la sala de mensajería encuadernando documentos a una velocidad óptima y esperando a que Wendell me llame. Preguntó a Arturo si podía ayudarle y Arturo dijo que sí. Según Wendell, Arturo se puso muy contento. Jasmine no está contenta. Por lo pronto, significa que le tocará terminar de encuadernar los documentos que prometí a Martha para esta mañana.

—No me fío de él. Seguro que esconde algo debajo de la manga —dice.

—¿Y si lleva una camisa de manga corta? —replico en un intento de hacerla reír.

Ignora mi broma. Está meditando.

—¿Sabe Wendell que después de comer con él te perdiste?

—No.

Quiero preguntar a Jasmine por qué me ha hecho esa pregunta, pero en ese momento suena el teléfono y descuelga. La oigo hablar en un tono elevado.

—Una tarde. No más. Le necesito aquí mañana por la mañana.

Me hace sonreír verla tan gruñona por el hecho de perder mi ayuda.

—Era Mamón Junior. Te está esperando.

Wendell lleva puesto un pantalón de color caqui y un polo rojo. Sonrío para mis adentros porque el polo tiene las mangas cortas y, por tanto, es imposible que esconda algo debajo de ellas, como dice Jasmine. Está de pie frente a su mesa, ordenando una pila de carpetas amarillas.

—Ya estás aquí —dice cuando entro en el despacho—. Me alegro de que puedas ayudarme. También mi padre se alegra. Se halla al borde de un infarto porque hoy es el último día para entregar unos documentos a otro bufete y yo debo asistir a una reunión de orientación para los nuevos jugadores de squash. Acércate, te enseñaré lo que tienes que hacer.

Wendell es el mismo Wendell bromista y simpático que antes de que comiéramos juntos.

—¿Cómo está Jasmine? ¿Está enfadada porque te he librado de ella unas horas? —me pregunta.

—Me necesita en la sala de mensajería —digo.

—Esto te llevará una mañana como mucho. ¿Crees que podrá vivir tres horas sin ti?

—Sí —respondo.

—Tengo que irme a Harvard. Soy el capitán del equipo. Así que vayamos al grano. Lo que tienes que hacer es muy sencillo. Esto es parte del litigio de Vidromek. Estás al tanto del caso Vidromek, ¿verdad? Muy importante. Si la cagamos, estamos perdidos. —Wendell se pasa la mano por el cuello, como si fuera una espada—. Las personas que han demandado a Vidromek aseguran que han sufrido heridas porque los parabrisas no se rompen en un millón de pedacitos inofensivos, como deberían. Esa gente está intentando averiguar si el señor Acevedo, el presidente de la compañía, era consciente del peligro que representaban esos parabrisas y decidió, con todo, fabricarlos. ¿Me sigues?

—Creo que sí.

—La otra parte nos ha entregado una lista de los documentos que quieren que les facilitemos. Tales documentos, si los tenemos, están en dos cajas. He revisado las treinta y tantas cajas y he encontrado los documentos que piden, pero no he tenido tiempo de ordenarlos ni de fotocopiarlos. Ese será tu trabajo.

Tienes que mirar la lista que nos han dado y ordenar los documentos en montones diferentes de acuerdo con la lista. La lista es muy específica. Dirá, por ejemplo, «Carta del señor Tal al señor Cual, con fecha tal». ¿Me sigues?

—Te sigo.

—A veces encontrarás varias copias del mismo documento. Solo necesitamos guardar una. Las otras puedes ponerlas en esta caja que dice «Basura». ¿Entendido? Si hay varios documentos bajo una misma categoría tendrás que darle algún orden, ya sea por fecha, por autor o por destinatario. Tomemos, por ejemplo, el punto veinticinco de la lista. —Wendell coge la lista y lee—. «Todas las propuestas hechas por Sandoval & Holmes para resolver el litigio de los parabrisas.» Verás que todos los documentos de las cajas que pertenecen a esa categoría llevan el número veinticinco escrito en lápiz. Lo que tienes que hacer es coger todos esos documentos y ordenarlos. Eso se te da bien, ¿verdad, Marcelo?

—Sí. Me gusta ordenar cosas.

—Por eso le pregunté a tu padre si podías ayudarme. Tendrías que haberlo visto. Estaba feliz. Vidromek es el cliente más importante y antiguo de tu padre, de modo que es lógico que tú pongas tu grano de arena. Eres el hombre idóneo. Este trabajo es más importante y exige un poco más de concentración que el trabajo al que estás acostumbrado a hacer con Jasmine. Tienes que repasar cuidadosamente todos los documentos que hay en estas dos cajas. Si les decimos que no tenemos algo y luego resulta que sí lo tenemos, estamos...

—Perdidos. —Hago el mismo gesto de la espada con mi mano.

—Exacto. Estaremos metidos en un auténtico aprieto.

—Vale —digo. Me pregunto si los esfuerzos de Wendell por que trabaje con él es su manera de transmitirme que desea que volvamos a ser amigos.

—Deja las cajas aquí cuando termines. Mañana por la mañana Juliet hará una fotocopia de todo lo que vamos a enviar-les. —Wendell deja de hablar pero no se marcha. ¿Está esperan-do a que hable yo?

—Vale —digo de nuevo—. Lo he entendido.

Se acerca un poco más a la mesa.

—Ya vamos camino de conseguirte lo que deseas.

—Sí. —Pero en realidad no sé de qué está hablando.

—El vínculo del que hablamos. Yo estoy cumpliendo mi parte. He conseguido que trabajes conmigo desarrollando una tarea sencilla. Y habrá otras como esta a lo largo del verano. Lue-go le hablaremos a tu padre de lo bien que lo has hecho. Ese fue nuestro acuerdo.

—Sí. —Estoy confuso. ¿Qué fue lo que acordamos? Wendell va demasiado deprisa para mí.

—¿Sí? ¿Sí de que sí vas a cumplir tu parte? ¿De que pedirás a Jasmine que venga a pasear en barco? Ese fue nuestro acuer-do. ¿Se lo has pedido ya?

Estoy intentando recordar qué dije exactamente en nuestra comida. ¿A qué acuerdo llegué? Estoy seguro que no acordé que pediría a Jasmine que me acompañara. ¿Dije que lo meditaría? ¿Es posible que se me hubiera pasado siquiera por la cabeza?

Wendell mira su reloj.

—Tengo que irme. Lo interpretaré como un sí. Hablaremos de los detalles más tarde.

Me quedo ahí de pie, mirando las cajas. ¿Qué ha ocurrido? ¿Por qué he vacilado a la hora de decirle a Wendell que no le ayudaré a hacer nada que pueda herir a Jasmine? ¿Cómo es po-sible que, pese a comprender la visión que tiene Wendell del sexo, siga importándome más triunfar ante los ojos de mi padre?

Me pongo a trabajar. Quiero terminar esto cuanto antes para poder regresar a la sala de mensajería. Aurora me contó en una ocasión que de niño cogía cada día el correo y lo ordenaba en montones. No le era fácil, dijo, comprender el orden que se-guían los montones. Unas veces el criterio era el tamaño de los sobres, otras el color de los sellos. Pero había veces que por mucho que lo intentara, no lograba discernir mi lógica. Yo no me acuerdo de hacer eso, pero supongo que no era fácil encontrar el elemento unificador entre tantas posibilidades. Pienso en mis CD. Unas veces los ordeno por compositores, otras por instrumentos, a veces por el tiempo que hace que los tengo. Ahora mismo están ordenados siguiendo un criterio que nadie, ni en un millón de años, lograría adivinar. Desde hace un año los ordeno por la emoción predominante de la música: alegría, tristeza, nostalgia, soledad, serenidad, ira. Si digo que nadie podría discernir jamás esas categorías es porque yo mismo no entiendo muchas veces por qué un CD dado ha ido a parar a la categoría alegre, por ejemplo, cuando es evidente, cuando vuelvo a escucharlo, que su música es todo menos alegre.

Eso es lo que estoy pensando mientras organizo los documentos de la lista. Primero localizo en la lista todos los documentos de una misma categoría. Luego busco los documentos en las cajas y empiezo a formar montones. Primero hago los más obvios. Todas las cartas escritas *por* el señor Reynaldo Acevedo, presidente de Vidromek, van en un montón. Organizo esos documentos por orden cronológico. Todas las cartas escritas *al* señor Acevedo van en otro montón. Hay memorandos del personal de Vidromek *para* el señor Acevedo y memorandos *del* señor Acevedo para el personal. Hago otro montón con lo que parecen informes con diferentes clases de datos y luego otro montón compuesto por diferentes cartas y sobres dirigidos al bufete. Al final me salen nueve montones.

Ha pasado una hora y calculo que en otra hora habré terminado la tarea de Wendell. ¿Y si Arturo me pide que trabaje a tiempo completo con él? Por un lado esta tarea es más entretenida que las fotocopias y encuadernaciones mecánicas que acaparan casi todo mi tiempo en la sala de mensajería. Por otro, no me gustaría trabajar con Wendell. Me gusta trabajar con Jasmine. Me gusta cómo me siento cuando trabajamos en silencio o cuando, sin decir una palabra, deja caer otro CD de jazz sobre mi mesa. Me recuerda a los tiempos en que Joseph y yo coloreábamos dibujos el uno al lado del otro.

Transcurrida una hora termino la tarea. Decido ojear los documentos que he colocado en la caja que dice «Basura» para asegurarme de que no he tirado nada por error. Wendell no me ha pedido que lo haga, pero me parece lo más razonable. Deberíamos tener una copia de todos los documentos que hay en esa caja. En el fondo de la caja encuentro un sobre marrón. Lo abro. Dentro del sobre hay una foto.

La miro durante una fracción de segundo y corro a colocarla boca abajo sobre la mesa. Cierro los ojos pero la imagen de lo que he visto permanece en mi retina. Podría devolver la fotografía al sobre y marcharme. Sé que si vuelvo a mirar esa foto, la imagen se me grabará como una quemadura. Pero tengo que mirar. Me siento empujado a hacerlo. Es como la fuerza de la MI cuando se manifiesta en todo su poder.

Giro la foto lentamente. Me concentro en los ojos de la chica. Tiene mi edad, quizá un año menos, pero es difícil saberlo. Sus ojos me recuerdan a alguien. Yo he visto antes esos ojos. La mitad del rostro está intacta pero la otra mitad ha desaparecido. La piel del lado deformado está atrofiada y llena de cicatrices, como si le hubieran tallado la mejilla y la mandíbula con un cuchillo romo. Hay una boca con labios que terminan a medio camino, una oreja que parece a punto de desprenderse. Cojo el sobre y lo coloco sobre la foto, de manera que cubra la parte inferior de la cara. Esos ojos. Los ojos de la chica no son conscientes de lo que le ha pasado al resto de su cara. Se diría que aún no se ha mirado al espejo. Y hay algo más en sus ojos: una pregunta dirigida a mí.

—¿Marcelo, cómo va?

Arturo está detrás de mí. Corro a guardar la foto en el sobre. No hay suficiente aire en el bufete para mis pulmones.

—¿Qué ocurre?

—Nada.

Me doy la vuelta y tapo el sobre con mi cuerpo. Arturo está en la puerta. ¿Cuánto tiempo lleva ahí? ¿Me ha visto guardar la foto? Me abruma el hecho de que haya necesitado esconderla. Como si no quisiera que me arrebatara lo que la chica me ha hecho sentir.

—¿Has acabado con lo que Wendell te pidió que hicieras?

—Sí.

—Wendell me ha preguntado si podrías trabajar con él a tiempo completo lo que queda de verano. Me parece una idea estupenda. Te daría la oportunidad de afrontar un reto mayor y…

—Jasmine me necesita —digo. Noto que empiezo a enfadarme.

—Y, como decía, creo que necesitas pasar más tiempo con un joven como Wendell. Necesitas tener la experiencia de trabajar con hombres. Con él aprenderás más que con Jasmine.

—No es justo. —Incluso a mí me suena como lo que diría un niño.

—¿Qué no es justo? ¿Por qué es tan importante para ti trabajar en la sala de mensajería?

Me doy cuenta de que no hay una razón por la que sea justo que me saquen de la sala de mensajería. Simplemente, de pronto, me parece injusto. Intento explicarme lo mejor posible.

—No es justo quitarle la ayuda a Jasmine. Y a Marcelo le ha llevado mucho tiempo aprender el trabajo de la sala de mensajería. Trabajo bien allí. Jasmine y Marcelo trabajan bien juntos. Nos ayudamos.

—Estás levantando la voz. Hacía mucho tiempo que no te veía hacerlo. Qué interesante. Pero no te preocupes, le pondré a Jasmine la ayuda que necesite. Estará bien. —Se acerca a mí. Doy un paso atrás, ocultando el sobre de su vista—. Si Wendell te ha pedido es porque cree que puedes ayudarle. Trabajar con él implicará leer más, analizar más. Es un trabajo más intelectual.

Aprenderás más trabajando con él. Para eso estás aquí este verano, ¿no?

Quiero explicarle que si Wendell me ha pedido es únicamente porque quiere utilizarme para conseguir a Jasmine, pero no puedo. Estoy demasiado agotado para seguir hablando. El enfado me ha abandonado, llevándose consigo todas las palabras. Además, sé que yo solo, sin la ayuda de Aurora, no tengo la más mínima posibilidad de conseguir que Arturo cambie de parecer una vez que ha decidido lo que es mejor para mí.

Agarro el sobre con todas mis fuerzas y asiento con la cabeza, indicando que acepto su nueva orden.

16

Si el objetivo es sobrevivir al verano, limitarme a realizar las tareas que se me asignan, ¿por qué la foto de la chica me angustia tanto? Hice exactamente lo que se me dijo. Si no hubiera mirado en la caja de la basura por iniciativa propia, no habría visto la foto y ahora esos ojos no me estarían quemando por dentro. ¿Por qué no puedo olvidar lo que encontré y seguir adelante, contar los días que me quedan en este trabajo?

Aquí, en la oscuridad de mi cabaña, me esfuerzo por comprender qué ocurrió, qué está ocurriendo. Vi una foto de una chica que probablemente quedó desfigurada por el fabricante de parabrisas que Arturo representa. La foto estaba en la caja de la basura y seguro que no era por error. Esta chica no importaba, no era importante para el bufete, para... ¿Arturo? Recuerdo la forma en que Arturo habló a aquel hombre en el gimnasio, como si tuviera secretos de los que no podía hablar abiertamente. ¿A qué se dedica mi padre?

He visto a chicos autistas en Paterson afectados por cosas que no afectan a una persona normal. Como la vez que Alexandra se negó a hablar durante semanas después de que un ayudante del profesor le tirara sin querer a la basura una postal que se le había caído de la mesa. Nadie podía entender que Alexandra estuviera tan triste por una postal salvo los demás niños autistas. ¿Es eso lo que me está pasando? ¿Una reacción exagerada causada por mi afección, sea la que sea? Esto que ahora siento por primera vez, ¿es simplemente un síntoma, algo que una persona normal no sentiría?

He estado con chicos que sufren en Paterson, en el St. Elizabeth. Es como si me hubiera paseado entre ellos sin reparar en el dolor que probablemente existía bajo su piel. Ahora observo a la chica de la foto y me siento como si fuera el responsable de su dolor.

Cierro los ojos y en mi mente aparece el retrato de Jesús que tenía Abba cuando vivía con nosotros. En medio del pecho de Jesús hay un corazón rojo rodeado por una corona de espinas. De la parte superior del corazón sale un fuego en forma de llama. Un día Abba me vio contemplar el retrato y dijo: «Es el corazón de Jesús. Muestra lo que siente por nosotros». Bajó el retrato y se sentó en la cama conmigo. «Las espinas representan Su dolor por lo mucho que sufrimos, y la llama es Su amor.»

Ahora, en la oscuridad, con el sobre de la foto encima de mi mesa, caigo en la cuenta de por qué el retrato de Jesús me atraía hasta tal punto que lo único que podía hacer cuando entraba en el cuarto de Abba era contemplarlo. Había algo en esa imagen que no encajaba, que estaba fuera de lugar. Los ojos de Jesús eran dulces, transmitían lo que yo interpretaba como amor, pero la llama de Su corazón ardía con una fuerza que, de tocarla, te habría abrasado. Reemplazo los ojos de Jesús por los ojos de la chica y el retrato de Jesús finalmente adquiere coherencia, los ojos finalmente reflejan la intensidad que arde en Su corazón.

Oigo a Namu gimotear abajo. Sabe que no he pegado ojo en toda la noche pese a no haber salido de mi saco de dormir, pese a haber permanecido muy quieto contemplando las estrellas que pasan por la claraboya de mi cabaña. Namu puede oír la agitación en mi mente y me está ofreciendo consuelo.

Busco la MI pero no la encuentro. Luego intento detener el torrente de pensamientos recordando uno de mis pasajes favoritos de las Escrituras, pero el recuerdo no se concentra. Tiene vida propia y lo que me ofrece son fragmentos de diferentes partes de las Escrituras, fragmentos sin sentido, inconexos, como una Torre de Babel interna.

Está amaneciendo. Veo cómo la oscuridad de la noche se desvanece lentamente. Me pongo una camiseta, un pantalón corto y zapatillas deportivas. Bajo y acaricio la cabeza de Namu.

—¿Quieres dar un paseo? —le pregunto.

Se da la vuelta y muerde la correa que cuelga del tejado de su caseta.

Me dejo llevar por él. Elige el sendero más empinado.

17

Estoy recogiendo mis cosas de la mesa, preparándome para el traslado. Lo único bueno de trabajar con Wendell es que me será más fácil examinar las cajas de Vidromek y obtener información sobre la chica. Ignoro qué descubriré. Tengo miedo de lo que pueda encontrar. Pero anoche, o mejor dicho esta mañana, decidí satisfacer esta desagradable necesidad de saber más sobre la chica independientemente de adónde me llevara.

—Hola —oigo la voz de Jasmine a lo lejos. Entonces me ve guardar mis cosas en una caja—. ¿Qué pasa? —Su voz suena preocupada.

—Me han puesto a trabajar con Wendell todo el día —digo. No me atrevo a mirarle.

—¿Qué?… ¿Cuándo? ¿Por qué?

—Ayer, después de que terminara de ayudar a Wendell. Lo decidió Arturo. Se asegurará de conseguirte un ayudante. Puede que Jasmine consiga recuperar a Belinda. —Entre mis cosas veo la lista que Jasmine me ha preparado esta misma mañana y los ojos se me humedecen de nuevo.

—¡No puedo creerlo! —Nunca he visto a Jasmine tan disgustada—. Espera, no te muevas de aquí. ¿Ha llegado tu padre?

—Sí.

Sale de la sala de mensajería con paso decidido. Luchará para que siga trabajando con ella. Me inunda una sensación cálida.

Diez minutos más tarde regresa con el rostro abatido.

—Me temo que a partir de ahora trabajarás con Wendell —dice. Se hunde en su silla.

—¿Qué dijo Arturo?

—Puedes ayudarme media jornada hasta que encuentre a otra persona. Me organizaré con la Reina Juliet, no te preocupes. Todo esto es muy raro. ¿Ocurrió algo fuera de lo normal ayer, mientras hacías el trabajo que te asignó Wendell?

—No. Sí. Con Arturo, no. Pero sí ocurrió algo.

—¿Qué?

Lo medito unos instantes y luego saco la foto de la chica.

—La encontré en la caja que decía «Basura».

Jasmine arrastra la silla hasta colocarse delante de mí y coge la foto.

—Oh.

Me doy cuenta de que le cuesta mirarla.

—No entiendo nada. ¿Qué tiene que ver esta foto con que te envíen a trabajar con Wendell?

—Necesito averiguar más cosas sobre la chica de la foto.

—¿La encontraste en la caja que decía «Basura»?

—Sí.

—¿Y no sabes quién es?

—No.

—Podemos intentar averiguar quién es más tarde, pero en estos momentos tengo que averiguar por qué he perdido a mi ayudante. ¿Pediste trabajar con Wendell?

—No. Wendell se lo pidió a Arturo.

—¿Por qué?

El paseo en barco. De repente lo recuerdo.

—Quiere ayudarme a tener éxito en el bufete para que pueda ir a Paterson el curso que viene. —No sé muy bien si se trata de una mentira o no.

—Seguro.

A duras penas puedo mirar a Jasmine a la cara. No sé si debería contarle lo del paseo en barco, que Wendell cree que él y yo tenemos un acuerdo y que por eso está haciendo todo esto. Pero Wendell se equivoca. Entre nosotros no hay ningún acuerdo.

—Supongo que debería intentar localizar a Belinda. Puede que aún esté disponible.

Veo decepción en su cara. ¿Cómo es posible que le decepcione perderme y recuperar a Belinda?

—¿Me ayudará Jasmine a encontrar información sobre la chica de la foto?

Me mira fijamente a los ojos. La pregunta que leo en su semblante es «por qué». Finalmente, dice:

—Hablémoslo. Reúnete conmigo a las doce para ir a la cafetería. Allí podremos elaborar un plan. No entiendo nada de lo que está pasando. ¡Qué lugar!

Cuando me dispongo a salir abrazado a una caja pequeña con mis cosas, Jasmine me detiene un segundo.

—Toma. —Deja caer un CD en la caja—. Es para ti.

Sé que no es el caso, pero cuando abandono la sala de mensajería tengo la sensación de que me marcho para emprender un largo, largo viaje.

Jasmine tiene delante una crema de guisantes en una taza de poliestireno y yo el bocadillo de atún que me hizo Aurora. Estamos sentados en la mesa más alejada de la cafetería, detrás de una columna, donde nadie puede vernos. La cafetería está justo encima de nuestra planta, por lo que podemos subir a ella por la escalera si queremos. Es la segunda vez que estoy aquí.

—Bien —dice Jasmine después de desmenuzar una galleta salada en su crema—, sobre la chica de la foto.

—Dime.

—La chica fue herida por un parabrisas de Vidromek. Eso lo sabes, ¿no?

—El parabrisas debería partirse en pedacitos inofensivos al chocar.

—Exacto. El caso es que la chica fue herida por el parabrisas y probablemente sus padres demandaron a Vidromek. Por eso la foto fue a parar a las cajas de Wendell. ¿Sabes algo sobre demandas y acuerdos?

—Sí. —Recuerdo la conversación que Arturo tuvo con el señor Gustafson en el gimnasio—. Las personas luchan entre sí como si fueran enemigas.

—Sí, más o menos. Probablemente los padres de la chica contrataron a un abogado y el abogado está pidiendo dinero a Vidromek porque cree que Vidromek tiene la culpa.

—Vidromek fabricó el parabrisas. Tiene la culpa.

—No conozco todos los pormenores, pero si fuera tan sencillo habría muchos abogados y empleados de salas de mensajería en paro.

—Vidromek fabricó el parabrisas y el parabrisas no se rompió en pedacitos, como debería.

—Vale. ¿Ves esta crema de guisantes? Yo sé que está ardiendo. Si aún sabiéndolo decido darle un sorbo y me hago una quemadura de primer grado en la lengua, ¿puedo demandar al cocinero que la preparó? Supongamos que había una pequeña grieta en el parabrisas hecha, digamos, por una piedra, y que los padres de la chica no repararon la grieta y que la grieta hizo que el parabrisas perdiera la cola o lo que sea que hace que se rompa en pedacitos. Ese sería, por ejemplo, un argumento que utilizarían Sandoval & Holmes. Dirían que fue culpa del padre de la chica por no reparar la grieta. Hay muchos otros.

—¿Cree Jasmine que eso fue lo que pasó?

—Sé que los abogados del bufete están haciendo lo imposible por demostrar que Vidromek no es responsable. Vidromek está siendo demandado por mucha gente debido a esos parabrisas y el bufete no quiere llegar a ningún acuerdo con nadie. Temen que si llegan a un acuerdo sería como reconocer que tiene la culpa.

—La tiene.

—¿Por qué la calientan tanto que luego tienes que esperar diez minutos para poder comértela? ¿Por qué no intentan encontrar la temperatura justa para que puedas sentarte y empezar a comer enseguida?

—Debe de ser difícil encontrar la temperatura justa. Una temperatura que sea del gusto de todos —digo.

—Cuando regreses a tu despacho, mira detrás de la foto. Debería haber un número.

—No hay ningún número —digo.

—¿Estás seguro?

—Sí. Miré para ver si tenía un número como los demás documentos de los archivos.

—Puede que alguien se olvidara de ponerlo.

—¿Lo tirarían si no llevara número?

—No si parece que guarda relación con el caso. Cualquier persona que viera esa foto sabría que está relacionada con el caso Vidromek. Nunca se tira nada deliberadamente, pero puede que alguien la tirara por error. Aunque tú no crees que ese sea el caso.

—No. En la basura solo había copias. Lo comprobé. Y no había otros sobres como el que contenía la foto.

Jasmine aparta la crema. Se coge la cabeza con las dos manos. Cuando vuelve a hablar, su tono es diferente. Es ese tono que uno utiliza cuando poco importa ser lógico.

—¿Por qué estás tan interesado en esa chica?

Advierto que mi mano se abre y cierra automáticamente. La detengo.

—Sentí algo —digo—. Sentí algo que no he sentido antes. Fue como un fuego. Aquí. Y aquí. —Me toco la parte superior del estómago, donde terminan las costillas, y luego el centro del pecho—. Sentí que quería pelear contra la gente que le hizo daño. Pero luego comprendí que eso, a lo mejor, incluía a mi padre. Estaba confuso. Y…

—Adelante, habla. Quiero saber.

—Sentí algo por la chica. No era enfado. Era otra cosa.

—Ahh.

—No sé cómo llamarlo.

Jasmine está mirando la crema intacta. Siento que necesito explicarle qué sentí por la chica, pero ¿cómo puedo hacerlo si ni siquiera yo lo sé?

—Era como una pregunta. Una pregunta que era preciso responder.

—¿Qué pregunta?

—No tengo palabras para ella.

—Pero si pudieras expresarla con palabras, ¿qué preguntaría la pregunta?

¿Hay alguna forma de articular lo que siento? Cuando vuelvo a hablar, tengo la sensación de que ha pasado una eternidad.

—Supongo que sería algo así: «¿Cómo podemos vivir con tanto sufrimiento? ¿Tiene sentido?». ¿Es una pregunta que la gente se hace?

Espero su respuesta. Después de unos segundos, Jasmine dice:

—Es hora de volver.

—¿Crees que Arturo ha visto la foto?

Titubea. Luego dice:

—Si forma parte de una demanda contra Vidromek, sí. Vidromek es el cliente más importante del bufete. Alrededor del ochenta por ciento del dinero del bufete procede de ellos. Tu padre insiste en ver hasta el último documento relacionado con el caso Vidromek.

—Pero alguien pudo cometer un error. Alguien pudo recibir el documento y archivarlo sin que Arturo lo viera.

—Es una posibilidad. —Jasmine desvía la mirada y se muerde el labio inferior—. ¿Quieres hablarle a tu padre de la foto?

—Temo que si lo hago no me deje ayudar a la chica o que la chica salga más perjudicada aún.

Debo de haber puesto cara de culpa, porque le oigo decir:

—No te preocupes, no tienes de qué avergonzarte. Cada uno siente lo que siente.

—Mi padre siempre hace lo correcto. —Casi puedo ver las palabras flotando en el aire, delante de mí, como objetos sólidos.

—No deberías sentirte mal por no contárselo. Está bien que quieras obtener más información antes de hablar con él.

Envuelvo el bocadillo intacto en un trozo de aluminio arrugado. Aliso el aluminio todo lo que puedo y guardo el bocadillo en la bolsa de papel, junto con las galletas y la manzana. Quiero cambiar el tema de mis pensamientos, así que digo:

—Hay algo que debo confesarte. Puede que no te guste.

—¿Qué? —Veo en la cara de Jasmine el nerviosismo de la anticipación que esperaba ver.

—Esta mañana escuché el CD que me prestaste, la versión de Keith Jarrett de las *Variaciones Goldberg*. En mi portátil, con los auriculares.

—¿En lugar de hacer el trabajo de Wendell? —Se muestra abatida por mi falta.

—Wendell no ha venido esta mañana. Como no tenía nada que hacer, escuché el CD.

—Oh, no. ¿Cómo has podido? No has estado ejercitando las increíbles habilidades que exige tu nuevo trabajo.

—Lo sé. —Trato de fingir que lamento mucho ser tan irresponsable.

—Tenías razón. No me gusta.

—No, no es eso lo que pensé que no te gustaría —digo.

—¿Entonces qué?

—En casa tengo un CD de las *Variaciones Goldberg* interpretadas por un pianista llamado Glenn Gould. Y pienso que Glenn Gould toca las *Variaciones Goldberg* más correctamente que Keith Jarret.

—¿Más correctamente? ¿Más correctamente? ¿Puede algo ser interpretado más correctamente?

—Sí —digo. Pero, en realidad, no estoy seguro de que «más correctamente» sea gramaticalmente correcto.

—Vale. Por el momento me saltaré la discusión sobre el «más

correctamente». No puedo creer que hayas dicho eso. Estás tan, tan equivocado… Pero dejemos eso a un lado por ahora. Quiero que me respondas a lo siguiente: «¿Quién es mejor artista, quién tiene más talento, tu Glenn Gould interpretando las *Variaciones Goldberg* de Bach «más correctamente», como tú dices, o mi Keith Jarrett improvisando, creando sobre la marcha? Responde.

No puedo. Soy incapaz de contestar a su pregunta. Estoy completamente desconcertado. Veo la habilidad y el talento que exigen ambos tipos de música y estoy bloqueado. Jasmine espera mi respuesta con una sonrisa cálida. Puedo sentir la calidez que mana de ella desde el otro lado de la mesa. Y esa calidez me hace pensar en el fuego que vi en los ojos de la chica.

—Tengo que ayudar a esa chica.

—Lo sé. —Sigue sonriendo.

—Pero no quiero perjudicar a mi padre.

La sonrisa se desvanece.

—Lo sé.

—¿Qué haría Jasmine si estuviera en mi lugar? ¿Se olvidaría de la foto? ¿Piensa Jasmine que actúo de manera extraña?

—Esa es una pregunta que solo tú puedes responderte.

—Lo sé. Pero ¿por qué no puede Jasmine darme su opinión?

—Porque mi opinión no se basaría en todos los factores que es preciso tener en cuenta. Yo no soy tú. Yo no siento lo que tú sientes por tu padre o por… la chica. No corro el riesgo de perder lo que tú podrías perder. Cada vez que decides algo, pierdes algo, decidas lo que decidas. Es siempre una cuestión de qué no te puedes permitir perder. No soy yo la que aquí toca el piano. Eres tú quien debe decidir cuál ha de ser la siguiente nota.

—Pero ¿cómo sé que la siguiente nota es la correcta?

—La nota correcta suena bien y la nota equivocada suena mal.

Regresamos al bufete en silencio. En el ascensor me pregunto: «Si no hago nada para ayudar a la chica, si dejo las cosas como están, ¿qué pierdo?».

18

De regreso al despacho de Wendell después de comer, Juliet me dice:

—He oído que te han ascendido.

En un primer momento decido no responder, pero finalmente le pregunto:

—¿Cuándo volverá Wendell?

Abre el cajón superior de su mesa y me tiende una nota. Reconozco la letra de Wendell.

—Vino mientras estabas comiendo —me informa Juliet.

> Hola, Marcelo:
>
> ¿Qué te dije? Pide y se te dará. Pasaré el resto de la semana en un pequeño crucero de descanso. Juliet te dirá lo que tienes que hacer. Recuerda: Sandoval y Holmes por encima de todo. Mantente alejado de las garras de Juliet, si puedes.
>
> WENDELL

Doblo la nota.

—Tienes que decirme lo que debo hacer —digo a Juliet.

—¿En serio? ¿Te cuenta algo más?

—Dice que debería mantenerme alejado de tus garras.

—¿Se supone que debo reírme?

—Creo que hablaba metafóricamente.

—Jamás le he clavado las garras a nadie.

Parece disgustada, pero no conmigo. No le gusta que Wendell haya dicho eso de ella. Eso significa que Wendell piensa de ella de una manera diferente de como a ella le gustaría que pensara. Así interpreto su repentino mal humor. Claro que Juliet siempre está de mal humor. Nunca la he visto sonreír. De pronto me doy cuenta de lo agradable que es trabajar en la sala de mensajería. Jasmine tampoco sonríe demasiado, pero es diferente.

—¿Alguna vez ha visto Juliet el yate de Wendell? —La pregunta ha brotado repentinamente en mi cabeza.

Juliet da un respingo. Levanto la vista el tiempo suficiente para ver una mirada fugaz de temor.

—¿Por qué quieres saberlo? —Lo pregunta como si tuviera miedo de lo que pueda contestarle.

—Quería saber cómo es el barco.

—Pues como todos los barcos.

—Wendell invitó a Juliet.

Su cara, por lo general blanca, se está tiñendo de rosa. La estoy enfadando y no es esa mi intención.

—Para tu información, aunque no sea asunto tuyo, Wendell me ha invitado al barco como ha invitado a mucha otra gente del bufete. Y para tu información, conozco el barco pero no subí a él por invitación de Wendell. No me van las criaturas.

Está aturullada y ahora se vuelve hacia su ordenador y empieza a teclear. Creo que lamenta haber hablado tanto. Parece que últimamente interpreto correctamente los gestos de la gente con más frecuencia que antes. No obstante, ¿cómo sabe uno si esas interpretaciones son realmente acertadas sin ponerlas a prueba, ya sea preguntando a la persona cómo se siente o haciendo algo más que desvele su estado de ánimo? Decido abandonar mi interrogatorio. Ni siquiera sé por qué he empezado a hacerle preguntas. ¿Y por qué le mentí cuando le dije que quería saber cómo era el barco? ¿Qué quería saber en realidad? Sentí un alivio cuando Juliet dijo que muchas otras personas habían estado en el barco. Hay algo en el hecho de que Wendell no eligiera exclusivamente a Jasmine que me tranquiliza.

—¿Piensas quedarte ahí de pie toda la tarde?

Jasmine solía hacerme esa pregunta cuando me quedaba absorto en medio de una tarea. Pero lo decía con humor. En la voz de Juliet solo hay irritación.

—La nota decía que Juliet me diría lo que tengo que hacer.

—Ahora resulta que también hago de niñera. —Se levanta y camina hacia el despacho de Wendell. No me dice que le siga, pero supongo que eso es lo que espera de mí.

Se detiene en la puerta.

—Wendell quiere todas esas cajas fuera del despacho. Trasládalas al lugar donde vas a trabajar.

—Donde voy a trabajar.

—¿Siempre repites lo que la gente dice? —Antes de que pueda responderle, echa de nuevo a andar. Camina como si llevara una pila de platos en la cabeza. Nos detenemos tres despachos más adelante—. El abogado que trabaja aquí está de vacaciones y cuando regrese lo pondrán de patitas en la calle, así que puedes usar su despacho. Solo tienes que meter en una caja las fotos y demás cosas que tiene sobre la mesa. No revises sus cajones. Eso puede hacerlo él. Lo despacharán en cuanto cruce la puerta.

Me quedo mirando la mesa llena de fotografías de niños. «Poner de patitas en la calle.» «Despachar.» No estoy seguro de lo que significan esas palabras, pero dado que voy a utilizar su despacho, sospecho que significan que van a despedir al abogado del bufete.

Juliet me está mirando como si fuera idiota. Probablemente a sus ojos lo sea. Me lo ha dicho otras veces.

—Poner de patitas en la calle. Despachar. O sea, largo de aquí. O sea, para expresarlo en un lenguaje que tú puedas entender, hasta la vista, baby.

—¿Por qué?

—No tenía lo que hace falta. No estaba a la altura. Era demasiado blando.

Oír hablar a Juliet me requiere un esfuerzo extra. A riesgo de volverla a irritar, o de irritarla todavía más, pregunto:

—¿Qué quiere decir que una persona es demasiado blanda?

Se dirige de nuevo a su mesa. La sigo, pensando que no tiene intención de responderme, pero entonces la oigo hablar y aprieto el paso para darle alcance.

—La gente contrata a Sandoval & Holmes cuando quiere a los más crueles y duros. Cuando otros bufetes descubren que estamos en el caso, saben que nuestro cliente ganará. Aquí, si quieres triunfar tienes que ser despiadado, apuntar a la yugular. El tipo de ese despacho no lo era. Pensaba demasiado. Siempre estaba en el despacho del señor Holmes planteándole si determinada estrategia era correcta o no. Tenía el valor de cuestionar al señor Holmes, eso no se lo discuto. Pero era blando.

Juliet me está mirando con cara de asco. Sé que piensa que yo también soy blando, de acuerdo con su definición. Después de todo, ¿acaso Marcelo no piensa demasiado las cosas?

—¿Ser blando es lo mismo que ser manso?

—No sé qué es eso. ¿Qué significa «manso»?

Vacilo. ¿Debería romper la regla y explicarle los usos religiosos de esa palabra: «Bienaventurados los mansos, porque ellos poseerán la tierra», del sermón de Jesús en la montaña, o «Los justos serán dueños de la tierra y en ella morarán eternamente» del salmo 37? Decido no responder a pesar de que Juliet está esperando una respuesta. Por primera vez tengo mis dudas de que los mansos lleguen algún día a heredar o poseer algo.

Juliet continúa.

—Manso o ganso, el caso es que ya no trabaja aquí. Tienes que trasladar todas las cajas del despacho de Wendell a su despacho. Cuando hayas terminado, ven a verme. Tengo cosas para archivar.

Traslado todas las cajas al despacho de Robert Steely. Lo bueno de todo esto es que en la intimidad del despacho de Robert Steely tendré la oportunidad de buscar el expediente que acompañaba la foto de la chica. Pero ¿por dónde empiezo? Hay tantas carpetas. Decido mirar primero en las dos cajas que utilicé en la tarea que me asignó Wendell.

Encuentro las cajas. Las pongo encima de la mesa y procedo a revisar todos los expedientes. No sé qué estoy buscando. ¿Otra foto de la chica? A lo mejor la foto terminó en la basura porque era un duplicado. Hay doce expedientes en cada caja, cada uno con cientos de páginas. Abro los expedientes uno a uno, examino cada hoja. Nada. Busco hojas que tengan un clip sin nada enganchado a él. Ni una.

Me siento en la silla de Robert Steely para meditar sobre cuál debería ser mi siguiente paso. Ahora que he empezado a buscar el expediente, mi necesidad de averiguar cosas sobre la chica ha aumentado, como si el simple hecho de buscar hubiera confirmado lo acertado de mi búsqueda. Contemplo las fotos que hay sobre la mesa. En una aparecen dos niños sentados bajo una sombrilla. En otra, los mismos niños pero algo mayores, con gorras de Mickey Mouse y abrazados a Robert Steely. Al ver la foto recuerdo las veces que he visto a Robert Steely en su despacho durante las rondas de reparto. Juliet dijo que pensaba demasiado. Cuestionaba a Stephen Holmes sobre lo que era correcto o incorrecto. Me pregunto si eso incluía lo que estaba bien y lo que estaba mal. Nunca había visto nada diferente en él salvo que era uno de los pocos abogados que no temía hablar conmigo. Por la razón que fuese, muchas veces coincidíamos en el cuarto de baño.

—Parece que nuestros riñones siguen el mismo horario —me dijo en una ocasión.

No debo hacerlo, pero abro el cajón superior de su mesa. Hay recambios de bolígrafo, clips que han sido estirados y ya no pueden cumplir su función, muchos céntimos, tarjetas de visita, la carta de un restaurante tailandés, una pelota hecha con gomas elásticas, un autoadhesivo con el dibujo de una tela de araña, una lupa, tres cucharas de plástico, una servilleta, hilo dental, una pastilla para la tos pegada al fondo, una docena de comprimidos Pepto-Bismol.

Vuelvo a sacar la foto de la chica. Me gustaría tanto que tuviera un nombre. Quiero llamarla por su nombre. Tiene el pelo negro y corto como Jasmine. Los ojos negros. Las cejas gruesas, formando dos arcos sobre los ojos. No es una foto en color, pero su piel tiene un tono marrón oscuro, como la de Abba, Aurora y Yolanda. Mi piel se parece más a la de Arturo, un beis tirando a marrón pero sin llegar a ser marrón oscuro. Abba nació en México y los abuelos de Arturo también. Me pregunto si también la chica o sus padres son de allí. Tal vez lo que me atrae de ella es que en eso sea como yo.

No me había fijado en el fondo de la foto. Está hecha en una habitación. Parece un despacho porque puedo ver el canto de un archivador a un lado de la chica, y al otro lado, detrás de ella, un calendario. Sé que es un calendario porque puedo distinguir la serie de puntos que representan los días del mes.

Me acuerdo de la lupa que hay en el cajón superior de Robert Steely. La cojo y examino la foto con detenimiento. Efectivamente, es un calendario. La cara de la chica lo tapa casi todo pero puedo ver que es un mes de treinta días. Encima de los números hay una foto de un árbol en otoño. Debajo de los días del calendario hay unas letras. A lo mejor es como el calendario que Aurora recibe cada año del hospital; debajo pone el nombre del hospital, la dirección y una frase sobre el excelente trabajo que hacen. Aquí todas las palabras están ocultas salvo dos de ellas y cinco números. Ni siquiera con la lupa consigo distinguir las palabras y los números, pero se me ocurre que podría llevar la foto a la sala de mensajería para ampliarla. La cojo y me dispongo a salir cuando la puerta se abre bruscamente.

Todo lo que sigue a continuación ocurre simultáneamente:

se me acelera el corazón, giro rápidamente la foto sobre el muslo, aguardo a que aparezca Juliet y empiezo a pensar en lo que puedo decir para explicar qué estoy haciendo en el despacho de Robert Steely con la puerta cerrada.

Pero no es Juliet. Es Robert Steely.

—Oh —dice, dando un paso atrás—. Oh —repite. Se ha quedado mudo, y yo también. Entonces repara en las cajas que invaden prácticamente todo su despacho—. ¿Qué es esto? —dice sin sorpresa en la voz. Espera recibir una explicación lógica. Lleva un maletín en la mano y es evidente que acaba de llegar a la oficina.

Juliet dijo que le despacharían en cuanto volviera. Ignoro cómo se despacha a una persona. Imagino que alguien te dice que ya no puedes seguir trabajando en el bufete. Es algo que no me importaría que me pasara a mí, pero puede que para Robert Steely sea diferente. ¿De dónde sacará el dinero para alimentar a sus hijos?

—Las cajas de Vidromek —respondo.

Miro en torno al despacho, como hace él, y veo que he dejado su lupa sobre la mesa. Sabrá que he abierto su cajón superior. Me dispongo a decir algo al respecto cuando deja caer el maletín en el suelo. Se da la vuelta y se sienta en el borde de la mesa, mirando hacia la puerta. Tiene los hombros hundidos y está pálido.

—Cabrones —dice entre dientes.

Se cubre el rostro con las manos. Me pregunto si debería posar mi mano en su hombro, pero nunca lo he hecho y tengo miedo. Luego menea la cabeza y se frota los ojos con la manga de la americana.

—Lo sabes —digo.

Asiente con la cabeza.

—No pensé que ocurriría tan pronto. Creía que tendría por lo menos hasta final de año. Pensaba que me darían unos meses para buscar otro trabajo.

Ambos levantamos la vista al oír el martilleo de los tacones de Juliet. Se detiene en la puerta, muy tiesa, las manos en las caderas.

—No te esperábamos hasta el lunes.

—Es evidente. —Por primera vez oigo indignación en la voz de Robert.

—La recepcionista debía dirigirte al despacho del señor Sandoval.

—Debía de estar descansando, porque no había nadie en recepción.

—El señor Holmes no está, así que deberías ir a ver al señor Sandoval.

Robert Steely me mira y levanta las cejas. ¿Cómo debo interpretar esa mirada? «¿Ya ves, ese es tu padre?» Se endereza, respira hondo y sale del despacho.

—¿Qué es eso? —Veo a Juliet mirar la foto que tengo en la mano.

Casi siempre me resulta imposible mentir. Por lo general, las sinapsis de mi cerebro viajan más deprisa de lo normal, pero cuando se trata de mentir, esas mismas sinapsis se paralizan. No puedo pensar lo bastante deprisa para elaborar una alternativa a la verdad, así que respondo a la pregunta de Juliet con sinceridad:

—Una foto. —Seguidamente digo algo que me sorprende—: La encontré debajo de la mesa. Es de Robert Steely.

El engaño funciona. Juliet no me pide verla. Dice:

—Voy a buscar a alguien para que lo vigile mientras recoge sus efectos personales. Deberías ir a la sala de mensajería y conseguirle dos cajas vacías.

—Yo mismo puedo ayudar a Robert Steely a recoger sus cosas.

—No. Necesitamos a alguien que se asegure de que no se lleva carpetas que son propiedad del bufete. Solo tiene permitido llevarse sus efectos personales. Tú no puedes distinguir una cosa de otra.

Creo que sí puedo. Juliet, decididamente, piensa que soy estúpido. Dejo la fotografía sobre la mesa, boca abajo, haciendo ver que voy a dejarla ahí, y espero a que Juliet se dé la vuelta para cogerla de nuevo. Puedo llegar a la sala de mensajería sin necesidad de pasar por la mesa de Juliet.

—¿Qué pasa? ¿Vuelves a trabajar en la sala de mensajería? —pregunta Jasmine. Me parece que han pasado años desde la última vez que la vi.

—Juliet me envió a buscar dos cajas vacías para Robert Steely. Le han despedido.

—Dios —dice—. Está visto que los buenos nunca duran.

—Juliet dijo que era blando. Que por eso lo despiden.

—Aquí la única blanda es Juliet. —Jasmine se martillea la cabeza con el índice.

Asiento con la cabeza. Me acuerdo de la foto que llevo en la mano y se la tiendo.

—En la pared situada detrás de la chica hay un calendario. Solo se ve un trozo, pero puedo distinguir dos palabras y cinco números. Puede que las palabras y los números nos ayuden a encontrar a la chica.

Jasmine coge la foto y camina hasta la fotocopiadora. La sigo.

—Intentaremos ampliarla un ciento cincuenta por ciento. —Por un costado de la fotocopiadora sale una foto borrosa de la chica, pero ahora es posible leer las palabras.

SU TAQUERÍA
02130

—Una taquería es un lugar donde venden tacos, ¿verdad? Igual que una cafetería es un lugar donde venden café —dice Jasmine.

—¿Sabes español?

—Tres años en el instituto. Además, odio decirte esto, pero taquería no es tan difícil de traducir. Esta foto podría haberse hecho en cualquiera de los países de habla hispana donde Vidromek tiene negocios. Salvo que...

—Salvo que.

—Salvo que nosotros solo representamos a Vidromek en accidentes que tienen lugar en Estados Unidos. De modo que si esta foto guarda alguna relación con algún caso que estamos llevando, significa que esta taquería se encuentra en Estados Unidos, lo que no reduce demasiado las opciones. Hum.

—¿Qué pasa?

—Los números. Este calendario hace publicidad de una taquería de algún lugar de Estados Unidos. Lo lógico es que el anuncio muestre la dirección del local. ¿Y qué suele haber en una dirección?

Parece una pregunta fácil de responder, pero tengo la mente en blanco.

—Una calle o un código postal. Y como a estos números no les sigue ninguna palabra, probablemente se trate de un código postal. Los códigos postales tienen cinco números —dice Jasmine.

—Un código postal —repito. Debería sentirme como un idiota, pero no es así. Probablemente se deba a la emoción que me provoca el entusiasmo que oigo en la voz de Jasmine.

—¿Tienes que volver con Juliet?

—Tengo que llevarle dos cajas a Robert Steely para que guarde sus efectos personales.

—Ve. Yo haré una búsqueda de taquería y 02130, a ver qué encuentro. Lleva las cajas y cuando vuelvas sabré un poco más.

Cojo dos cajas vacías, las que utilizo para el papel de fotocopiar, y voy al despacho de Robert Steely. Dejo las cajas en el despacho. Robert Steely sigue hablando con Arturo, supongo. ¿Cuánto se tarda en poner a alguien de patitas en la calle? Tal vez Arturo esté intentando ser lo más amable posible.

—Has tardado mucho —me dice Juliet cuando regreso de la sala de mensajería—. ¿Y ahora adónde vas? Oye, Jasmine y yo hemos elaborado un horario y ahora trabajas según mis tiempos. Necesito que dobles y metas estas cartas en los sobres y los cierres. Puedes utilizar esta botella con esponja para pegarlos o, si lo prefieres, chuparlos.

Veo una pila de hojas. Debe de haber doscientas cartas. Juliet me entrega la pila y encima coloca una caja de sobres. Luego me señala el despacho de Wendell con el mentón. Es ahí donde quiere que trabaje.

Es la primera tarea del bufete que no realizo todo lo bien que podría. Voy deprisa y soy consciente de que algunas cartas las doblo torcidas. Cuando ya las he doblado y guardado todas, humedezco los sobres con una botella de agua que tiene una esponja diminuta en la punta. Es difícil controlar la cantidad exacta de agua y algunas cartas parece que las haya chupado Namu.

Espero a que Juliet abandone su mesa y me dirijo hacia la sala de mensajería. A fin de cuentas, las cartas se sellan con la máquina que hay en la sala de mensajería. Jasmine tiene la mirada clavada en la pantalla de su ordenador. En un primer momento creo que no repara en mi entrada.

—Escucha esto —dice sin mirarme—. Tecleé taquería y 02130 y encontré un sitio en la web de restaurantes mexicanos de Boston. Fue entonces cuando caí en la cuenta. ¡El 02130 es un código postal de Boston! Entré en el sitio y vi un montón de restaurantes con el código postal 02130. Hay como unos treinta, todos en Jamaica Plain, un barrio con muchos residentes y negocios latinos. Luego reduje la búsqueda marcando taquería y Jamaica Plain y me salieron diez restaurantes.

—¿Qué hacemos ahora?

—Telefonear a los restaurantes. ¿Cuántos de esos diez restaurantes envían calendarios? Y luego, no sé, podríamos ir y enseñarles la foto de la chica para ver si la conocen. Esta foto la hicieron en un despacho. ¿Ves el archivador?

—Parece un archivador de este bufete.

—Eso mismo pensé yo. Parece que la foto la hicieron en el despacho de un abogado, lo cual tiene sentido, dado que vino a parar aquí y probablemente está relacionada con algún tipo de acción legal.

—Un abogado que come en una taquería de Jamaica Plain.

—Me acabas de robar las palabras de la boca.

—Oh.

—Es una figura retórica. Oye, este es el plan. Nosotros buscaremos qué abogados trabajan en Jamaica Plain. Llamaremos a los restaurantes que envían calendarios, les leeremos los nombres de esos abogados y les preguntaremos si alguno está en su lista de direcciones o si lo conocen o si el nombre les dice algo. Porque, ¿cómo consigue la gente esos calendarios? O lo reciben por correo o lo cogen cuando compran en el lugar que los regala.

—Nosotros.

—¿Nosotros qué?

—Era yo quien necesitaba encontrar a la chica y ahora somos nosotros, Jasmine y Marcelo.

—Yo no necesito encontrarla —responde Jasmine con seriedad—. Pero, no sé, me hace sentir viva esto de jugar a los detectives por tu buena causa.

—Comó Sherlock Holmes.

—Eso.

—Jasmine piensa con lógica. Un paso conduce a otro. Analiza probabilidades y las descarta.

—Pareces sorprendido. ¿No sabías que era una chica lista? —Se hace la enfadada.

Aunque sé que bromea, noto que me pongo rojo como un tomate. ¿Cómo puedo explicarle que lo sabía pero no lo sabía, que es como ver el atardecer cada noche pero no verlo?

19

Resulta que Cielito es la única taquería de Jamaica Plain que reparte calendarios. No tienen lista de direcciones, pero regalaron los calendarios a sus clientes a principios de diciembre. Resulta también que hay treinta y siete abogados que trabajan en Jamaica Plain, y cuando llamé a don Ramón, el propietario de Cielito, y le pregunté si le sonaba alguno de los nombres que le leí, solo hubo uno que reconoció sin vacilar. Se llama Jerry García y, según don Ramón, prácticamente vive en Cielito. El despacho de Jerry García está a media manzana de la taquería. Jasmine y yo estamos seguros de que la foto de la chica se hizo allí.

Jasmine me acompaña hasta la entrada de metro de Washington Street pero se niega a venir conmigo. Piensa que es algo que debo hacer solo. Llevo un plano que indica exactamente lo que tengo que hacer para llegar al despacho de Jerry García cuando me baje en Jackson Square. Tengo un móvil que puedo utilizar si me pierdo.

—Puedes hacerlo —dice Jasmine justo antes de que baje las escaleras del metro.

En el tren me mantengo vigilante, de pie, agarrado al respaldo de un asiento vacío.

Me bajo en la estación de Jackson Square y camino en dirección este por Centre Street. La oficina de Jerry García está a solo cinco manzanas. Ahuyento de mi mente el tráfico de la calle, los peatones, las palabras y los ruidos que vuelan hasta mí. Toco las paredes de los edificios para tranquilizarme y sigo andando.

Busco y finalmente encuentro el número del edificio de Jerry García. Su despacho está en la Suite 3A. Levanto la vista y veo una ventana con un rótulo blanco:

GERÓNIMO (JERRY) GARCÍA ESQ.
SU PROBLEMA ES MI PROBLEMA

Subo tres tramos de escalera. La Suite 3A tiene una puerta de madera con el mismo nombre y el mismo lema. La puerta está entornada. Dentro, sentadas en una sala, hay una docena de personas entre adultos y niños. A un lado de la entrada hay una mesa con un teléfono, pero nadie detrás. En un rincón hay un ventilador alto que gira a izquierda y derecha. Algunos niños están jugando en el suelo con coches y camiones de plástico. Veo una caja con juguetes en otro rincón. A lo mejor me he equivocado de lugar. Esto parece la consulta del médico al que Aurora nos llevaba a Yolanda y a mí de pequeños. Todo el mundo me mira cuando me detengo en la puerta sin saber qué hacer o decir.

—¿Busca a Jerry? —me pregunta una anciana.

—Sí. —Recuerdo el español que aprendí de Abba.

—Está aquí. Siéntese. —Me hace un hueco en el concurrido sofá. Me quedo de pie.

Una puerta que hay cerca de la mesa se abre. Un hombre con camisa blanca y tejanos azules la mantiene abierta mientras una mujer joven sale secándose los ojos con un pañuelo. El hombre me mira. Probablemente parezco fuera de lugar ahí de pie con mi mochila y las manos en los bolsillos.

El hombre de la camisa blanca y los tejanos azules es Jerry García. Lo sé porque Jasmine y yo encontramos una foto suya en internet. Tiene un anuncio en un periódico de habla española donde dice a la gente que le llame si sufre un accidente.

Hace una seña a la mujer que me habló al entrar. La mujer se levanta despacio, sujetándose al costado del sofá. Él se acerca y la toma del brazo.

—Siéntate, por favor. —Me está hablando a mí—. Estaré contigo en cuanto pueda.

Espero tres horas. Cada vez que sale me dice que estará conmigo en un ratito. Todas las personas que había en la sala cuando llegué se han ido ya, pero han entrado otras, de manera que la sala vuelve a estar llena. Me levanto del sofá para no ser aplastado.

—Bien —dice Jerry García—. Entra. —Tardo unos instantes en comprender que finalmente me está hablando a mí. Entro y cierra la puerta—. Estás dentro del espectro autista, ¿verdad? —me pregunta.

Con el transcurso del verano se me ha hecho aún más difícil responder a esa pregunta con precisión. Hay momentos en que me pregunto si alguna vez estudié en Paterson. Aquí estoy funcionando en el mundo real, manteniendo conversaciones con gente, detectando qué les pasa por la mente, imaginando lo que deben de estar sintiendo, algo que muchos niños autistas jamás consiguen hacer. No obstante, me gusta cuando la gente no se anda por las ramas (una de mis figuras retóricas favoritas) y dice lo que piensa, como él acaba de hacer. Consigue que me caiga bien casi al instante.

—La descripción que más se acerca es el síndrome de Asperger. Se halla en el extremo de alto funcionamiento del espectro autista. —Es la mejor respuesta que puedo darle.

—Lo he notado. A veces represento a chicos autistas y sus familias para intentar que las escuelas cumplan la normativa federal y proporcionen los servicios especiales que necesitan.

—¿Por qué lo preguntó?

—Por la forma en que tus ojos miran de refilón cuando hablas. —Entonces, cuando levanto la vista y le miro directamente a los ojos, se apresura a añadir—: Pero en un grado mucho menor que los chicos que he conocido. Y también por tu forma de estar, muy formal y tranquila. La mayoría de los chicos de tu edad se sientan repantigados y no pueden estar quietos.

—Arturo dice que cuando estoy de pie parezco un soldado de plomo.

—¿Arturo?

—Mi padre.

—¿Cómo te llamas?

—Marcelo Sandoval.

Una amplia sonrisa aparece en su cara.

—Sabía que me recordabas a alguien. Yo fui compañero de clase de tu padre en la facultad de Derecho.

—Lo sé.

—¿Lo sabes?

—No sabía que conocía a mi padre pero sabía que se licenció por la facultad de Derecho de Harvard el mismo año que él. Encontré la información en internet.

—Oh.

Ahora viene la parte difícil. Va a preguntarme por qué he venido a verle. He ensayado la respuesta un montón de veces, pero siempre acabo modificándola. Pese al hecho de encontrarme aquí, frente a Jerry García, todavía no estoy seguro de qué hago aquí. Pese a toda la planificación, pese a mentir a Juliet con lo de que tenía hora en el médico y estudiar y memorizar las indicaciones hasta el despacho de Jerry García, pese a todo eso, me siento como si me estuvieran pidiendo que entre en un cuarto oscuro. No recuerdo una sola vez en mi vida en que no haya sabido adónde iba. Siempre he estado seguro de que podía ver lo que había delante antes de lanzarme a ello.

Jerry García se mueve por su abarrotado despacho para hacerme sitio en un sofá azul por el que asoman trocitos de algodón. Mientras tomo asiento le oigo decir algo de que le gustaría poder ser más ordenado y que esto es demasiado trabajo para una sola persona y lo mucho que me parezco a mi padre, que tengo su misma mirada decidida, intensa. Oigo todas esas cosas pero solo a retazos, pues me estoy preguntando qué voy a contestarle cuando me pregunte qué hago aquí. Comentarios diferentes de personas diferentes resuenan en mi cabeza junto con el parloteo de Jerry García. «La nota correcta suena bien y la nota equivocada suena mal», recuerdo decir a Jasmine. Así que ahora escucho atentamente y trato de detectar qué oigo dentro, trato de escuchar la nota.

Jerry García se sienta en una silla de madera frente a mí, cruza las piernas y pregunta:

—¿Qué puedo hacer por ti?

Aunque he mantenido los ojos abiertos todo este rato, es ahora cuando empiezo a ver realmente dónde estoy. Jerry García trabaja desde un escritorio repleto de carpetas, papeles y cajas. Detrás del escritorio hay una mesa con un ordenador, una impresora y un fax. A un lado de la habitación está el sofá donde me hallo sentado. También esta habitación está forrada de estanterías con libros y carpetas marrones. En una de las estanterías, la que tengo más cerca, veo una foto de Jerry García abrazando a un hombre mayor con gafas de sol, que sé que es ciego porque sujeta un pastor alemán con arnés.

Después de no sé cuánto tiempo, digo:

—Yo tengo un pastor alemán. Se llama Namu.

—Namu. Bonito nombre. ¿Como en *Namu Amida Butsu*?

—Sí. —Es la primera vez que alguien reconoce el origen del nombre de Namu—. ¿Cree que está mal poner a un perro el nombre de una oración budista?

—Naturalmente que no. Así, cada vez que llames a Namu puedes recitar el Nembutsu.

—Eso mismo me dije yo. Pensé que al Buda le gustaría.

—Estoy seguro de que sí.

—Mi tío Héctor trajo a Namu y a su hermano Romulus desde Texas cuando yo tenía doce años. Romulus lo regaló a Parterson, el colegio donde estudio.

—¿Tu tío Héctor vive en Texas?

—En San Antonio. Es el director de Furman, un reformatorio para chicos delincuentes. Allí crían y adiestran perros. El contacto con los animales ayuda a los chicos. Y los perros son una fuente de ingresos para la escuela.

—Buena idea. Muy buena idea.

—En Paterson, donde estudio, tenemos ponis halflinger por razones similares. Los ponis… los llamamos ponis pero técnicamente son caballos pequeños… ayudan a los chicos a ganar coordinación y confianza.

—Claro.

Hay una pausa. Respiro lentamente una, dos, tres veces. Hablo:

—Estoy ayudando en el litigio de Vidromek. Encontré una foto. En la foto vi eso. —Señalo el calendario que cuelga de la pared, detrás de su mesa—. Así fue como dimos con usted.

—¿Dimos?

—Jasmine trabaja conmigo en el bufete. Ella me ayudó.

—Ya. —Jerry García sonríe, como si supiera que esa era la razón de mi visita.

Saco la foto de la mochila.

La coge pero apenas la mira. Es evidente que la ha visto antes. Sonríe y me la devuelve.

Se reclina en la silla que ha colocado frente a mí y empieza a hablar tan bajito que casi no puedo oírle.

—Cuando tu padre y yo estudiábamos Derecho montábamos una timba de póquer todos los viernes por la noche, sin falta. Éramos siete, los siete mexicoamericanos de la facultad de Derecho de Harvard. Tu padre, yo, Rudy y cuatro tipos más cuyos nombres no recuerdo. Eran unas timbas increíbles. Había tanta hostilidad. La primera vez que fui me dije: este será un buen punto de apoyo, un grupo formado por gente de mi raza, por hermanos. Pero lo único que hacían era envidiarse e insultarse abiertamente. Seguí yendo porque necesitaba el dinero.

Con lo que ganaba podía comer el resto de la semana. Así que en ese sentido puede decirse que los de mi raza, sin pretenderlo, me ayudaron. —Jerry García ríe y se golpea las rodillas al mismo tiempo—. ¿Juegas al póquer?

—No.

Suena el teléfono. Jerry García se levanta y aprieta un botón.

—Mi secretaria me dejó la semana pasada —dice cuando se sienta—. Se fue a trabajar a un bufete como el de tu padre. Imagínate, después de haberla formado. —Se encoge de hombros. El gesto significa «Qué se le va a hacer»—. ¿Por dónde iba? Mi cerebro parece uno de esos globos que sueltas y hacen prrr por toda la habitación. ¿Sabes a qué me refiero?

—Sí. —Cada vez que tengo que hacer más de una cosa al mismo tiempo mi cerebro se siente así—. ¿Qué ocurrió con la timba de póquer?

—¡Uau! Aquellas partidas eran increíbles. Me pregunto de dónde salía tanta rabia y crueldad. Porque no eran bromas amables. Yo era consciente de que la gente se cabreaba de verdad cuando otro sacaba un sobresaliente o recibía una oferta de empleo de un bufete mejor. ¡Era una locuuuura! Cada vez que salía de una timba sentía la necesidad de darme una ducha. Pero necesitaba el dinero. Era una situación triste, en serio. Cuando me preguntaban qué quería hacer cuando terminara Derecho, les explicaba mi plan. Primero trabajaré en la fiscalía para adquirir experiencia en litigios y luego abriré un despacho en un barrio pobre. Me miraban como si fuera, no sé, un...

—Extraterrestre.

—Exacto. Menos... menos tu padre. Él nunca se burló de mí. Una noche acabamos regresando juntos a la residencia y, no sé, supongo que tu padre llevaba más de un tequila encima, como yo, porque me dijo: «Confío en que termines Derecho con la misma idea en mente». «¿Por qué no iba hacerlo?», le pregunté. Y me respondió: «A veces empiezas en una dirección y, sin saber cómo, acabas tomando otra, como si una corriente te desviara el barco». Cuando dijo eso supe que estaba hablando de su vida, de una decisión que había tomado de la que no estaba convencido. «Puedes enderezarlo», le dije. «Nunca es demasiado tarde.» Pero me dio unas palmadas en el hombro y se marchó a su habitación. Estábamos a punto de licenciarnos y tu padre ya había recibido una oferta de uno de los bufetes más prestigiosos de Boston.

—¿Mi padre le dijo eso? —Era una imagen diferente de Arturo. Arturo, un hombre joven, apenas ocho o nueve años mayor que yo, poniendo en duda el camino que se disponía a tomar.

—¿Y qué tiene que ver todo esto con la foto que encontraste, te preguntarás? Cuando las Hermanas vinieron a verme para hablarme de Ixtel, que es el nombre de la chica de la foto, y descubrí que el caso lo llevaba el bufete de tu padre, recordé aquellas timbas y la conversación de aquella noche. Y decidí probar suerte con una carta dirigida personalmente a él.

—Escribió una carta a Arturo.

—¿No la viste cuando encontraste la foto? La foto iba acompañada de una carta.

—No. —Decido no contarle que encontré la foto en la caja que decía «Basura».

—Espera, creo que tengo una copia. —Abre el archivador, el que aparece parcialmente en la foto. Luego regresa y me tiende la carta—. Léela con tranquilidad. He de salir a decir a los que esperan que vuelvan esta tarde y luego iré al lavabo que hay en el pasillo para hacer pipí.

Esto es lo que leo:

Querido Art:

¿Te acuerdas de mí? ¿Derecho en Harvard? ¿Timbas de póquer en el apartamento de Rudy (olvidé su apellido) los viernes por la noche? Todos os enfadabais conmigo porque entraba con veinte pavos y salía con cien o incluso más.

Te ha ido bien. Casi me caigo de espaldas cuando vi quién representaba a Vidromek. Sandoval & Holmes. ¡Tu bufete! ¡Cabrón! Yo tengo un despacho particular en Jamaica Plain que me da algún que otro pavo. Si a ti o a alguno de tus abogados os pillan conduciendo bajo los efectos del alcohol, llámame.

Te telefoneé pero tu secretaria no quiso pasarme contigo. Lo entiendo, eres un tipo importante. De todos modos, se me da mejor escribir. Ahí voy. Represento a una chica de dieciséis años llamada Ixtel Jaetz (qué gran nombre, ¿eh?). Ella y su madre viajaban en un coche con un parabrisas de Vidromek. Un camión de Coca-Cola que tenían delante frenó en seco y se estamparon contra él. Chocaron a unos treinta y cinco kilómetros por hora. El coche no tenía airbag, pero tanto la madre como la hija llevaban puesto el cinturón de seguridad. El conductor del camión de Coca-Cola dijo que casi no notó la colisión. Sin embargo, un fragmento del parabrisas le perforó la cara a Ixtel, justo debajo del pómulo izquierdo. A la madre no le pasó nada. El parabrisas, como bien sabes, no debería haber hecho eso. Ixtel fue trasladada al Mass General Hospital, donde le quitaron el fragmento y otros trocitos de vidrio y le remendaron temporalmente la cara.

Te incluyo una foto de la chica que hice dos semanas atrás. Cuando vi que representabas a Vidromek pensé que lo mejor era hacerte un llamamiento personal. Podría ponerte una demanda pero ¿para qué engañarnos? Me acribillarías a aplazamientos y demás estratagemas que sabes que un despacho particular es incapaz de afrontar. Por lo tanto, te propongo algo radical: ¡Hagamos lo correcto! Yo no me explayaré en el dolor, el sufrimiento y demás daños que ha sufrido la chica y a cambio tu cliente pagará el coste de la cirugía reconstructiva además de mi veinte por ciento de honorarios, lo que hace un total de sesenta y ocho mil dólares. Una gota en un océano para Vidromek, ¿no crees?

Se trata de gente pobre, Art. El Mass General renunció a cobrarle los gastos de hospital gracias a su programa del Buen Samaritano. La chica vive ahora con las Hermanas de la Caridad en un hogar de Lawrence. La madre de Ixtel murió de cáncer de hígado unos meses después del accidente. El padre, originario de Hungría (de ahí el apellido Jaetz), murió cuando la chica tenía dos años. Como no le quedaba más familia, las Hermanas fueron nombradas sus tutoras legales. Solo piden el coste de la intervención quirúrgica. Por cierto, la cirugía reconstructiva no solo ayudará a que la muchacha recupere parcialmente su belleza, sino que le permitirá hablar con claridad, masticar y paliar el dolor que siente ahora cada vez que come o intenta hablar.

¿Qué me dices, Art? ¿Quieres hacer lo correcto? Llámame. Atentamente,

JERRY GARCÍA

Levanto la vista cuando termino de leer y veo a Jerry García sentado delante de mí.

—¿Cómo es Ixtel?

—Ha sufrido mucho. —Jerry García arruga el entrecejo—. Pierde a su padre, se le desfigura la cara, pierde a su madre. Durante un tiempo llevó una vida muy loca, pero ahora vuelve a estar en el buen camino. No sé, pese a tener la cara así, posee una belleza interna que tiene brillo propio.

Las palabras de Jerry García me sobresaltan. Es como si hubiera puesto palabras a lo que yo no podía expresar.

—¿Te gustaría conocerla? Lawrence está a una hora de Boston. Puedo llevarte. Procuro ir cada dos sábados. Es un placer ver a las chicas que viven allí, y las Hermanas son geniales. La mayoría provienen de El Salvador y apenas hablan inglés.

Guardo silencio. Si la foto tuvo semejante efecto en mí, ¿qué efecto podría tener la persona en carne y hueso? Finalmente, digo:

—Sí, me gustaría conocerla. —En ese momento siento que ya la conozco.

—En ese caso, me encargaré de organizarlo todo. —Vuelve a sonar el teléfono—. No se preocupe, enseguida pongo a mi secretaria con ello. —Me guiña un ojo.

Caigo en la cuenta de que el teléfono no ha parado de sonar desde que me senté en el sofá. Suena una vez (que debe de ser cuando salta el buzón de voz) y al cabo de treinta segundos vuelve a sonar. Detrás de cada uno de esas llamadas hay una persona con un problema.

—Ha dicho que mi padre respondió a su carta.

—Sí, me escribió.

—¿Puedo ver la carta?

Me doy cuenta de que Jerry García titubea, pero finalmente se levanta y saca una hoja de una carpeta que descansa sobre la mesa. Me la tiende. Esta vez se sienta delante de mí mientras leo.

> Querido Jerry:
> Veo que sigues dedicándote a las buenas obras (?). Te ruego que consideres esto como una respuesta a tu carta «personal». Vidromek no pagará por las heridas sufridas por tu cliente.
> Saludos,
>
> ARTURO SANDOVAL

Ahora ya sé a ciencia cierta que mi padre está al corriente del caso de Ixtel. Vio su foto y leyó la carta de Jerry García. Si la carta le llegó directamente a él y la foto iba con la carta, fue a través de él que la foto acabó en la caja que dice «Basura».

—¿Qué significa un signo de interrogación entre paréntesis?

Jerry García ríe.

—Creo que se pregunta si realmente me dedico a las buenas obras o solo estoy intentando ganarme un dinero.

—¿Y?

—¿Qué quieres que te diga? Tengo que comer.

—No me ha preguntado por qué he venido a verle —digo después de lo que me parece un largo rato.

Agita una mano.

—Sé a qué has venido. —Espera a que mis ojos se encuentren con los suyos—. Lo sé, créeme. El otro día llamé de nuevo y hablé con el hijo de Holmes. ¿Cómo se llama?

—Wendell.

—Un gilipollas arrogante. Una pena. Lo digo por lo joven que es. Sé que con el tiempo se vuelven así, pero por lo general después de licenciarse.

—Lo siento —digo.

—Me las veo con gente como él cien veces al día. Me miran y dan por sentado que no soy tan inteligente como ellos. Que Dios nos asista. Pero, si lo piensas bien, tácticamente es una gran ventaja, y no digamos una liberación personal, que otros piensen que eres tonto.

—Encontré la foto en una caja que decía «Basura».

Jerry García levanta una mano para silenciarme.

—Viste la foto de Ixtel y querías averiguar más cosas sobre ella. Por eso estás aquí. —Me mira fijamente—. Cuidaré de Ixtel, no te preocupes. Me aseguraré de que esté bien.

El teléfono vuelve a sonar. Me levanto y alargo una mano. No estoy seguro de lo que acaba de suceder, pero no parece necesario que sigamos hablando.

—Debo irme.

Jerry García se levanta a su vez y me estrecha la mano.

—Marcelo —dice—, si quieres ayudar a Ixtel, una prueba es cuanto necesito.

—¿Una prueba?

—Vidromek y… sus abogados sostienen que no tienen que pagar porque no sabían que los parabrisas eran defectuosos cuando los fabricaron. Incluso hoy día los siguen fabricando de la misma forma peligrosa porque si corrigen el problema estarán reconociendo que hay un problema. Para detener todo esto necesitamos encontrar un documento que demuestre que ellos sabían que los parabrisas no eran seguros y a pesar de todo siguieron fabricándolos. Tenían que saberlo. Es imposible que no lo supieran. Entre todos los documentos de Vidromek existe un documento que demuestra que lo sabían.

—Hay un montón de cajas con documentos.

—Necesito algo que me lleve hasta ese documento o algo que les demuestre que sé que existe. Si ese documento existe, y yo sé que existe, no está bien ocultarlo. Las personas que están trabajando en el litigio de Vidromek lo saben.

Pienso en Stephen Holmes, Wendell y Robert Steely. Recuerdo que Jasmine me dijo que Arturo leía todos los documentos relacionados con Vidromek.

—Si encuentras una prueba y decides entregármela, haré cuanto esté en mi mano por protegerte a ti y a tu padre, aunque no puedo garantizarte nada.

—Arturo perdería el caso.

—Puede. Aunque lo más probable es que su cliente simplemente pierda algo de dinero.

—Sesenta y ocho mil dólares.

—Ahora sería más. Tendrían que pagar más por jugar conmigo.

—Sus honorarios subirían. —En cuanto lo digo, lamento haberlo dicho.

—No te quepa la menor duda. Puede que hasta consiga recuperar a mi secretaria. Piénsalo.

—Tendré que tomar una decisión.

—Decidas lo que decidas, todavía estás en condiciones de ayudar a Ixtel. Podrías llevarla a ella y a las demás chicas a tu colegio para montar en poni. Te daré la dirección de las Hermanas de Lawrence por si quieres ir a verla. Le hablaré de ti y les diré a las Hermanas que es posible que vayas. Esta amiga del trabajo, Jasmine, ¿conduce?

—Sí. —Lo sé porque Jasmine me ha dicho que va en coche a Vermont para pasar fines de semana con su padre.

—Podría llevarte. O llámame y te llevaré yo. Aunque si consigues que te lleve tu padre, mucho mejor.

Sonreímos. Los dos sabemos que no es probable que eso ocurra.

20

Regreso a la oficina hacia la una. He completado solo una excursión por la ciudad y debería estar contento, pero no lo estoy. Deprimido. Esa es la palabra que me viene a la cabeza.

—Caray con la visita al médico —dice Juliet cuando paso por su lado.

Por un momento no sé de qué me está hablando. Mentir requiere un enorme esfuerzo mental.

—Había mucha gente esperando —digo.

—Ahora que lo dices, Wendell lleva un rato esperándote. Necesita que le hagas un recado.

Estas dos últimas semanas apenas he visto a Wendell. Telefonea a Juliet desde algún lugar, su barco quizá, y le dicta lo que debo hacer. Me doy cuenta de que he estado haciendo su trabajo. Pero me alegro de que haya estado ausente. Cada vez que nos vemos me pregunta sobre el paseo en barco. No he podido decirle que no. Se trata de una palabra bien sencilla, pero pronunciarla significaría que Wendell se convertiría en mi enemigo. Tengo miedo de experimentar la sensación de ser odiado por alguien. Y luego está Paterson. Decir no a Wendell significa decir adiós a Paterson. Wendell se aseguraría de que así fuera.

De modo que yo sigo dándole largas y él sigue insistiendo. Está perdiendo la paciencia. Pero ahora tengo otra razón para darle largas. Necesito estar cerca de los documentos de Vidromek para poder buscar el documento que puede ayudar a Ixtel.

Pero encontrar ese documento también significaría decir adiós a Paterson.

—Marchello, Marchello, ¿dónde estabas? Te dejo solo unos días y pierdes todos tus buenos hábitos de trabajo. —Wendell está tecleando muy deprisa y apenas levanta la vista. Tiene los brazos bronceados y pequeñas escamas de piel en el nacimiento de la frente.

—Tenía hora con el médico.

—Sí, seguro. —Me mira y me guiña un ojo—. Oye, solo he venido unos minutos. He de aprovechar que papá está de viaje. Tienes que hacer algo por mí. ¿Conoces a Robert Steely, el tío al que botaron la semana pasada?

—Sí. —Botar. Otra misteriosa figura retórica. Me imagino a Robert Steely haciendo de pelota. ¿Qué relación hay entre «botar» y pedir a alguien que deje un trabajo?

—Tienes que llevarle la carta que estoy escribiendo. Papá acaba de llamarme desde algún lugar de Italia para pedirme que lo haga. Quiere que se la entregue personalmente, pero eso puedes hacerlo tú. Solo has de asegurarte de que firme una copia de la carta donde dice «Acuse de recibo».

¿Otro viaje? ¿Hoy? ¿Y sin la planificación que hice para llegar al despacho de Jerry García?

—No sé. No sé dónde vive Robert Steely. Podríamos pedir un mensajero. Podríamos pedir a Jasmine que llame a un mensajero.

—Relájate. Juliet te pedirá un taxi y el taxista te llevará y te traerá. Papá quiere que alguien de la compañía dé fe de que Robert Steely recibe la carta y la firma. Se pasa de precavido, como siempre, pero qué se le va a hacer. Necesitamos enviar a alguien que conozca a Robert Steely y quién mejor que tú. ¿Quién dudaría de ti? Ya he terminado. Ahora la imprimiremos, haremos una fotocopia y podrás irte.

Llegamos a la impresora que hay delante de la mesa de Juliet.

—Juliet, ¿podrías hacernos el favor de pedirle un taxi al caballero? —dice Wendell. Juliet descuelga el teléfono automáticamente. Se sabe de memoria el número de la compañía de taxis. Wendell coge la hoja de la impresora y la arroja sobre la mesa de Juliet.

—Haz una fotocopia y métela en un sobre, ¿quieres, cielo?

Luego me mira con expresión severa. El Wendell jovial ha desaparecido de golpe.

—¿Tienes una respuesta para mí?

Sé de qué está hablando. De repente me doy cuenta de que le tengo miedo y que mi negativa a decirle no es pura cobardía.

—No tengo una respuesta para ti —contesto. Me digo que necesito ganar tiempo para poder ayudar a Ixtel, pero sé que me estoy engañando.

—La semana que viene. Cualquier día de la semana que viene. Jasmine tiene que subir a ese barco la semana que viene. Si no sucede la semana que viene, el vínculo se rompe. Y tú no quieres que eso ocurra. ¿Comprendes lo que digo?

—Sí. —Noto el dedo índice de Wendell en el pecho y lo aparto de un manotazo. Jamás he creído que podría pegar a otra persona, pero acabo de darme cuenta de que sí puedo.

Wendell me fulmina con la mirada y luego, como si nada hubiera ocurrido, esboza una sonrisa.

—La semana que viene. No lo olvides. —Se vuelve hacia Juliet, que nos ha estado mirando todo este rato—. Asegúrate de que vuelva con una copia de la carta firmada.

Guardo la carta en la mochila. Juliet me dice que un taxi me recogerá en la parte de atrás del edificio. Solo tengo que esperar en la acera como un muñeco, dice Juliet, y el taxi me tocará la bocina. Quiero pasar por la sala de mensajería para ver a Jasmine pero todavía estoy resoplando por el encuentro con Wendell. «La gente te pasará por encima si no les muestras tu enfado», me dijo Jasmine en una ocasión. Eso siento ahora, que me han pasado por encima. Ahora sé por qué en el bufete se utilizan palabras como «odio» y «enemigo».

Apenas han transcurrido unos minutos cuando un taxi se acerca al bordillo y me toca la bocina. Le enseño la dirección del sobre que contiene la carta para Robert Steely y partimos. Hay una mampara de plástico entre el taxista y yo. Aquí, en el mundo real como lo llama Arturo, no es posible protegerse con una mampara de plástico. No parece que exista una manera de conservar a lo largo del día la paz que encontraba cuando recordaba. «Estad en el mundo, pero no seáis del mundo.» Son palabras de Jesús. Pero no tengo la menor idea de cómo lograrlo o siquiera si es posible. El mundo siempre te martilleará el pecho con su dedo índice.

Por suerte, Robert Steely vive muy lejos del bufete. Digo por suerte porque así me da tiempo de calmar la respiración y dejar de pensar en Wendell. Ahora estoy pensando en Jerry García y la serenidad que mostró mientras me hablaba. Lo imagino tomándose su tiempo con cada una de las personas que van a verlo. Pienso en su voz y en cómo hablaba, con un ardor que no contenía ni un ápice de odio.

Robert Steely vive en un barrio donde las casas están más pegadas que en mi barrio. Recorremos lentamente calles repletas de niños en bicicleta. El taxista se detiene para pedir indicaciones a una mujer que empuja un cochecito.

El taxista señala una casa.

—Es ahí.

La casa de Robert Steely es de una planta, de color verde claro con postigos de un verde más oscuro. La puerta es roja. Golpeo una aldaba de bronce con forma de cabeza de león. Robert Steely abre.

—Marcelo. —Su tono es inexpresivo. Su semblante no denota sorpresa—. Pasa.

—Wendell me pidió que te trajera esto —digo mientras le tiendo el sobre—. Debo ver cómo lo firmas y devolverlo.

Desgarra una esquina, sopla dentro del sobre y saca la carta. Sacude la cabeza mientras lee.

—Increíble. —Me mira—. ¿Sabes qué es esto?

—No.

—Pasa y siéntate. —Me señala una sala abarrotada de la clase de juguetes con que juegan los niños pequeños.

—Tengo un taxi esperando.

—Oh, al taxista le pagan por esperar. Solo será un minuto. Necesito leer la carta con detenimiento. Siéntate, te lo ruego.

En un rincón de la sala hay un teclado a pilas con ocho teclas. Al verlo me acuerdo de Jasmine y de la conversación que tuvimos en la cafetería. Me preguntó qué precisa más talento, tocar música compuesta por otro o improvisar. Hay cosas que suceden inesperadamente, como por arte de magia. He aquí una de ellas. Estoy aquí no porque fuera mi intención ver a Robert Steely sino porque Wendell me envió. Robert Steely es el abogado que más ha trabajado en el litigio de Vidromek, quien mejor conoce los archivos de Vidromek. Ahora lo tengo sentado delante y lo interpreto como una señal. ¿Estará dispuesto a ayudarme? ¿Ayudará a Ixtel? La cuestión es, ¿tengo talento para improvisar?

Robert Steely deja la carta sobre la mesita del café.

—Tenían tanta prisa por echarme del bufete que se olvidaron de hacerme firmar un acuerdo de que no utilizaré ninguna información que haya adquirido mientras trabajaba en el bufete. En cuanto firme esto, me enviarán el último cheque. Si no firmo, no hay cheque. Perdona, todavía estoy resentido. No debería hablar así delante de ti. Eres el hijo del jefe.

—Mi padre te botó.

—Yo en realidad trabajaba con Stephen Holmes, pero como estaba de viaje, le tocó a tu padre hacer los honores.

—Honores.

—Decirme: «Por favor, recoge tus cosas y vete».

—Es rápido botar a alguien.

—Así son las cosas. No quieren que permanezcas en el bufete pensando en cómo vengarte de ellos por haberte despedido.

—Tengo una pregunta. —Voy a improvisar. ¿Cómo puedo decir lo que quiero decir?

—Adelante. Espera, primero voy a buscar un bolígrafo para firmar esto. —Se marcha a otra habitación y regresa con un bolígrafo. Firma la carta, la devuelve al sobre y me la da—. ¿Qué quieres preguntarme?

—¿Tiene Vidromek la culpa de que los parabrisas no se rompan en pequeños trozos?

—¡Uau! ¿A qué viene eso?

—Necesito saberlo.

Se acerca al borde de la silla.

—¿Qué quieres decir con lo de «culpa»?

Busco en mi mente lo que Jerry García me dijo esta mañana.

—¿Sabía Vidromek que los parabrisas no se romperían en pequeños trocitos y a pesar de eso los fabricó?

—Muy bien. —Robert Steely empieza a frotarse el brazo derecho, como si tuviera hormigas trepando por él—. ¿Por qué me lo preguntas?

—Necesito saberlo… para poder ayudar a alguien.

—¿A quién?

Introduzco una mano en la mochila y saco una foto de Ixtel.

—Se llama Ixtel. Un parabrisas la hirió. No la conozco.

Mira la foto y me la devuelve.

—No conocía esta foto. —La gira—. No está marcada como parte de un caso. ¿Iba acompañada de algún documento oficial?

—Venía con una carta para mi padre.

—Entiendo. Y tu padre dijo que no podía hacerse nada.

—Exacto.

—No deberías reprochárselo. Así funciona este negocio. Tu padre tenía que decir no. Aunque personalmente quisiera decir sí, aunque la foto incluyera una carta de tu madre pidiéndole que hiciera algo por la chica, seguiría diciendo que no. Aunque seas la persona más bondadosa del mundo, un santo, una vez que entras en el mundo de la defensa de empresas funcionas con otras reglas.

—Si conseguimos demostrar que Vidromek sabía lo del parabrisas, podremos ayudar a Ixtel. Y puede que a otros como ella.

—Has hablado del tema con alguien. No me digas con quién, no quiero saberlo. ¿Sabes por qué me despidió Stephen Holmes?

—Porque pensabas demasiado.

Ríe.

—Traté de demostrarle que reconocer la responsabilidad ahorraría dinero a Vidromek. Hice cálculos que demostraban que arreglar el parabrisas era a la larga mejor negocio. Holmes me dijo que dejara los números a los contables.

—¿Puedes ayudar a Ixtel?

—¿No la conoces?

—No.

—¿Sabe tu padre que quieres ayudarla? ¿Has hablado con él?

—No. —No sé explicar por qué. Estoy haciendo algo que Arturo no aprobaría, lo sé. En el fondo confío en encontrar la forma de persuadirle de que debe, de que todos debemos, ayudar a Ixtel. Pero en estos momentos no sé hasta qué punto esa esperanza es realista.

Robert Steely se levanta y camina hasta la ventana.

—Deberías irte. Creo que tu taxista se está impacientando.

Me levanto antes de comprender que me está diciendo que no quiere ayudarme. Tengo la extraña sensación de no saber dónde estoy. Entonces reconozco la casa de Robert Steely. Quiero estrecharle la mano, pero sigue mirando por la ventana. Justo cuando abro la puerta para salir, dice:

—¿Siguen las cajas de Vidromek en mi despacho?

—Sí.

—¿Las treinta y seis?

—Treinta y cinco —le corrijo.

—Hum —dice—. Me pregunto que habrá sido de la caja treinta y seis.

—¿Treinta y seis? —Estoy desconcertado. Estoy seguro de que solo hay treinta y cinco. No es la clase de cosas con las que suelo equivocarme.

—Adiós, Marcelo. Te deseo suerte en tu búsqueda.

Cierra la puerta roja tras de mí.

Para cuando regreso a la oficina estoy temblando. «Sobrecarga de estímulos», así lo llaman en Paterson. Voy directamente a la sala de mensajería.

La expresión de Jasmine es completamente nueva para mí. Está contenta y enfadada al mismo tiempo.

—¿Dónde te habías metido? Llevas fuera todo el día. —Cree que vengo del despacho de Jerry García—. ¿Te has perdido? Pensé que te había pasado algo.

—Estabas preocupada.

—No estaba preocupada. Solo… intrigada. Pensé que a lo mejor te había pasado algo, y entonces me habría sentido culpable el resto de mi vida por no haberte acompañado, como era tu deseo.

—En cuanto volví del despacho de Jerry García, Wendell me hizo llevarle una carta a Robert Steely.

—¿Por qué tú? ¿Por qué no un mensajero?

—Robert Steely tenía que firmar una copia de la carta. Wendell pensó que yo sería un buen testigo. ¿Quién iba a dudar de mí?

—Podrías haber pasado por la sala de mensajería para decirme que estabas bien. Telefoneé a Jerry García y me dijo que hacía dos horas que te habías marchado. Te llamé al móvil pero no contestabas.

—Debí de desconectarlo sin querer mientras esperaba a Jerry.

—Genial.

—Le hablé a Jerry de ti.

—Y él me habló de tu visita.

Camino hasta mi mesa y me siento. Noto que las manos me tiemblan.

—Me enseñó la carta que escribió a mi padre. Arturo conoce el caso de Ixtel. Y dijo que no. Dijo que Vidromek no le pagaría la cirugía.

—¿Por qué estás temblando? Espera un momento.

Desaparece y regresa instantes más tarde con un vaso de agua. Bebo.

—No es posible procesar todo lo que uno oye, ve y piensa por mucho que lo intente. Para procesar, es necesario apartar lo que no es importante. Para eso se necesita tiempo.

—Marcelo, estás balbuceando.

—Hay treinta y seis cajas. En algún lugar del bufete está la caja número treinta y seis. —Intento levantarme pero Jasmine me empuja contra la silla.

—Descansa un momento. Solo te quedan unos minutos antes de tomar el tren.

—Jerry García dijo que tiene que haber un documento que demuestra que Vidromek sabía que los parabrisas no eran seguros. Dijo que la persona que trabajaba en el litigio probablemente lo vio. Luego Wendell me envía a ver a Robert Steely, la persona que más tiempo dedicó al caso Vidromek. Le pedí que me ayudara. Pensé en ti porque improvisé y luego, cuando me iba, Robert Steely me dio una pista. Dijo que había treinta y seis cajas, pero yo solo he visto treinta y cinco. No es la clase de cosas en las que Marcelo se equivoca. ¿Por qué sonríe Jasmine?

—Mírate. Fuiste al despacho de Jerry García y luego a casa de Robert Steely y armaste todo esto porque quieres ayudar a una chica que viste en una foto. ¡Me gusta verte con ese espíritu de lucha!

—No es normal actuar así únicamente por haber visto una foto.

—Digamos que no es habitual. Pero mola.

—Necesitamos la caja número treinta y seis.

—Mañana. Ahora nos vamos a la estación.

—Jasmine podría buscarla esta noche, cuando todo el mundo se haya ido.

—¿No me digas?

—Conoce todos los lugares del bufete donde alguien podría esconder una caja.

—Esta búsqueda es tuya, no mía.

—Búsqueda. Robert Steely también lo llamó así. Dijo, «Buena suerte en tu búsqueda».

—La palabra clave es «tu».

—Jasmine buscará esta noche. Por favor.

Sacude la cabeza, pero no creo que el gesto signifique que no lo hará.

—Claro, y después de eso podré salir con Robert Steely a buscar trabajo. Vamos, te acompaño a la estación.

21

Llevo toda la mañana inventando excusas para ir a la sala de mensajería. Cada vez que voy, Jasmine está al teléfono o no está en su mesa. Cuando hizo el primer reparto, levantó el dedo pulgar al pasar junto a mí. Creo que significa que ha encontrado la caja número treinta y seis. O tal vez signifique algo que no alcanzo a comprender.

Finalmente, a las doce, me dirijo a la sala de mensajería para reunirme con Jasmine cuando veo a Arturo caminar por el pasillo en mi dirección. Sonríe y puedo ver que se alegra de verme. Yo, en cambio, quiero darme la vuelta y evitarlo. No puedo imaginarme a Arturo escribiendo la carta que escribió a Jerry García. No puedo imaginarme a Arturo mirando la foto de Ixtel, leyendo la carta de Jerry y diciendo no. Nada de eso encaja con el padre que dijo sí a la cabaña en el árbol, que dijo sí a Paterson, que bromea con Yolanda haciéndole una llave de cabeza y llamando a ella como si fuera una puerta. Bajo la mirada y finjo estar ocupado en un asunto importante para el bufete.

—¿Qué tal un hola para tu viejo?

—Hola.

—¿Va todo bien? Pareces desanimado.

—No estoy desanimado —digo. Puedo oír la irritación en mi voz.

—Vale, no estás desanimado. Te creo. ¿Comemos juntos?

—He traído comida.

—Guardaremos tu bocadillo para mañana.

—No.

—¿No? ¿Por qué?

—Voy a comer con Jasmine.

—Oh, entiendo. ¿Y dónde?

—Vamos a la cafetería.

—¿En serio? ¿Lo hacéis a menudo?

Echo a andar.

—¿Qué te pasa? ¿A qué viene tanta prisa? A Jasmine no le importará esperar unos minutos. ¿Todavía estás disgustado porque te puse a trabajar con Wendell? Supéralo de una vez. Wendell es la persona con la que deberías estar comiendo.

—Marcelo no está disgustado por eso. Adiós. —Lo he dicho sin levantar la voz, o por lo menos eso me parece. Me alejo dejándole con la palabra en la boca. Es la primera vez que hago eso. Puedo notar la mirada de Arturo en mi espalda. Me sienta bien dejarle con la palabra en la boca, pero por otro lado tengo miedo. ¿De qué? ¿De que se enfade conmigo? ¿De perderle?

Esta vez, en lugar de crema de guisantes Jasmine pide sopa de almejas. La sopa de almejas no la sirven tan caliente como la crema de guisantes. Deja una carpeta marrón sobre la mesa.

—Encontraste la caja —digo.

—Deberías pensarte un poco más lo que estás haciendo.

No sé qué decir. Jasmine parece asustada.

—Lo que quiero decir —prosigue— es que deberías darte un tiempo para pensar en toda la gente que podría verse afectada por lo que estás haciendo.

—Marcelo lo ha pensado.

—Puede que en teoría. Pero —coloca una mano sobre la carpeta— esto es real.

Alargo un brazo hacia la carpeta pero la fuerza de su mano me impide acercármela.

—Mírate la mano, todavía estás temblando —dice.

—Me encontré con Arturo camino de la cafetería.

—¿Y?

—Marcelo nunca antes había sentido confusión. Es dolorosa. No hay paz. No hay certeza. ¿Se supone que debo poner a mi padre por delante de todo?

—Hablemos de lo que hay en esta carpeta, así tendremos claro lo que estamos haciendo.

—Vale.

—Lo que hay aquí dentro es malo para Vidromek. Si sale a la luz, Vidromek tendrá muchos problemas para demostrar que no es culpable. También está lo que esto puede representar para el bufete. Vidromek es su principal cliente, y si el bufete es el responsable de las pérdidas de Vidromek, entonces...

—¿Qué? ¿Qué ocurriría?

—Vidromek tiene muchas relaciones con otras empresas de Estados Unidos y nosotros, el bufete, les hacemos todo el trabajo legal. La caída tendría un efecto dominó. Si Vidromek se viene abajo, nosotros también. Yo veo el dinero que entra de Vidromek, así como los sueldos y el alquiler que pagamos. Sin el dinero de Vidromek el bufete no tendría suficiente para pagar todo eso.

—Jasmine podría perder su trabajo.

—Y Marcelo podría acabar en un colegio público.

Nunca lo había visto de ese modo, pero es cierto. Paterson es un colegio caro. He oído contar a algunos chicos que asisten gracias a una beca porque sus padres no pueden pagarlo. Es posible que sin el dinero que Arturo gana con Vidromek no podamos pagar Paterson.

—Por tanto, voy a enseñarte lo que hay aquí dentro únicamente si aceptas una condición.

—Sí.

—Todavía no has oído lo que voy a decirte.

—Quería decir «sí» como pregunta. Pero también es probable que diga sí a tu condición.

—¿Porque casi siempre tengo razón?

—Porque si no digo sí, no sabré qué ha averiguado Jasmine.

—Bien. Esta es mi condición. El próximo fin de semana irás conmigo a Vermont y reflexionarás sobre lo que estamos haciendo. Yo tengo que llevar a mi padre al médico y tú necesitas salir de aquí. Las cosas están ocurriendo demasiado deprisa. Allí podrás sopesar todas las consecuencias y aclarar todos los hechos y sentimientos que ahora te tienen tan confuso. Puede que después de un día en las montañas hasta dejes de temblar.

—Vermont.

—Sí. El lugar ideal para reflexionar.

Reflexionar. Me gustaría ir más despacio y reflexionar.

—Cuando vuelvas podrás hacer con esto lo que quieras.

—¿Tan malo es?

Jasmine deja ir la carpeta. La abro y saco la única hoja que contiene, escrita en español.

MEMORANDO
Importancia: Urgente
Dirigido a: Sr. Reynaldo Acevedo, Presidente
Por conducto de: Lic. Jorge Baltasar
De parte de: Ing. David González, Jefe de Control de Calidad
Fecha: 21 de junio de 2005
Re: Pruebas de Impacto Modelo 285X

Se adjuntan Pruebas de Impacto — Parabrisas Modelo 285x. Pruebas demuestran fragmentación diferente a la especificación de diseño. Se recomienda descontinuar fabricación de dicho Modelo 285x inmediatamente.

—Está en español y lo entiendo, pero hay palabras que no conozco —digo—. ¿Qué quiere decir «parabrisas»?

—Es el cristal delantero. Busqué las palabras que no entendía, pero en general no son muy diferentes del inglés. Es un memorando enviado por el ingeniero encargado del control de calidad al presidente de la compañía.

—Recomienda que se suspenda la fabricación del parabrisas.

—El memorando iba acompañado de un montón de gráficos. Supongo que eran los resultados de las pruebas.

—Vidromek lo sabía. —Advierto que la mano vuelve a temblarme.

—Hay muchas cosas que no sabemos. A veces no es tan sencillo como parece.

—¿Dónde encontró Jasmine el memorando?

—Algunos abogados guardan los documentos importantes en sus propios despachos.

El corazón se me para y luego empieza a latir muy deprisa.

—¿En el despacho de Arturo?

Jasmine no hace caso de mi pregunta.

—La cuestión es, ¿y ahora qué? Si entregas esto a Jerry García las consecuencias serán numerosas.

Devuelvo el memorando a la carpeta. Si alguien me pregunta cómo lo conseguí, tendré que mentir si no quiero que Jasmine pierda su empleo.

—Jasmine podría haberme dicho que buscó la caja número treinta y seis y no la encontró. ¿Por qué me ha dado el memorando?

Jasmine desmenuza una galleta salada en su sopa de almejas sin mirarme.

—Bien, entonces si vamos a Vermont saldremos el sábado por la mañana temprano para llegar a tiempo de llevar a mi padre al médico. El domingo podríamos ir de acampada y regresar el lunes. ¿Has hecho acampada alguna vez?

—Vivo en una cabaña en lo alto de un árbol. ¿Se considera eso acampar?

—Mírate, estás fatal mentalmente hablando. Allí, rodeado de naturaleza, las cosas se ven más claras. Hay menos confusión.

—Vale.

—¿Vale que vendrás?

—Sí.

—Genial. —Jasmine sonríe. Ir a Vermont la pone contenta—. Belinda se ocupará de la sala de mensajería el lunes. No pongas esa cara. Puede que hasta te diviertas.

Cojo la carpeta.

—Ahora Jasmine está implicada en todo esto.

—Bueno, así son las cosas. Me quedo con el memorando. Cuando regresemos de Vermont será tuyo para que hagas con él lo que quieras. Pero no antes de eso.

Se ha levantado y acercado a la papelera para tirar su sopa de almejas casi intacta. Otra comida donde ninguno de los dos ha conseguido probar bocado.

22

El jeep destartalado de Jasmine gira por el camino de entrada. Lleva la capota bajada. Namu le saluda tensando las orejas.

—¿Listo? —me pregunta.

Asiento con la cabeza. Estoy acomodando la mochila en el asiento de atrás cuando Aurora sale con una bolsa de plástico llena de bocadillos, frutas variadas y zumos. El viaje hasta Vermont dura tres horas si no hay tráfico en la I-93, pero Aurora siempre prepara comida independientemente de lo que dure el trayecto.

Namu sube al jeep por la puerta lateral y se abre paso hasta el asiento de atrás. Lo hace por iniciativa propia.

—Parece que hay alguien impaciente por partir —comenta Aurora.

—Lo pasará muy bien —responde Jasmine.

Aurora se puso muy contenta cuando le conté a ella y a Arturo lo del viaje. Fue la reacción de Arturo, sin embargo, la que me sorprendió. Justo cuando creía que estaba aprendiendo a comprender los sentimientos que se ocultan tras la mayoría de las expresiones faciales, apareció una nueva para que la descifrara. Arturo, que tanto insiste en que debo ser independiente, me miró atónito y se puso tieso cuando mencioné lo del viaje. ¿A qué venía esa mirada? ¿Qué significaba? ¿Desconfianza? ¿Resentimiento? Era la primera vez que veía esa expresión en su cara.

—No me parece una buena idea —dijo.

Estábamos sentados a la mesa de la cocina. Aurora y yo dejamos de comer al oír sus palabras.

Repetí la descripción del viaje por si no la había entendido bien.

—El sábado llevaremos al padre de Jasmine al médico y el domingo haremos una excursión por los alrededores. Jasmine dice que puede dejarme en casa el lunes por la noche, sobre las ocho.

En la mesa se hizo el silencio. Me volví hacia Arturo y le vi esa mirada que no le había visto antes, y sentí miedo.

Sin hacer caso de su objeción, Aurora dijo:

—Me parece fantástico. Pero quiero que te lleves a Namu. Será una buena compañía durante la excursión.

—Vale —dije.

—Me temo que no podrá ser —repuso Arturo.

Hablaba con firmeza, pero había un temblor inusual en su voz.

—¿Por qué? —preguntó Aurora. Ahora era ella la de la mirada de desconfianza.

—Quería pedirle a Jasmine que trabaje este sábado. Estamos preparando una fusión de dos de nuestras compañías mexicanas que debe cerrarse la próxima semana. Además, no me preguntó si podía tomarse el lunes libre.

—Jasmine no sabe nada de ninguna fusión —repuse.

—Arturo —dijo Aurora—, Jasmine tiene que llevar a su padre al médico.

—No me lo mencionó —dijo Arturo.

—¿Acaso necesita contarte cómo pasa sus fines de semana? ¿De qué tienes miedo? —preguntó Aurora.

Eso también era nuevo. Nunca había visto a Aurora hablar a Arturo con tanta severidad.

Por primera vez en su vida Arturo se quedó mudo, desconcertado, sin habla.

—A mí me parece que el plan ya está decidido. Si es necesario, seguro que podrás encontrar a otra persona que te ayude —dijo Aurora. Y esa fue la última palabra.

Aurora me coge ahora del brazo y me lleva a un lado para decirme algo en privado.

—Escucha con atención —dice. Espera a que la mire a los ojos—. Llámame de inmediato si os ocurre algo a ti o a Jasmine, si algo durante el viaje no sucede como teníais planeado. Con tu móvil puedes llamar a cualquier lugar del mundo. Si tú o Jasmine estáis en peligro, por pequeño que sea, me llamas. No importará lo más mínimo cómo o por qué os habéis metido en problemas. ¿Queda claro?

—Sí —digo. Le hago con la mano el signo de «Te quiero» que aprendí en Paterson.

Aurora se toca el corazón con la mano y luego me toca el pecho.

Cuando llegamos al jeep Jasmine le entrega un papel.

—El teléfono y la dirección de mi padre. Se está haciendo mayor y su cabeza ya no rige como antes, por eso he puesto también el teléfono de un vecino. Jonah sabrá dónde estamos y podrá avisarnos si nos necesitas para algo.

—Gracias. ¿Te has despedido de tu padre? —me pregunta Aurora, como acordándose de repente.

—Sí —respondo sin mirarla. Pero no le estoy diciendo la verdad.

Namu suelta un ladrido. «Ya basta de tanta despedida, larguémonos de una vez», pienso que está diciendo.

Cuando llegamos a la autopista pregunto a Jasmine:

—¿Tu padre está orgulloso de ti?

—¿A qué viene eso ahora?

—El diccionario define orgullo como «placer o satisfacción que genera un trabajo o logro personal». De acuerdo con esa definición, una persona tiene que hacer algo antes de que puedas enorgullecerte de ella. No puedes estar orgulloso de ella simplemente por cómo es. No estoy seguro de saber qué se experimenta al estar orgulloso de otra persona.

—Ayer por la tarde hablé con tu padre. Pasó por la sala de mensajería antes de marcharse. Quería saber más sobre el viaje. —Jasmine menea la cabeza y sonríe al mismo tiempo—. Tu padre está orgulloso de ti, si es eso lo que te preocupa.

—¿Qué más te dijo Arturo cuando le viste? —En cuanto termino la pregunta me invade una sensación extraña. Estoy tratando de comprender por qué Arturo no quería que hiciera este viaje. Me siento avergonzado por pensar que a lo mejor Jasmine lo sabe y no me lo dice.

Me mira de una forma peculiar, como si intentara descifrar el verdadero motivo de mi pregunta. Entonces dice:

—Quería saber dónde íbamos a acampar y si nos acompañaba alguien más. Lo encontré un poco extraño. Parecía como si de repente dudara de que pudieras apañártelas solo. Porque puedes, ¿verdad?

Sé que espera que me ría o por lo menos sonría, pero no hago ni una cosa ni otra.

—¿Sabe tu padre que tocas el piano? —pregunto.

—Claro. Crecí tocándolo en casa. Mi madre se trajo el piano de su casa cuando se casó y me sentó delante de las teclas antes de que aprendiera a caminar.

—Pero ¿sabe tu padre que lo que de verdad quieres hacer es componer y tocar tu propia música?

—Supongo que sí. No hablamos mucho de eso. Lo entenderás cuando le conozcas. A Amos le importa poco lo que hagas con tu vida siempre y cuando te mantengas ocupado y te ganes tu sustento.

Cierro los ojos y me remonto a cuando tenía ocho años y Arturo me inscribió en la liga de fútbol local. A los cinco minutos de pisar el campo se hizo evidente que no podía jugar. Me quedé ahí de pie, sin saber qué hacer, dando algunos pasos en todas direcciones salvo en la debida. Cuando me pasaban la pelota, la enviaba a las bandas o a un jugador contrario. Recuerdo la cara de Arturo mientras regresábamos en coche a casa. Era la cara del padre que ha comprendido que su hijo nunca podrá participar en ningún deporte. Tras recordar lo que Jasmine le dijo a Aurora antes de irnos, pregunto:

—¿Quién es Jonah?

—Hoy le conocerás. Jonah y yo crecimos juntos. Su madre y mi madre fueron íntimas amigas hasta que mi madre murió. Mi hermano y el hermano menor de Jonah, Cody, también eran íntimos amigos. Seguro que te cae bien.

Viajamos las siguientes dos horas prácticamente en silencio. Jasmine me pregunta si puede poner un poco de música. Sé que lo hace para que yo no sienta la obligación de hablar. No me ha preguntado nada acerca de Ixtel o el memorando. No porque no le importe. Sé que quiere que sea yo solo quien tome la decisión. Pero decido no pensar todavía en el memorando. En lugar de eso, cierro los ojos y siento el aire fresco en mi cara.

—Ahí está —dice.

Abro los ojos y veo la casa de Jasmine encaramada en lo alto de una colina verde, al final de un camino de tierra. Es una casa blanca con una chimenea de ladrillo rojo, un tubo negro muy alto y una antena de televisión abollada sobre el tejado. Detrás de la casa hay un granero sin pintar que parece inclinarse ligeramente hacia la derecha. Cuando nos acercamos diviso en el césped de la entrada una colección de animales de plástico: una familia de ciervos, dos cisnes blancos (ahora grises), una mamá pata con seis patitos detrás (uno derribado), dos conejos besándose, un zorro marrón, una marmota levantada sobre las patas traseras y un flamenco blancuzco que en otros tiempos debió de ser rosa.

—Mi madre hacía colección —dice Jasmine a modo de explicación.

Subimos y aparcamos junto a la casa. Namu es el primero en bajar. Salta del asiento trasero pero se detiene en seco en cuanto sus patas tocan el suelo. Enseguida reparo en eso que le ha hecho detenerse. Sentado tranquilamente junto a la puerta de la casa hay un gran perro negro con manchas blancas. El perro se levanta y echa a andar hacia a Namu, que se sienta. Es su manera de transmitir al otro perro que sabe que no es más que un invitado.

—¡Gomer, cómo me alegro de verte! —exclama Jasmine.

Gomer agita la cabeza y la cola y se deja acariciar por Jasmine. Luego se acerca a Namu y los dos perros se olfatean las partes íntimas.

—Mira —dice Jasmine.

Sigo la dirección de su mano y veo un campo de hierba alta y flores moradas. A lo lejos, entre la casa y la carretera, hay un rebaño de vacas marrones y negras. Una de las vacas está subiendo por la colina, hacia nosotros, y puedo oír el repique de la campana que le cuelga del cuello.

—Es Eleanor —explica Jasmine—, la abuela de todas las demás. Yo la ayudé a nacer y la crié y todavía cree que es una mascota. No ve tres en un burro pero sabe que estoy aquí y ha venido a saludar. Gomer, ¿dónde está papi?

Gomer aparta su morro frío de mi mano y camina como un pato en dirección al granero. Namu está contemplando las vacas, gimoteando.

—Quiere ir a ver las vacas —digo.

—Por algo lo llaman pastor alemán —dice Jasmine. Está sacando las mochilas del jeep.

—¿Te parece bien? —pregunto.

Namu ladea la cabeza y aguarda su respuesta.

—Claro —dice Jasmine.

En cuanto Namu oye eso, echa a trotar hacia las vacas.

—Vayamos a ver qué hace el viejo —dice Jasmine—. ¿Qué llevas aquí dentro? —Deja las mochilas junto a la casa y se frota el brazo. Antes de que pueda responder, me advierte—: No hagas caso de lo que diga mi padre. Tiene la cabeza medio ida por la demencia. Eso lo vuelve olvidadizo y hostil, lo que significa que puede agredirte verbalmente repetidas veces y creer siempre que es la primera.

El espacio entre la casa y el granero está lleno de lecheras y maquinaria agrícola oxidada. A medida que nos acercamos al granero mis fosas nasales se llenan de un olor acre, dulzón.

—Caca y orina de vaca. Alguna muy vieja y otra muy nueva —explica Jasmine cuando me ve inspirar profundamente.

La puerta corredera del granero está abierta. Al fondo hay un hombre menudo, con unas botas de goma negra hasta las rodillas, echando estiércol con una pala en una carretilla de madera.

—Maldita mierda —le oigo decir.

—Ese es Amos. ¡Papá, hemos llegado!

El hombre deja la pala y se acerca para investigar. Tiene la cara arrugada y un pelo blanco fuerte y rasposo.

—¿Te parecen horas de levantarte? —me dice.

—Cree que eres mi hermano James —explica Jasmine—. Soy yo, Jasmine. Y este es Marcelo.

—Otra vez encubriéndolo. Como si no le hubiera oído llegar esta mañana de beber y putañear.

—Es Marcelo, papá. Recuerda que anoche te llamé para decirte que vendríamos.

Amos regresa a por la carretilla. Sus delgados brazos tiemblan al levantar la carga.

—Te has pasado la noche bebiendo y putañeando.

—¿Crees que hay muchos sitios para putañear por estos parajes? —le pregunta Jasmine. Luego me dice—: A veces es mejor seguirle la corriente hasta que recupera la lucidez.

—Hay un montón de sitios. El hombre que tiene rabo siempre encuentra un agujero donde hincarlo.

—James solo salió a tomar unas cervezas con Cody, cosa de

chicos, nada más. —Jasmine está sacudiendo la cabeza y alzando los brazos al aire.

—¡Mierda! —farfulla Amos antes de volcar el contenido de la carretilla en una pila que hay junto al granero.

—¡Eleanor! —grita Jasmine. Una vaca morena camina cansinamente hacia nosotros. Sus enormes ojos negros parecen adormilados—. ¡Te has subido toda la colina para verme!

—Debí convertirla en estofado cuando aún tenía la carne blanda —dice Amos.

—¿De qué estás hablando? —protesta Jasmine. Está estirando las orejas de la vaca como si fueran un manillar de bicicleta—. Todavía da leche, ¿no?

—Cinco chorritos. Una cosa clara y aguada, como el pipí de viuda —replica Amos. Se vuelve hacia mí—. El año pasado los Shackelton me prestaron a Bruno para que le echara un casquete por los viejos tiempos. Hicieron falta cuatro hombres, yo y los tres Shackelton, para auparlo sobre Eleanor.

—¡Papá, Eleanor es demasiado mayor para engendrar! Te dio un ternero por año durante doce años. Déjala tranquila. Se ha ganado su descanso.

—No quería un ternero, quería que Eleanor se divirtiera una última vez. —Me guiña un ojo—. Pero a Bruno no le gustó la idea. Tenía la minga floja como una manguera.

—¿Tienes café en casa? —pregunta Jasmine. Puedo ver que está intentando cambiar de tema.

—Y crepes. Los hice anoche en cuanto me dijiste que veníais. Los meteremos en ese aparatito que me regalaste y les daremos un buen zarandeo. —Saca del bolsillo de la camisa un paquete aplastado, tira de un cigarrillo con los labios y se pone a buscar fuego en el otro bolsillo.

—Fumar hace daño —le advierto.

—Vivir también y no por eso te digo que no vivas. —Encuentra una caja de cerillas en el bolsillo trasero del peto.

Después de comer Jasmine consigue convencer a Amos de

que se meta en la bañera. Enciende el calentador de agua, que solo se conecta para los baños, espera media hora hasta que el agua sale caliente del grifo y empuja a Amos hasta el cuarto de baño que hay al lado de la cocina.

—Si no oigo el chapoteo del agua dentro de un minuto, entraré. Pondré una silla aquí, así que ahórrate la molestia de intentar huir.

—Me bañé el mes pasado —rezonga Amos desde el otro lado de la puerta.

—Cuando termines de bañarte te llevaré a tu cita con el médico.

—Y un cuerno —responde Amos.

—Y después del médico iremos a la cooperativa a comprarte cigarrillos y puede que hasta pasemos por la licorería.

Se hace el silencio. Unos segundos más tarde oigo el chapoteo del agua. Jasmine entra en la sala de estar y me encuentra de pie junto a un piano vertical de caoba. Toco la C y oigo el sonido dulce de la nota. Luego toco C, E y G juntas.

—Es una melodía —digo.

—Ojalá todo sonara igual de melodioso —responde. Señala con los ojos el cuarto de baño.

Estoy mirando una foto en un marco de plata que hay sobre el piano. Jasmine aparece al lado de un chico con un pelo rubio y alborotado que le cubre casi toda la cara. Detrás de los niños están Amos y una mujer. La mujer es la única que sonríe. Jasmine se da cuenta de lo que estoy mirando.

—Nos la hicieron cuando yo tenía ocho años y James diez. Fue la única vez que mi madre consiguió que esos dos posaran para un retrato formal. Lo pidió como regalo de cumpleaños.

—¿Tu madre?

—Sí. Oye, cuando mi padre salga del cuarto de baño me lo llevaré al médico. ¿Quieres venir con nosotros?

Estoy mirando la foto.

—Si vienes con nosotros te enseñaré la ciudad. Espera un segundo.

Se acerca a la puerta del cuarto de baño y pega la oreja.

—¿Cómo va? No olvides lavarte las orejas —dice Jasmine.

—¡Por los clavos de Cristo, sé perfectamente qué agujeros debo lavarme!

—Te he dejado ropa limpia en la silla.

—La veo.

—No vuelvas a ponerte la sucia.

—Ya, ya.

Jasmine se vuelve hacia mí.

—Se quedará en la bañera hasta que se le enfríe el agua. Salgamos, quiero enseñarte algo.

Salimos. Dejamos atrás la reserva de animales de plástico y tomamos un sendero que conduce a lo alto de una loma verde desde donde se ve la casa. Detrás de la loma, una montaña de arces y pinos se eleva hasta tocar el cielo. El azul intenso del cielo me hace pensar en el color «azur», el color de los ojos de Jasmine.

—Si subiéramos a la cima de esa montaña podríamos tocar el cielo —digo.

—Eso no es una montaña, es solo una colina. Aquello de allí sí son montañas.

Me giro y dejo que mi vista se pierda en la distancia. A lo lejos diviso unas montañas coronadas de blanco, las mismas que las de la foto que Jasmine tiene frente a su mesa.

—Mira, Namu y Gomer —dice.

En el prado que hay abajo están Namu y Gomer sentados entre una docena de vacas.

Cuando llegamos a lo alto de la loma Jasmine señala la «colina» que se alza frente a nosotros y dice:

—Es la colina de Amos.

—Colina Amos —repito.

—No, Amos no es el nombre de la colina. La colina es de Amos, y también esas quince hectáreas de tierra que llegan hasta la carretera. Amos cultiva heno para las doce vacas que tiene. Antes poseía treinta hectáreas, pero vendió quince cuando mamá murió para pagar las facturas del médico. Trabajándolas bien, la colina y las treinta hectáreas podían mantener a una familia de cuatro. Cuando mi madre vivía, Amos tenía cuarenta vacas, media docena de cerdos y gallinas. Recogían sirope y madera de arce de la colina y cultivaban su propio heno para alimentar a las vacas en invierno. Mamá vendía suficiente miel para pagar las «provisiones de febrero», como ella las llamaba, y daba clases de piano a un par de niños. Amos vendía la leche a una fábrica de helados de Montpelier. Cien dólares aquí, cincuenta allá. La colina les daba toda la madera necesaria para mantenernos calientes en invierno. En realidad no se necesita mucho para vivir aquí si trabajas a conciencia.

Desde lo alto de la loma vemos a Amos salir por la puerta trasera de la casa. Solo viste unos tejanos azules. Todavía no se ha puesto la camisa ni los calcetines. Se aleja unos pasos y se pone a orinar. Una gallina que está picoteando cerca del chorro se aparta.

—Al lado de la bañera hay un retrete —dice Jasmine, meneando la cabeza—. No creo que haya meado dentro de él en toda su vida. No nos construyeron el pozo ciego hasta que yo tenía cinco años. Todavía recuerdo aquellos orinales blancos que usábamos para no tener que ir afuera en pleno invierno.

—Tu madre te enseñó a tocar el piano —digo.

—Me sentó en ese taburete antes de que aprendiera a andar.

—James también tocaba.

—Con él se rindió después de un par de intentos. Aquí, en invierno, pasas mucho tiempo dentro de casa. Es mejor tener algo que te mantenga la mente ocupada. A James no le gustaba tocar el piano ni quedarse en casa, aunque fuera invierno. En cuanto podía, estaba trepando la colina, pescando o cazando. También criaba toda clase de bichos, conejos, hámsters, que luego vendía a las tiendas de animales. A los diez años montó un criadero de chinchillas en el granero. Yo lo odiaba, porque sabía el futuro que les esperaba a esas pobres criaturas. Las chinchillas son esa especie de ratas largas y flacas, pero a la gente le gusta su pelaje porque calienta mucho. Por suerte, un año entró un zorro en el granero y las liberó a todas de su sufrimiento. Cuidado —dice cuando tropiezo con una pala. Se agacha y la recoge.

Estamos en lo alto de la loma, mirando un agujero abierto en el suelo del tamaño de una piscina particular. La cima de la loma tiene forma plana y circular. El agujero se halla justo en el centro, equidistante desde todos los puntos. Jasmine me aleja del agujero en dirección al borde de la loma. Un camión con combustible pasa por la carretera que circula a nuestros pies. Aguzo el oído para escuchar el motor, pero solo me llega un sonido sibilante que proviene de los árboles. A nuestra derecha, sobre una loma más pequeña, diviso dos cruces.

—Mamá y James —dice Jasmine, adelantándose a mi pregunta.

—¿Ese de ahí es Kickaz? —Señalo a los dos caballos que hay en el prado, no lejos de las vacas.

—Kickaz es el negro y esbelto. —Como si hubiera oído su nombre, Kickaz levanta la cabeza. Jasmine avanza unos pasos y señala un prado pequeño—. ¿Ves ese prado de ahí abajo? En invierno Amos abre un óvalo del tamaño de un campo de fútbol en la nieve. Cada tarde después de comer, cuando el sol calienta más, si es que puede decirse que calienta, saca a pasear a Kickaz durante una hora, nieve o truene. No podrá hacerlo mucho más tiempo —dice, principalmente para sí. Luego, a mí—: Será mejor que volvamos. ¿Nos acompañas al médico o prefieres quedarte? Puedes hacer lo que más te apetezca. Hay media hora de ida y otra media hora de vuelta, y normalmente un par de horas en la consulta, en su mayoría de espera. O sea, que en total estaremos fuera tres horas.

Suelto un silbido suave y veo cómo Namu se levanta de un salto y se da la vuelta.

—Os esperaré aquí —digo, y echo a andar hacia el prado donde Namu y Gomer están custodiando las vacas y los caballos. Son casi las doce. Lo sé porque el sol se encuentra en el centro del arco del horizonte. De repente se me ocurre que una casa construida sobre esta loma tendría sol desde el amanecer hasta el ocaso.

—Si te entra hambre, los bocadillos de tu madre están en la mesa de la cocina —dice Jasmine.

Me detengo y subo de nuevo.

—¿Adónde iremos mañana?

—Cargaremos a Kickaz con el equipo de acampada y los cuatro, o sea nosotros y Namu, Gomer no porque está demasiado viejo, subiremos la colina de Amos, bajaremos por el otro lado y treparemos otras colinas hasta llegar al Lago Oculto. Son unas tres horas de camino a un ritmo tranquilo. Amos tiene una caseta que desliza hasta el centro del lago para pescar en hielo y una canoa que utiliza en verano. Pescaremos e iremos en canoa por el lago y la corriente que lo alimenta. —Parece entusiasmada—. El lunes por la mañana recogeremos y volveremos a casa.

—Bien —digo. Respiro hondo. El momento de regresar a casa llegará demasiado pronto.

Camino del prado donde pacen las vacas cambio de dirección y pongo rumbo a las dos cruces blancas. Me siento delante de ellas y leo en voz alta los nombres y fechas grabados en el granito. Lila y James. Madre e hijo. Ella vivió cincuenta y cinco años, él dieciocho. Oigo el jeep de Jasmine y cuando asoma por la carretera lo sigo con la mirada hasta que se convierte en un punto verde y desaparece.

Recuerdo la razón por la que Jasmine me ha traído a Vermont. Estaba preocupada por mí y pensó que este sería un buen lugar para meditar sobre todo lo que ha ocurrido, para tomar una decisión. Me prometo a mí mismo que lo haré. Mañana, cuando lleguemos al lugar de acampada, me aseguraré de buscar un rato y un lugar para reflexionar. Pero hoy... hoy simplemente seré.

23

Por la noche, Jasmine y yo estamos lavando los platos de la cena cuando oímos el motor de un coche. Amos está llenando una pipa con un tabaco que huele a chocolate.

—Me pregunto quién será —dice.

—Oh, papá, ¿no me digas que los has invitado a venir?

—No —responde—. Fue el entrometido de Shackleton el que decidió venir y echar un vistazo al muchacho en cuanto se enteró de que estabais aquí.

En ese momento la puerta de la cocina se abre y aparecen tres hombres. Entran como quien entra en una casa en la que han entrado muchas veces. El hombre de mayor edad, el que me digo que debe de ser el padre de los otros dos, parece una versión más joven, menos curvada, de Amos. El que creo que es Cody lleva en la mano una caja de Bud Light. El que creo que es Jonah sostiene dos bolsas de patatas fritas.

—Oh, no —exclama Jasmine en cuanto los ve entrar—. Esta noche no habrá juerga. Mañana tenemos que madrugar.

—¡No me digas! —dice el padre mientras Jasmine se inclina para recibir un beso en la mejilla—. Os vais de acampada, ¿a que sí?

—¿Jonah? —pregunta Jasmine.

Jonah se señala y mueve negativamente la cabeza. El gesto significa «Yo no he dicho nada».

—Soy Jonah. —Me tiende una mano. Mi mano queda envuelta por una mano mucho más grande y fuerte que la mía.

—Y yo soy Cody. —Su apretón es solo algo más suave.

—Así que tú eres el muchachote. Yo soy Samuel Shackleton. —El hombre mayor me estrecha la mano mientras me examina—. Es fuerte para un chico de ciudad —dice a Amos, que está teniendo problemas para prender su pipa.

—Y yo qué sé —responde Amos entre soplido y soplido.

—No nos quedaremos mucho rato —dice Jonah a Jasmine—. No pude impedir que vinieran. Mamá también quería venir pero la convencí de que no era una buena idea. Lo habría acribillado a preguntas.

—¿Dónde quieres que nos sentemos? —pregunta Samuel Shackleton—. ¿En estas sillas de tortura o en esas cómodas butacas?

—Aquí —responde rápidamente Jasmine—, puesto que no os quedaréis mucho rato.

—En la nevera no hay sitio para esto —protesta Cody.

—Está llena de cajas de cereales —dice Amos.

—No hace falta meterla en la nevera. Deja la caja en el suelo, eso la mantendrá fresca. —Ha hablado Jonah.

—Pero en la tienda nos las dieron calientes —dice Cody—. Pondré algunas en el congelador, las suficientes para que nos duren un par de horas.

—¿Qué? —aúlla Jasmine.

Samuel Shackleton coge una silla de la cocina y se sienta lentamente frente a Amos. Es un hombre corpulento y no parece que las débiles patas de la silla vayan a poder sostenerlo.

—¿Cómo te va, viejo? ¿Has encontrado ya el tornillo que perdiste?

—Tengo todos los tornillos que necesito —replica Amos. Finalmente, un punto rojo empieza a brillar en su pipa—. Todavía los tengo arrugados por el chapuzón que me obligaron a darme hoy. —Lanza una mirada a Jasmine—. Pero, arrugados y todo, creo que todavía funcionan.

—¿Cómo demonios puedes saberlo? —le pregunta Samuel Shackleton.

—Ya estamos —dice Jasmine.

Se oye el suspiro de una lata de cerveza al abrirse.

—¿Quién quiere una cerveza? —pregunta Cody.

—¿Por qué no sacas eso tan rico que escondes debajo del asiento de tu coche? —propone Amos.

—Ni hablar —dice Jasmine.

Pero es demasiado tarde. Samuel Shackleton asiente y Cody sale a buscar eso tan rico, sea lo que sea.

Yo sigo fregando la sartén que Jasmine ha utilizado para hacer la carne. Jonah se acerca y me dice:

—Yo siempre dejo la sartén en agua. Después de un día o dos los pegotes salen solos.

—Esta noche no se deja nada en agua —dice Jasmine—. Tú, termina de fregar. Y tú, ponte a secar. —Entrega a Jonah un trapo blanco ya empapado.

Jonah me mira y se encoge de hombros, gesto universal que significa «Por lo menos lo he intentado».

Cody ha vuelto con una botella con un líquido dorado dentro.

—Ahora te escucho —dice Amos, pasándose la lengua por los labios—. Alcánzame un vaso, James.

Tardo unos segundos en comprender que me está hablando a mí. Durante unos instantes todo el mundo calla. Entonces agarro el vaso más grande que encuentro y se lo doy.

—Llénalo —ordena Amos a Cody.

—Si te lo llena acabarás suplicándome que te lleve a Montreal para ya sabes qué, como solías hacer antes de casarte —dice Samuel Shackleton.

—No le provoques —dice Jasmine.

—¿Por qué? ¿Qué hacíais en Montreal? —pregunta Cody.

—¡Cody! —otra vez Jasmine—. Señor, no tenéis remedio. —Sale de la cocina.

—¿Adónde vas? —grita Samuel Shackleton.

—¡A mear, si no te importa! —responde Jasmine desde el pasillo.

—Cody, mientras mea ve a buscar el violín —dice Samuel Shackleton.

Cody se levanta de un salto. Al parecer, cree que es una gran idea.

Paso la sartén a Jonah.

—No te preocupes —dice Jonah—, no nos quedaremos mucho rato. No les dejaré.

—No me importa —digo.

Cody está sacando el violín de un estuche negro cuando Jasmine regresa a la cocina.

—Me rindo —dice—. Ala, podéis ir a la sala.

—¿Tocarás el piano conmigo? —pregunta Cody.

—Ni lo sueñes.

Jonah tiende la sartén a Jasmine para que la inspeccione.

—¿Alguna vez has visto esta sartén tan limpia? —le pregunta.

Jasmine la acerca a la luz y pasa el dedo por dentro y por fuera.

—No está mal —dice.

—¿Y el Spam? —le pregunta Samuel Shackleton mientras él y Amos salen de la cocina.

—Muy gracioso —responde Jasmine, siguiéndoles.

Cuando Jonah y yo nos quedamos solos en la cocina, me dice:

—Cuando éramos niños nuestras dos familias salían juntas de acampada. Nos llevábamos unas cien latas de cerdo Spam por si no pescábamos nada, que era lo habitual. Un día a Jasmine y a mí nos dio por arrancar las anillas de todas las latas. Cuando llegamos al lago, los demás se pusieron como una furia porque tuvieron que utilizar abrelatas, y los abrelatas no funcionan muy bien con las latas de Spam.

Caigo en la cuenta de que nunca he visto una lata de Spam.

—Yo diría que ya estamos —dice Jonah. Extiende el trapo sobre la encimera para que se seque—. ¿El perro que hay fuera es tuyo?

—Namu —digo. No sé dónde poner las manos.

—Es un gran perro. Inspira respeto, ¿no crees? Le da igual que le acaricies o no. Te deja hacerlo si quieres, pero tanto le da una cosa que otra.

—Gomer también es un perro tranquilo —digo.

—Ahora, y porque no le queda elección. Tiene quince años.

—Namu nueve. ¿Tienes perro?

—Una media docena, más o menos. Cody siempre está intentando criar algo y lo que no consigue vender se queda con nosotros.

Estamos de cara al grupo. Amos y Samuel Shackleton están despatarrados en el sofá de la sala. Cody está intentando beber cerveza al tiempo que afina su violín. Jasmine se ha sentado en la butaca más alejada del piano. Nos hace señas para que entremos.

—¿Quieres una cerveza? —pregunta Jonah.

—No bebo alcohol —contesto. Acompaño la respuesta con una sonrisa para suavizarla.

—Uau. Friegas las sartenes hasta dejarlas casi perfectas y no bebes. No me extraña que Jasmine esté encantada contigo.

No sé muy bien si está bromeando o no.

—Perdona —digo—, tengo que prepararle la cama a Namu. Esta noche dormirá en el granero con Gomer.

—Te acompaño —se apresura a decir Jonah.

—¿Adónde vais? —oigo preguntar a Jasmine.

—Enseguida volvemos —grita Jonah—. Vamos a ver a Namu.

—Jonah… —La voz de Jasmine se apaga cuando salimos.

En cuanto la puerta se cierra Jonah dice:

—Teme que tengamos un «de hombre a hombre».

—¿Un «de hombre a hombre»?

—Una conversación franca y directa entre dos hombres.

Veo a Namu dirigirse al granero. Le sigo.

—¿Quieres tener un «de hombre a hombre»? —le pregunto.

—La verdad es que sí. Aunque Jasmine me ha amenazado con toda clase de torturas si lo hago.

Se diría que últimamente las únicas conversaciones que tengo son «de hombre a hombre». Creo que mi última conversación con Wendell, cuando me clavó el dedo en el pecho, encaja con la definición de Jonah de un «de hombre a hombre», aunque no creo que lo que tuve con Wendell fuera una conversación.

Namu camina hasta la pila de mantas donde yace Gomer. Lo olisquea y luego se acerca a mí, como si quisiera ver dónde voy a dormir yo antes de elegir un lugar para él.

—Yo dormiré dentro de la casa —le explico.

Justo cuando me giro para señalarla, siento un empujón en medio de los omóplatos. Aunque es un empujón fuerte, lo reconozco como un pequeño codazo. Me giro y me encuentro a Kickaz sonriéndome. Conozco la sonrisa de un caballo por mi trabajo con los ponis de Paterson. A los ponis también les gusta gastar bromas, y cuando lo hacen los ojos les chispean.

Le doy unas palmaditas en el morro, que es lo que siempre hacía con los ponis de Paterson. Kickaz responde sacudiendo e inclinando la cabeza para pedir otra palmadita. En lugar de eso le tiro en broma de las orejas.

—Nunca había visto a Kickaz ser amable con otra persona que no fuera Amos —dice Jonah. Hay sorpresa en su voz. Intenta acariciarle la cara pero Kickaz agita la cabeza y se aparta—. Es increíble.

Le encuentro a Namu un lugar para dormir.

—Aquí —le digo. Junto al compartimento de Kickaz hay una caja de cartón aplastada y dos sacos de arpillera vacíos. Despliego los sacos y Namu se sienta encima.

Miro a Jonah.

—¿Cómo se empieza un «de hombre a hombre»?

—Creo que hay dos maneras —dice Jonah, saliendo del granero—. Podemos dar un pequeño rodeo para conocernos un poco o podemos decir directamente lo que pensamos. ¿Tienes alguna preferencia?

—No.

—Vale. Hum. Yo prefiero dar un pequeño rodeo, si no te importa. Mientras lo doy, quizá encuentre las palabras para nuestro «de hombre a hombre» porque no estoy seguro de tenerlas aún. ¿Te parece bien?

—Amas a Jasmine.

Jonah suelta un bufido.

—Uau. Buf. Estooo… a eso lo llamo yo un «de hombre a hombre». —Mueve los pies—. ¿Me lo estás preguntando o me lo estás diciendo?

—Preguntando. A veces me cuesta convertir una frase en pregunta.

—¿Me estás preguntando si Jasmine y yo somos novios?

—No, no es esa mi pregunta. Pero puedes contestarla, si lo prefieres.

La camioneta de Amos tiene bajada la portezuela de atrás. Nos sentamos en ella. Jonah saca un cigarrillo y lo enciende, pero esta vez me abstengo de decir que fumar hace daño.

—La respuesta a tu pregunta es no, no somos novios y nunca lo hemos sido. No porque yo no lo haya intentado. Tenía siete años cuando Jasmine nació y hemos crecido juntos. Nosotros vivimos a solo cinco kilómetros de aquí.

Alguien de la casa abre una ventana. Nos llega el sonido del violín y durante un instante me imagino una cinta de seda mecida por la brisa.

—La mía es una de esas historias en que crees que la otra persona acabará… amándote no, eso sería pedir demasiado, pero sí viendo lo bueno que eres para ella y aceptándote así. Creo que cuando James murió, Jasmine se marchó a Boston en parte para alejarse de todo lo que le recordaba a él, incluido yo. ¿Siempre tienes ese efecto en la gente?

—¿Qué efecto?

—Conseguir que se sinceren como acabo de hacer yo.

—No tenemos mucho tiempo. Deberíamos hablar de lo que realmente importa.

—No hay mucho más que contar.

—Te casarías con Jasmine si ella quisiera.

—Sí, pero dudo mucho que eso ocurra. Jasmine necesita a alguien inteligente como ella… alguien como tú.

—¿Yo, inteligente? —Río—. Si supieras cuántas de las cosas que la gente dice y hace no entiendo no me llamarías inteligente. Me abstengo de preguntar qué significan las cosas porque, si no lo hiciera, nadie querría hablar conmigo. No soy inteligente. Estoy entrenado. Es todo una cuestión de entrenamiento y concentración, de años aprendiendo a comunicarme.

Jonah tira el cigarrillo.

—¿Te ha enseñado su estudio?

—¿Su estudio?

—El que está construyendo en lo alto de la colina.

—Donde está el agujero.

—Ya hemos terminado de cavar los cimientos. Ahora toca instalar las tuberías que conectarán con el pozo ciego. Cody y yo le ayudamos los fines de semana. Jasmine cree que dentro de unos años Amos necesitará a alguien que le eche una mano, así que tiene previsto venirse a vivir aquí. Pero tanto ella como Amos necesitan su espacio, por eso está construyendo una casa-«guión»-estudio en la colina. Uno de los cuartos estará insonorizado para que pueda montarse un equipo de grabación. Lo tiene todo pensado. Estufas de leña en todas las habitaciones.

—Es para eso para lo que está ahorrando —digo.

—Para eso y para cuidar de Amos. Viviendo como vive en esa pequeña cueva, ahorra todo lo que gana.

—Sabes dónde vive.

—Me lo ha contado. Me lo cuenta casi todo. Por eso quería tener un «de hombre a hombre» contigo.

—Estás preocupado por Jasmine.

—Ella dice que eres buena persona. ¿Lo eres? Jasmine es como una hermana para mí. Quiero asegurarme de que no le harás daño.

No tengo la menor idea de cómo podría hacer daño a Jasmine. A lo mejor Jonah sabe lo de la petición de Wendell. Pero ¿cómo iba a saberlo? Entonces me acuerdo del memorando y del riesgo que Jasmine corrió al dármelo. Tanto si sabe esas cosas como si no, su pregunta es comprensible.

—No le haré daño —digo.

—Bien. Eso era lo que quería saber. —Jonah me mira directamente a los ojos—. ¿Puedo preguntarte algo?

—Sí.

—¿Te sientes atraído por Jasmine?

—Atraído. —No sé qué contestar. Me gusta estar con Jasmine. Me gusta lo cómodo y relajado que me siento, el hecho de no tener que preocuparme de cómo hablo o actúo cuando estoy con ella. Me gusta escuchar las cosas que dice y cómo responde a mis preguntas. Me gusta lo que veo a través de ella, lo que me empuja a descubrir, lo que su presencia abre ante mí. Me gusta hablar de música con ella y me gusta estar aquí con ella. Me siento impulsado hacia ella como me siento impulsado hacia la MI. ¿Se refiere Jonah a esa clase de atracción?

—No sé qué quieres decir cuando utilizas esa palabra. ¿Puedes concretar un poco?

Jonah titubea.

—¿Sientes deseo sexual por ella? —Mira hacia otro lado. Interpreto ese gesto como vergüenza, como si me estuviera preguntando algo que no es de su incumbencia. Ignoro, de hecho, si es adecuado que él me pregunte eso o si es adecuado que yo trate de responder, pero decido hacerlo de todos modos, lo mejor que puedo, sin saber exactamente qué voy a decir.

—Según he podido determinar, el deseo sexual es una especie de energía o atención dirigida al cuerpo de otra persona o incluso a partes de su cuerpo. Consiste en imaginarse haciendo actos sexuales con el cuerpo de otra persona o con una parte del cuerpo de otra persona. Pero no me imagino haciendo algo con Jasmine que no esté haciendo ya. Lo que hacemos me basta. Me gusta pasar tiempo con ella. Me gusta cuando hablamos de música o cuando le pregunto el significado de una palabra. Me hace reír y me hace pensar en cosas en las que nunca había pensado.

—Caray, si que analizas las cosas.

—Algunos dicen que es una enfermedad.

—Todos deberíamos estar enfermos.

—La parte de su cuerpo que más me gusta son los ojos. Cuando los miro, me entran ganas de quedarme ahí para siempre. ¿Es esa atracción, en tu opinión, sexual?

Jonah se encoge de hombros. Tengo la impresión de que su encogimiento de hombros significa que no conoce la respuesta a mi pregunta. Es una pregunta que solo Marcelo puede responder.

De repente, me siento desconcertado. Me desconcierta que Jonah pueda pensar que Jasmine y Marcelo podrían ser algo más que amigos. Nunca se me ha pasado por la cabeza y no puedo creer que Jasmine pueda estar interesada en mí de ese modo. Quizá el bienestar que siento cuando estoy con Jasmine sea también sexual, pero de una manera que no entiendo. Puede que la atracción hacia otra persona sea como la MI, donde mente y cuerpo no pueden separarse.

Jonah se vuelve hacia la ventana y oigo el sonido del piano. Las notas llegan lentamente, una detrás de otra, cada una con un tono diferente de tristeza. Escuchamos en silencio hasta que Jonah dice:

—Cuando la madre de Jasmine se estaba muriendo le pusieron una cama en la sala de estar, y esa es la canción que quería que Jasmine tocara cuando le llegara el final.

—*Gymnopédies* —digo.

—¿Perdona?

—La música se llama *Gymnopédies*. Es de un compositor llamado Satie.

—¿En serio? Es preciosa. No me importaría oírla cuando me esté muriendo.

—Aquí las estrellas parecen estar muy cerca de la tierra.

—¿Te gusta este lugar?

—Mucho.

—No quedan muchos lugares donde puedas ganarte la vida honradamente con la tierra. Amos puede hacerlo porque ya tiene la granja pagada. Tenía casi cincuenta años cuando se casó. La madre de Jasmine trabajaba de camarera en el bar que Amos y mi padre frecuentaban los viernes por la noche para tomar unos tragos. Ella y Amos llevaban años tonteando. Todo el mundo sabía que se gustaban. Un día Amos le dijo algo a Lila subido de tono. Ella se dio la vuelta y le dijo que si no tenía intención de ir en serio con ella le agradecería que se marchara y no volviera. Se casaron una semana después. Ella estaba cerca de los cuarenta. El médico le dijo que tener hijos la mataría pero ella no se dejó acobardar y tuvo dos. Cuando murió, Jasmine se convirtió en una pequeña madre para el resto de la familia muy deprisa.

El piano deja de sonar y a los pocos segundos Jasmine sale por la puerta de atrás. Mira a su alrededor antes de divisarnos sentados en la camioneta.

—¿Qué estáis haciendo? Esto no me gusta nada. ¿De qué estabais hablando?

—Estábamos teniendo un «de hombre a hombre» —le digo. Jasmine mira furiosa a Jonah.

—Oye, oye, no me mires así —dice Jonah, saltando de la camioneta. Luego le susurra al oído, lo bastante alto para que yo pueda oírlo—: Parece que finalmente has dado con la horma de tu zapato. —Se aparta antes de que Jasmine pueda propinarle un puñetazo en el hombro y dice—: Voy a beberme una última cerveza y a asegurarme de que esos dos no se apalanquen. Una cerveza más y nos largamos, te lo prometo.

Jonah entra en la cocina y cierra la puerta tras de sí.

—Esto te gusta —dice Jasmine—. Lo noto.

—Sí. Aquí todavía puedes ganarte la vida honradamente.

—Eso lo has sacado de Jonah.

—Aquí no necesitas fingir ni mentir.

—Puede que no tanto, pero no significa que no ocurra algunas veces.

—Estás ahorrando dinero para poder cuidar de Amos dentro de unos años y construirte tu casa-«guión»-estudio.

—Jonah habla demasiado. Dentro de unos años habré ahorrado lo suficiente para pagar las facturas médicas de Amos y mi seguro sanitario, y puede que aún me quede algo para terminar el estudio y arreglar un poco este lugar. Necesitamos seis vacas más y un nuevo depósito de acero para mantener la leche hasta que el camión pasa a recogerla. Ya le han dicho a Amos que dejarán de comprarle la leche si no cambia el depósito. También hay que cementar el suelo de los compartimentos de las vacas. Nueva normativa. Bueno, en realidad vieja normativa, pero por el momento Amos ha logrado eludirla. Conociéndole, es muy probable que esté sobornando a alguien. Tú tienes la leche y el queso de las veinte vacas, la miel, los servicios sementales de Kickaz, el sirope que recogemos de los arces de la colina y la leña, y yo puedo dar clases de piano y conseguir un trabajo de media jornada como profesora de música en un colegio. Con eso deberíamos tener suficiente para mantenernos.

—¿Y tu música?

—Es parte del plan. Es el punto central. Todo lo demás lo sostiene.

—Te fuiste a Boston con la idea de volver.

—Desde luego. Mi plan era, es, ganar todo el dinero posible y volver. Además, tras la muerte de James, había veces que era imposible estar con Amos. En los casos de demencia y Alzheimer hay mucha hostilidad al principio, mucha paranoia. Los dos necesitábamos espacio. Ahora Amos está mejor, cuando se toma la medicación.

Alza la vista al cielo y observa un punto luminoso que cruza la oscuridad. Yo también lo sigo.

—Puede que no haya estado en muchos sitios, pero siempre supe que mi lugar estaba aquí. La vida no será más fácil aquí, pero siento que este es mi lugar, eso es todo.

Espera a que hable yo. Estoy pensando en los lugares que sentía que eran mi lugar y que puede que ya no estén ahí para mí.

La voz de Cody me saca de mi ensimismamiento.

—¡Jasmine, será mejor que entres! ¡Han empezado!

Entramos en casa. Amos está en el sofá, aspirando grandes bocanadas de humo de su pipa. Está hablando con Samuel Shackleton, que está despatarrado a su lado. Su voz suena pastosa.

—Puede que la vieja Eleanor ya no esté tan maciza como antes, pero sí estaba lo bastante tibia para echarle un casquete. El problema lo tiene ese toro tuyo, que tiene más años que Matusalén. Y la minga floja como la tuya.

—¡Papá! —grita Jasmine.

Cody termina de guardar el violín en el estuche, camina hasta la mecedora y se sienta, dispuesto a disfrutar del espectáculo. Jonah trae dos sillas de la cocina, una para mí y otra para él. Jasmine se ha sentado en el taburete del piano.

Cuando ya todos han tomado sus asientos, Samuel contesta:

—¡Maldita sea! El viejo Bruno se empalma como un poste telefónico con todas las demás vacas que le ponen por delante. Que el horno esté caliente no significa que lo esté lo suficiente para asar bollos. Esa vaca tuya ya está chocha y fea. Además, es la mamá de Bruno.

—Los animales —dice Amos— no están hechos de manera que puedan rechazar la oportunidad de chingar a menos que la herramienta ya no les funcione. Los animales no son como las personas. Si la hembra puede concebir, el macho la montará tanto si ella quiere como si no. En cambio tú, por ejemplo, esta noche te irás a tu casa entonado por ese whisky tuyo de garrafa, mirarás a tu Jane mientras duerme con los rulos puestos, puede que incluso roncando, y te dirás: «Va a ser que no», te meterás en el cuarto de baño, rescatarás una de esas viejas revistas que escondes en el cajón de las toallas y te las apañarás solito. Pero a un animal le da igual que la hembra sea fea o chocha. Si ella todavía puede, él también.

—Está bien, hora de irse. —Jasmine da una palmada y se levanta, pero nadie la secunda. Vuelve a sentarse—. Samuel, eres nuestro invitado, de modo que, como marca la tradición, tienes la última palabra. Dila. Después, os quiero fuera de aquí.

Samuel Shackleton apura lentamente su vaso de whisky y dice:

—Lo único que puedo decir es que a todos los toros les llega un momento en la vida en que deciden que quieren dejar de joder a sus madres.* Ojalá a los hombres les pasara lo mismo. —Se queda mirando fijamente a Amos. Entonces, cuando ya no puede más, estalla en una carcajada junto con todos los demás.

Amos se hunde la pipa un poco más en la boca. Está claro que no le gusta la tradición de dejar que el invitado tenga la última palabra.

Los Shackleton hacen fila para estrecharme la mano. Cuando le toca el turno a Jonah, me dice:

—No ha estado nada mal nuestro «de hombre a hombre».

---

* *Motherfucker* tiene el sentido, en inglés, de «hijo de puta», pero la traducción estrictamente literal sería «el que se folla a su madre». *(N. de la T.)*

24

A las seis menos cuarto del día siguiente Jasmine sale de la casa. Yo estoy en el césped, rodeado de animales de plástico, levantando pesas. Me detengo el tiempo suficiente para verla frotarse los ojos. Una de dos, o se está despabilando o no puede creer que alguien pueda estar levantado tan temprano haciendo lo que yo estoy haciendo. Dejo las pesas de cinco kilos en el suelo.

—¿Qué haces? —pregunta con un bostezo—. ¿Cuánto tiempo llevas aquí fuera? ¿Qué hora es? ¿Y de dónde ha salido eso? —Está mirando las pesas. Son redondeadas y están forradas de plástico azul.

—¿Cuál de esas cuatro preguntas desea Jasmine que responda?

—No me digas que llevabas esas pesas en la mochila.

—Sí. —No entiendo qué tiene de raro.

—Ahora comprendo por qué estuve a punto de quebrarme la espalda cuando bajé tu mochila del jeep. —Namu se sienta delante de Jasmine a la espera de que repare en él—. Tu amo está como un cencerro, Namu. Necesito un café. —Se da la vuelta y regresa a la casa.

Después de desayunar cargamos a Kickaz. Jasmine quiere llevar provisiones a la caseta de Amos para que, llegado el invierno, no tenga que hacerlo él. Coloca una manta sobre el lomo de Kickaz y, encima, un armazón de aluminio. Dentro coloca las provisiones de Amos, así como la tienda, los sacos de dormir y otras cosas que necesitaremos para la excursión.

Amos parece excepcionalmente lúcido esta mañana. No me confunde con James. Me reconoce como el amigo de Jasmine, aunque en un par de ocasiones me llama «Nube de Azúcar». Jasmine dice que la razón de que esté tan manso es que los medicamentos le han hecho efecto.

A las siete nos ponemos en camino. Subimos hasta lo alto de la loma donde Jasmine va a construir su casa-«guión»-estudio, bajamos por la ladera opuesta e iniciamos el ascenso por la montaña arbolada que Jasmine llama colina. Seguimos un sendero desde el que diviso caminos que conducen a concentraciones de árboles.

—Son arces —dice Jasmine—. Hay más o menos cincuenta en esta colina de los que obtenemos sirope. El sirope que has tomado esta mañana con tus crepes fue extraído de uno de esos árboles.

Namu se detiene y aguza las orejas. Jasmine también se detiene. Luego me detengo yo.

—¿Puedes oírlos? —me pregunta Jasmine.

Oigo estallidos.

—Son cazadores. Es ilegal cazar en agosto, pero cazan igual.

—¿Qué cazan? —pregunto.

—Ciervos de cola blanca.

—Con escopetas.

—Sí.

—¿Ha cazado Jasmine alguna vez?

—Sí.

—¿Y ha matado ciervos con una escopeta?

—Sí.

Es un aspecto de Jasmine que desconocía. Me pregunto cuántos aspectos de Jasmine descubriré durante esta excursión.

—A veces la carne de venado nos dura todo el invierno.

—Entiendo que es su manera de explicar por qué caza.

Caminamos durante más de una hora. Jasmine dirige a Kickaz y yo sostengo el armazón de aluminio.

—Mira.

Allí, en medio de la colina, hay una docena de árboles de tronco blanco, alto y delgado. Sus hojas verdes susurran con una brisa que no se aprecia aquí abajo pero que debe de existir ahí arriba.

—Abedules. ¿A que son bonitos? Es mi árbol preferido. No sé por qué, quizá por la forma en que su tronco blanco destaca en medio de un bosque marrón y verde. En otoño sus hojas tintinean.

—Es aquí donde a Jasmine… donde a ti te llegan tus ideas para tu música.

—Hay tantos sonidos… El viento emite sonidos diferentes según los árboles por los que se desliza. La tierra también crea sonidos. Y espera a llegar al agua. También están los animales. Y a veces todos los sonidos se unen.

Oigo otro estallido.

—Y las escopetas —digo.

—Sí, y las escopetas. Supongo que también debería incluir ese sonido.

De repente me asalta el recuerdo de Wendell clavándome el dedo en el pecho. He aquí otra experiencia inesperada: el placer que me produce imaginar cómo voy a decirle a Wendell que no pediré a Jasmine que venga a pasear en barco. ¿Cómo puedo llamar a eso?

—Mira, un halcón de cola roja. —Hemos alcanzado la cima de la montaña. Un halcón vuela en círculos sobre nuestras cabezas, subiendo, bajando e inclinándose sin mover las alas—. Está buscando un conejo. Hay miles en el valle.

—¿Vamos a subir esa otra montaña?

—Colina —me corrige Jasmine.

El Lago Oculto, me explica, no solo está oculto, sino que es secreto. No hay carreteras que lleven a él, por lo que la gente solo puede llegar a pie. Hasta no hace mucho solo lo conocían unos pocos veteranos como Amos.

Estamos descendiendo por la ladera de la segunda montaña cuando el lago aparece de repente ante nuestros ojos. Como deslumbrados por un resplandor repentino, nos detenemos. Desde donde estamos puedo ver el círculo completo. Los alrededores están salpicados de casetas de pesca. Son unas estructuras de madera pequeñas y no comprendo cómo alguien puede tumbarse dentro para dormir.

—¿Ves aquella caseta pintada de azul con estrellas blancas? Es la de Amos.

—¿Cómo duermen?

—Las casetas tienen el espacio justo para un catre. En invierno, los pescadores las arrastran hasta el centro del lago helado, abren un agujero en el hielo, y pescan y se comportan como adolescentes.

—Pero el frío…

—¿Ves esto? —Toca una bolsa que hay dentro del arnés—. Es el carbón para la estufa con la que Amos se calienta de noche. De día la apaga. Cada vez que vengo aquí traigo algunas provisiones. ¿Te imaginas hacer el recorrido que acabamos de hacer en pleno invierno? Amos busca a alguien que le cuide los animales, se pone las raquetas de nieve y se viene aquí. Un par de años atrás estalló una guerra a causa de los generadores. Los pescadores más jóvenes querían traer generadores para poder ver la tele y tener las mismas comodidades que en casa. Pero los generadores son muy ruidosos y apestan. Habrían arruinado la tranquilidad de este lugar. Tendrías que haberlos visto. Tuve que impedir que Amos se trajera la escopeta.

—¿Qué pasó?

—Los defensores de las comodidades modernas han cedido por el momento, por respeto y puede que por temor a los veteranos. Pero cuando estos desaparezcan, los generadores llegarán a lomos de motonieves.

Llegamos a la caseta de Amos y descargamos las provisiones. Hay bolsas de arroz, latas de cerdo y alubias y carbón para la pequeña estufa de hierro conectada al tubo negro que asoma por el tejado.

Jasmine despliega la tienda. Elegimos un lugar cerca de la orilla del lago, con la puerta mirando al agua. Es una tienda triangular lo bastante alta en el centro para que una persona pueda estar erguida. Mientras la montamos busco otras tiendas con la mirada. Por primera vez caigo en la cuenta de que Jasmine y yo vamos a dormir juntos. Nunca he dormido con nadie salvo con Yolanda, cuando fuimos a España, y fue en una habitación de hotel donde cada uno tenía su cama. Esto es diferente. Me pone nervioso.

—Levanta el palo —me grita Jasmine. Mi nerviosismo me hace pensar en cuando Adán y Eva se dan cuenta de que están desnudos después de comer la manzana—. ¿En qué estás pensando? Aterriza. Cuando terminemos de acampar entraré con la canoa en el lago para pescar. ¿Qué te gustaría hacer a ti?

—Marcelo vino a Vermont para reflexionar, recuerda.

—Pues ya estás aquí. Puedes quedarte o venir conmigo. Estés donde estés, tendrás un montón de silencio.

—Jasmine no hablará.

—Tú estarás de cara a la proa y yo me quedaré en la popa pescando. Ni siquiera te darás cuenta de que estoy.

Remamos, o mejor dicho Jasmine rema, pegados a la orilla, donde la sombra de los árboles llega hasta el agua. Luego dirige la canoa hacia un árbol caído.

—Agáchate —dice. Bajo rápidamente la cabeza y nos deslizamos por un espacio estrecho por el que solo cabe una canoa delgada como la nuestra y desembocamos en lo que parece un lago todavía más solitario, rodeado de arbustos con flores rojas, amarillas y blancas. Cuando llegamos al centro de la cala oigo un chapoteo y la canoa se detiene. Cuando me giro Jasmine me susurra—: El ancla —y se lleva el dedo índice a los labios.

Me siento en el suelo de la canoa y aguzo el oído. Escucho el silbido regular del sedal de Jasmine. Escucho el chapoteo del agua. Oigo el zumbido de insectos, el murmullo del viento a través de los árboles, las ondas del lago y, de tanto en tanto, el sonido afilado de un ave grande, un sonido de dolor.

¿Cómo llegó Ixtel a hacerse real para mí? El mundo está lleno de Ixtels a quienes puedo ayudar sin perjudicar a mi padre. ¿Por qué esta? ¿Por qué me conmovió tanto su sufrimiento? Padre. Me siento conectado a Ixtel por las acciones de mi padre. Siento la obligación de reparar la injusticia que él ha cometido. Pero ¿por qué? ¿No debería poner por delante el bienestar de mi padre? Su bienestar es mi bienestar. ¿Cómo conciliar el amor por un padre con el impulso de ayudar a alguien que lo necesita?

Siento que lo correcto debe hacerse independientemente de las consecuencias. El hecho de tenerlo tan claro hace que me sienta inhumano. Pero, por una vez, no es mi cabeza la que habla. Oigo la nota correcta. Reconozco la nota equivocada. Tal vez la acción correcta sea un lago como este, verde, sereno y profundo.

Está anocheciendo. Jasmine ha dividido en dos el único pez que ha pescado y colocado los trozos en un plato con harina. Ahora los está friendo en una sartén que cogió de la caseta de Amos. Estoy pensando en lo deprisa que han pasado las horas de este día.

—¿Sabías que te has pasado dos horas sentado en la canoa completamente inmóvil? No has movido ni un músculo. No podía verte los ojos, pero por un momento pensé que estabas durmiendo.

—No, no he dormido.

—¿Qué pasa por tu cabeza cuando estás tan callado? ¿Estabas pensando en lo que harás cuando regreses?

—Jasmine también estaba callada. No abrió la boca.

—Estuve lanzando el sedal de todas las formas posibles para intentar pillar el único pez de todo el lago. Luego pasé un rato sentada en el suelo de la canoa, con la espalda contra el asiento y los ojos cerrados.

El pescado está listo. Pone mi ración en un plato de aluminio y me sirve maíz de una lata que ha abierto previamente.

—La cena —dice—. La otra opción era cerdo con alubias.

—¿Quiere Jasmine… quieres decir una oración? —pregunto.

—Vale. —Deja su plato sobre las rodillas. La imito y cierro los ojos—. Gracias por este lugar. Gracias por este pescado. —Abro los ojos y veo que se pone a comer—. ¿Qué pasa? ¿A qué viene esa cara de pasmo?

—Tus oraciones son más cortas que las mías.

—Vale. —Cierra los ojos—. Gracias por la compañía. —Vuelve a abrirlos—. Ya está. Es más que suficiente, ¿no? Come. La trucha fría no vale nada.

Después de unos bocados dice:

—No has contestado a mi pregunta. En el lago, cuando estuviste callado tanto rato, ¿qué pasó?

—Durante mucho rato estuve reproduciendo en mi mente todo lo que había sucedido desde que encontré la foto de Ixtel. Las imágenes eran como notas musicales. Unas sonaban bien y otras mal. Me gustaron las notas que sonaron cuando buscamos y localizamos a Jerry García. Parecía como si estuviéramos destinados a ayudar a Ixtel. Eso es lo que pensé durante un buen rato. Luego pensé en mi música interna y la busqué.

—¿Qué es eso de tu música interna?

—Desde que tenía seis años, puede que antes pero esa es la primera vez que lo recuerdo, podía oír música, solo que en realidad no la oía y en realidad no era música. Parecía música. ¿Experimenta Jasmine emociones cuando oye determinada música?

—Sí.

—Pues imagina que experimentas las emociones provocadas por la música sin el sonido de la música, pero sabes que la música está ahí. Solo que las emociones que sientes son siempre buenas, por ejemplo nostalgia y sentido de pertenencia al mismo tiempo. Lo llamo música porque esa es la mejor palabra que se me ocurre. Antes la oía cuando quería. Solo tenía que buscarla y la encontraba, aunque más que buscar lo que hacía era esperar. Pero ahora me cuesta encontrarla. Me da la impresión de que está desapareciendo. Tenía la esperanza de que volviera mientras estuviera aquí.

—¿Y?

Meneo la cabeza para indicar que no ha vuelto. Entonces digo:

—Encontré el recuerdo de la música que solía oír, pero enseguida se esfumó y me quedé escuchando todos los sonidos del lago. Y también el sonido de Jasmine intentando pescar.

Jasmine deja el plato. Se le está enfriando el pescado. También a mí. Me es difícil hablar de la MI y comer al mismo tiempo. Puede que también sea difícil para Jasmine oírme hablar de la MI y comer al mismo tiempo.

—Imagino que debía de ser una música muy bella. Supongo que querías escucharla constantemente.

—Cuando Marcelo era pequeño le costaba abandonarla. Por suerte, solo podía oírla si la buscaba. Aunque era fácil de encontrar.

Contemplamos nuestro pescado a medio comer en silencio. Jasmine coge su plato pero vuelve a soltarlo.

—¿Quieres saber qué pienso?

—Sí.

—Pienso que eso que estabas haciendo en el lago, buscando la música, o intentando recordarla, como tú dices, es a cuanto la mayoría de nosotros puede aspirar a hacer. Esa habilidad que antes tenías era algo fuera de este mundo. No sé, un don especial. ¿Qué pasa si ya no puedes tenerla y has de ser una persona corriente? Ya no oyes la música, pero ahora puedes ser de carne y hueso como… como yo, por ejemplo. Ahora tendrás que prestar atención y aguzar el oído, ver si puedes oír algo. ¿Tiene sentido lo que digo? Estoy un poco fuera de mi elemento.

El fuego frente a nosotros chisporrotea. Las palabras de Jasmine resuenan suavemente en mi cabeza, como las notas de una pieza musical. Jasmine se levanta despacio, recoge los platos y los lleva al lago.

Cuando regresa levanta la vista al cielo.

—No hay nubes y tampoco hace demasiado frío. Podríamos dormir aquí fuera. Así podrás mirar las estrellas. ¡Uau! ¿Has visto eso? Es la estrella fugaz más larga que he visto en mi vida. Ha recorrido el cielo de punta a punta.

Está retirando las piedras y ramas del suelo de delante de la tienda. A renglón seguido saca los sacos de dormir y despliega el suyo. El corazón empieza a latirme con fuerza. La parcela frente a la tienda es pequeña. No hay otro lugar para poner mi saco que al lado del suyo. Jasmine está alisando su saco. Abre la cremallera. Yo estoy de pie, paralizado. La cabeza me pesa como si tuviera plomo.

—¿Piensas dormir de pie como Kickaz? —Me doy cuenta de que me está hablando a mí.

Agarro algunas palabras al vuelo.

—Dónde. Saco de dormir.

—Probablemente este sea el mejor lugar. —Señala el espacio que hay junto a su saco.

Me arrodillo y despliego mi saco en el lugar señalado.

—Necesito ir al baño. —Me levanto de nuevo. Jasmine está tumbada sobre su saco con los brazos debajo de la cabeza, mirando las estrellas.

Me pasa la linterna que tiene al lado.

—Sabes qué tienes que hacer, ¿verdad?

Estoy tan nervioso que solo me percato del humor de sus palabras cuando ya me he puesto a buscar un lugar adecuado.

—No te alejes —la oigo gritar—. Es una zona pantanosa.

—Solo son aguas menores —grito a mi vez.

—Menos mal —exclama.

Cuando regreso, Namu está tumbado sobre mi saco. Jasmine tiene los ojos cerrados. ¿Es posible que se haya dormido tan deprisa? Entro en la tienda buscando mi mochila. ¿Debería ponerme el pijama que he traído? Jasmine lleva puesto un pantalón corto y una camiseta, y todo parece indicar que así piensa dormir. Dejo el pijama en la mochila.

—¿Y ahora qué haces? —pregunta.

—Estoy buscando las toallitas para lavarme las manos.

—Buenas noches, Namu —le oigo decir—. Cuida del bobo de tu amo.

Tardo todo lo que puedo en lavarme las manos. No entiendo por qué la idea de dormir al lado de Jasmine me pone tan nervioso. ¿Qué me está ocurriendo? Ayer, Jonah me preguntó si me sentía sexualmente atraído por Jasmine y la pregunta me impresionó. Y ahora esto. Me toco el abdomen, donde noto un cosquilleo. Es la sensación de tener «mariposas en el estómago». ¿Qué ha liberado esas mariposas? Las dos primeras aparecieron cuando Jasmine habló de la MI y dijo que yo podría ser de carne y hueso como ella, y cuando señaló el lugar donde íbamos a dormir juntos salieron a miles. No son desagradables, estas mariposas. Sus diminutas alas me están empujando a salir, haciéndome cosquillas con la expectativa de yacer junto a Jasmine.

Empujo a Namu para que se tumbe a mis pies. Una parte de su cuerpo descansa sobre mi saco y la otra sobre el de Jasmine. Me quito las botas y me meto en el saco completamente vestido. Contemplo el cielo de la noche. Las estrellas parecen agujeros diminutos en un techo oscuro por los que puedes ver la luz que hay al otro lado. Escucho la respiración pausada de Jasmine. Entonces la oigo decir:

—Ayer, cuando estabas hablando con Jonah, dijisteis que estabais teniendo una conversación «de hombre a hombre». ¿De qué iba? No tienes que contármelo si no quieres.

—Hablamos del amor.

—Señor.

—Jonah te quiere.

—Voy a matarlo.

—Pero no cree que tú llegues a quererle algún día.

—Yo le quiero, solo que no de esa manera. Jonah es como un hermano mayor para mí.

—¿Qué significa querer a alguien «de esa manera»? Eso es lo que Marcelo no entiende.

—El amor es difícil de comprender —dice—. No eres el único que tiene problemas con él.

—¿También Jasmine?

—A veces... —titubea— a veces las personas hacen cosas que las hieren o hieren a otras en nombre de lo que creen que es amor. Cometen un sinfín de errores por culpa de él.

—Un sinfín. —Me gusta esa palabra.

—Es fácil cometer errores. Es muy fácil perder el rumbo. Por mucho que sepas lo que tienes que hacer en la vida y dónde tienes que hacerlo, de repente, bum, aparece alguien que te desvía del camino y acabas tomando el rumbo equivocado o estando en el lugar equivocado. —Guarda silencio, como si esas palabras le recordaran algo.

—¿Es eso amor?

—No lo sé. ¿Cómo puede ser amor si eres desgraciado?

—Existe una posibilidad de que yo no sea capaz de amar. La oigo rodar sobre un costado para mirarme.

—¿Cómo puedes decir eso? Mira lo que sentiste al ver la foto de Ixtel, y tu impulso de ayudarla. Eso es amor.

—Pero no la quiero «de esa manera», como dice Jasmine. No parece que yo pueda querer a alguien «de esa manera», con el deseo que siente alguien como Wendell.

—Gracias a Dios. Wendell pertenece al nivel más bajo de la

especie humana, la cual está un par de niveles por debajo de la mayoría de los animales.

—Tampoco conozco todas las señales que las personas envían para indicar que alguien les gusta «de esa manera».

—Ya las aprenderás.

—Como ahora. No sé si el hecho de que vayamos a dormir el uno al lado del otro significa que vamos a realizar el acto sexual. ¿Cómo sabe una persona cuándo ha de tener sexo con otra? Suponiendo que Jasmine quisiera tener sexo, ¿cómo funcionaría?

Jasmine está riendo.

—No lo sé. Conociéndote, probablemente hablaríamos de ello y luego haríamos una lista. O a lo mejor nos saltaríamos todo eso y me abalanzaría sobre tus huesos.

—¿Recuerdas mi primer día en la oficina? Le dijiste a Marcelo que se mantuviera alejado de Martha porque podría abalanzarse sobre mis huesos.

—¿Lo hizo?

—Jasmine, se me ha ocurrido otra pregunta.

—Oh, no.

—Si Jasmine y Jonah estuvieran acampando juntos, ¿dormirían el uno al lado del otro?

—Hum. Creo que sé adónde quieres llegar. Supongo que debería responder que no. No, no dormiríamos así. —Alarga el brazo y me golpea el pecho.

—Entonces, ¿por qué con Marcelo sí?

—No lo sé. ¿Siempre haces tantas preguntas? Porque me parece lo natural, eso es todo. —Se sienta.

—Puede que Jasmine no vea a Marcelo como un hombre.

—No, no es por eso. En absoluto.

Abre su saco de dormir y se mete. La conversación ha terminado. Vuelve a salir, rueda sobre un costado y me mira. La conversación no ha terminado. Tiene algo más que decir.

—Me alegro de que hayas venido. Quería que conocieras este lugar. —Parece que le cuesta hablar.

—Querías que Marcelo meditara sobre el memorando y las consecuencias de hacer algo con él.

—No solo eso. Quería que te llevaras una imagen de este lugar en tu mente porque necesitas saber que existe. La gente cree que este lugar es ideal. Llevar una vida sencilla en contacto con la tierra y todo eso. Pero no lo es. Hay gente mala y hay alcohólicos y hay facturas médicas que pagar y un montón de gente depresiva. Pero algunos nos sentimos bien aquí, pese a todo eso. Es una vida más sencilla que la del bufete. Más silenciosa, supongo. En cualquier caso, quería que lo vieras. Siempre serás bienvenido aquí. Puedes venir y quedarte unos días o… o todo el tiempo que quieras. A Amos le caes bien, lo noto. Y para mí no eres demasiada molestia. —Me mira durante una fracción de segundo y cierra los ojos.

Me quedo escuchando cómo se duerme, experimentando la sensación de no estar solo.

25

E stoy sentado en el parque que hay delante del bufete, reproduciendo en mi mente las escenas de nuestra excursión.
De tanto en tanto me descubro riendo en alto. Cuando nuestra familia salía de excursión, al final del día nos preguntábamos
entre nosotros qué era lo que más nos había gustado. «Marcelo,
¿y tú qué dices? ¿Qué es lo que más te ha gustado?» Siempre
nos hacíamos esa pregunta.

De modo que aquí estoy, visionando todo lo que sucedió
sin dejarme un solo detalle. «Marcelo, ¿qué fue lo que más te
gustó?», me pregunto a mí mismo. «Es tan difícil elegir. ¿Tengo
que hacerlo?» Contesta otra parte de mí. «Sí, tienes que hacerlo.» Detengo el diálogo porque sé, sin asomo de duda, que lo
que más me gustó fue estar al lado de Jasmine bajo un millón de
estrellas.

En eso estoy pensando cuando, como por arte de magia,
Wendell aparece sentado a mi lado. Saca un cigarrillo, lo enciende e inhala profundamente.

—Fumar te hace daño —le digo.

—Lo sé —responde. Da unas caladas más antes de apagar el
cigarrillo—. ¿Cómo va con Jasmine? —me pregunta.

Siento que el corazón se me acelera. Ha llegado el momento de decírselo. No será agradable. Respiro hondo y, esforzán-
dome por mirarle a la cara, digo:

—No voy a pedirle a Jasmine que vaya contigo en el barco.

—Lo he dicho. Por fin. Miro a Wendell y le veo hacer una mueca.

—Caray, menuda sorpresa. Aunque en realidad te estaba preguntando cómo iban las cosas entre tú y Jasmine.

—Entre Jasmine y yo no hay lo que imaginas. Somos amigos. Como tú y yo lo éramos antes.

—Psss. —Wendell imita el ruido del aire saliendo de un neumático—. Tengo entendido que fuiste con ella de acampada. ¿Cómo fue? ¿Te la tiraste?

—He de volver al trabajo —digo, levantándome.

—Siéntate. —La voz de Wendell es grave. Luego, más suave, añade—: Quiero regalarte algo.

Miro las manos de Wendell pero están vacías.

—Una verdad.

Vuelvo a sentarme. Estoy confuso. Espero a que Wendell empiece a hablar pero está absorto mirando una paloma que se está acercando a una patata frita que tiene al lado del pie. Aparta el pie para despejarle el camino. Cuando la paloma está cerca de la patata, Wendell le propina una patada y la paloma sale catapultada por los aires. Aturdida, da unos pasos tambaleantes y finalmente huye volando. Miro a Wendell con estupefacción. Es la primera vez que veo a alguien maltratar a un animal.

Wendell endereza la espalda y se vuelve hacia mí.

—¿Eres lo bastante valiente para afrontar la verdad, toda la verdad y nada más que la verdad?

—Sí —digo, nervioso.

—¿Recuerdas la conversación que tuvimos en el club? Ya sabes, cuando te conté lo del vínculo entre tu padre y mi padre.

—Sí.

—¿Y que hablamos de ese equilibrio de poder que existe entre nuestras familias?

—Sí.

—Te dije que era muy fácil alterar ese equilibrio. Solo hacía falta que uno de los socios cometiera un error para que el otro socio adquiriera más poder.

—Eso dijiste.

—Pues yo creo que lo que ha ocurrido aquí es que el equilibrio de poder se ha alterado. Que tú lo has alterado. Si ese equilibrio existía era únicamente porque yo decidí ser tu amigo. ¿Y qué haces tú? Te tomé por un tarado inocentón cuando en realidad durante todo este tiempo has querido a Jasmine. No puedo creerlo. No puedo creer que Jasmine prefiera…

Recuerdo la conversación que tuve con mi padre durante nuestro primer viaje en tren al trabajo. «Quería demostrar a todo el mundo que mi hijo era…»

—No es cierto que durante todo este tiempo haya querido a Jasmine. —Oigo mis palabras pero no suenan convincentes.

—Quiero darte esto. —Me tiende un folio doblado—. No, no lo abras aún, aunque confieso que me encantaría verte la cara mientras lo lees. Como parte de mi trabajo en el caso Vidromek tuve que revisar algunos archivos que los abogados guardaban en sus despachos. Encontré esto en uno de los archivos personales de tu padre junto con otras cosas. Cuando lo vi me dije: «¿Qué debería hacer con esto? Si se lo enseño a mi padre, el equilibrio de poder podría romperse». Entonces llegaste tú y pensé: «No quiero hacer daño al muchacho, es demasiado ingenuo». Pero creo que ha llegado el momento. Tú has roto el vínculo, de modo que estás preparado para conocer la verdad. Haz con ella lo que quieras.

Wendell se marcha. Despliego el folio y reconozco la letra de Jasmine.

Apreciado señor Sandoval:

Sé que quiere que le llame Arturo pero en esta carta prefiero llamarle señor Sandoval. No sé qué me pasó el viernes pasado en la fiesta de Navidad. No debí beber esos margaritas. Nunca tomo bebidas fuertes. Cuando se acercó para pedirme que me reuniera con usted en su despacho porque tenía un regalo para mí, debí decirle que no. «Gracias, pero probablemente no sea una buena idea.» Me gustaría decir que creía sinceramente que tenía un regalo para mí, pero lo cierto es que sabía lo que iba a ocurrir y, a pesar de todo, fui. Una parte de mí tenía miedo de decirle no a mi jefe, aunque la verdad es que decir no a la gente no es un problema para mí.

Ignoro por qué sucedió. Me digo que me sentía sola y necesitaba sentir a alguien cerca. Mi hermano murió hace unos meses. Echo de menos mi casa. Pero todo eso son excusas. Nunca debió ocurrir. Estuvo mal. Creo que no está bien que siga trabajando aquí, de modo que, si no tiene inconveniente, me gustaría quedarme el tiempo justo hasta encontrar otro empleo. De lo contrario, le ruego interprete esto como un preaviso de dos semanas.

JASMINE

Leo la carta una segunda vez. Y una tercera. Después vuelvo a leerla hasta que su significado finalmente se abre paso en mi resistencia a creer. Busco en cada frase lo que tiene que decir de mi padre y… de Jasmine. Lo veo preguntándole si puede subir para recoger su regalo. Lo veo atrayéndola de la misma forma engañosa que Wendell quería atraerla hasta su barco. Ahora están en el despacho. ¿Qué ocurrió? Arturo y Jasmine realizaron el acto sexual en el despacho. ¿No es esa la única interpretación posible? ¿Qué otra interpretación puede haber? Veo a Arturo utilizando a Jasmine. ¿O acaso la amaba? Pero ¿cómo puedes amar y mentir, aprovecharte de alguien que ha bebido o se siente solo? ¿Cómo puede amarla cuando ha prometido amar a Aurora?

Estoy de pie. Ignoro cuándo me he levantado o si he estado hablando en voz alta. Mi primer impulso es llevar a Jerry el memorando de Vidromek. «Toma, Jerry. Mi padre se merece lo que pueda ocurrirle.» Pero vuelvo a sentarme. Pese a la rabia y la decepción que siento, una parte de mí quiere esperar. Cuando regresé de la acampada tenía claras mis razones para entregar el memorando a Jerry. Si le doy el memorando ahora sería por venganza. No quiero actuar por venganza. No me parece bien.

Luego está esta otra emoción que siento. No puedo ponerle un nombre. Tiene que ver con Jasmine. «Decir no a la gente no es un problema para mí.» Me duele saber que no dijo no. Me duele pensar que quizá sentía amor por Arturo, pese al alcohol y pese a la soledad. Me duele pensar que todavía pueda sentir amor por él. ¿Es eso lo que uno siente cuando tiene celos? Recuerdo la noche que pasé tumbado junto a Jasmine, escuchando su respiración mientras se dormía, las primeras mariposas de mi vida danzando en mi estómago, y el recuerdo me llena de tristeza, como si todo lo que sentí entonces fuera hacia otra persona, alguien a quien he inventado. La verdadera Jasmine es la que no pudo decir no a mi padre.

26

Qué está ocurriendo en esa cabeza tuya? —me pregunta Aurora camino del templo Emanuel.

—¿Por qué?

—No sé. No has abierto la boca desde que llegaste ayer del trabajo y no quisiste bajar a cenar. A las cuatro estabas levantado paseando a Namu y hoy te negaste a ir a trabajar. Prácticamente tuve que sacarte a rastras de esa cabaña para que vinieras a ver a Hesch. Sé que el problema no es la excursión porque regresaste de ella contento. ¿Ocurrió algo con tu padre ayer, en el trabajo? ¿Por qué estás tan callado?

—Marcelo siempre está callado.

—Sí, pero este silencio es diferente. Me recuerdas a…

—Joseph, poco antes de morir —termino por ella.

—¿Cómo lo sabes?

—Lo sé.

—No creo que el silencio de Joseph fuera un silencio malo.

—Estaba esperando.

—¿Esperando qué?

—La música.

Viajamos sin hablar unos minutos.

—¿Hay algo que quieras contarme? —pregunta Aurora.

«La MI se ha ido. Ya no volverá. Fue un producto temporal de mi cerebro, como mi interés especial. Me siento totalmente perdido. No tengo ni idea de qué hacer con respecto a Ixtel, a mi padre, a Jasmine.» Como no puedo contarle nada de eso, digo:

—Aurora está actuando demasiado como una madre.

—Hace un siglo que no ves a Hesch. Necesitas pasar tiempo con alguien que esté en tu misma onda.

—Aurora está en mi onda —digo.

—No, yo no comparto tus intereses religiosos. Además, necesitas hablar de ellos.

—La religión de Aurora es como el rocío de la mañana. Nadie sabe de dónde ha salido. Simplemente está ahí.

—Tonterías. Yo no soy religiosa, ni rocío ni nada. ¿No me digas que el bufete te ha vuelto poeta?

—Es de la Biblia.

—¿Libro y versículo?

—¿Qué?

—¿Dónde sale en la Biblia lo del rocío?

—No lo recuerdo.

—¿Estás olvidando las referencias de la Biblia? Sabía que algo te pasaba. No imaginas cómo me alegro de haber insistido en que hables con Hesch. No sé por qué te resistías. Siempre te ha gustado ir a verla.

Es cierto, me digo. Hablar con la rabina era una de mis actividades favoritas. Pero ahora me da miedo.

Aurora me deja en el aparcamiento del templo Emanuel. Estoy subiendo los escalones de la entrada de atrás cuando oigo la voz de la rabina.

—¡Estoy aquí!

La veo al final del aparcamiento con una bolsa de basura verde en la mano. Me acerco con el libro de Abraham Joshua Heschel que me prestó.

—Mira esto —dice cuando estoy lo bastante cerca para oír su tono de voz normal. Sostiene en alto una lata de Bud Light para que la vea—. La poli me ha dicho que los chicos vuelven aquí por la noche para beber y montárselo. ¿Puedes creerlo? ¡En el aparcamiento de un templo nada menos! ¿Es que ya no queda nada sagrado? —Con sus enormes gafas de sol de color verde fosforito parece una de las ranas del Amazonas que Yolanda crió durante un tiempo en su terrario. Esboza una gran sonrisa—. ¿Cómo le va a mi joven *mensch*?

—Te he traído el libro. —Se lo tiendo. Diviso una lata de cerveza semienterrada entre las hojas y me inclino para recogerla.

—Gracias. —Coge el libro y lo deja sobre una de las dos sillas de jardín destartaladas. Luego coge la lata con sus dedos protegidos por un guante de goma amarillo—. No pueden ser nuestros chicos. Ningún chico temeroso de Dios bebería esto. Si encuentro una botella de vodka, entonces me preocuparé. —Cierra la bolsa y señala las sillas de jardín—. Sentémonos aquí fuera. ¡Hace un día precioso!

Estamos a mediados de agosto. Las hojas de los robles están maduras y verdes. La rabina Heschel espera a que me siente y gira su silla para no estar directamente de cara a mí. Luego respira hondo y cruza las manos sobre el regazo.

Recuerdo algunos encuentros con la rabina donde hola y adiós era cuanto decíamos. Esa era una de las cosas que me gustaban de la rabina, que no tenía que pensar en algo que decir cuando estaba con ella. Ahora el silencio me incomoda.

No sé cuánto tiempo pasa antes de que hable.

—¿Cómo va el recuerdo?

Es una pregunta que no quiero contestar. Decido responder con otra pregunta.

—¿Cree Aurora en Dios?

—¿Se lo has preguntado?

—Una vez —contesto—. Me respondió con otra pregunta, como le gusta hacer a la rabina. Dijo: «¿Qué importa si creo o no?».

—¿Y qué crees que quería decir con eso? —pregunta.

—Dime qué crees tú.

Suspira. Noto que sus manos aprietan los brazos de la silla.

—Aurora cree en Dios a su manera. —Habla tan bajito que casi no puedo oírla.

—Yo sé por qué a Aurora no le gusta hablar de religión.

—¿Por qué?

—En el St. Elizabeth había una niña que murió porque sus padres se negaron a que le hicieran una transfusión de sangre. Su religión se lo prohibía.

—Lo recuerdo.

—Aurora estaba muy enfadada.

—Y triste.

—Los padres de la niña creían que estaban cumpliendo un mandato de Dios.

—Eso les decía su religión, sí.

—¿Estaban los padres equivocados? Sé que Aurora cree que lo estaban. ¿Qué piensa la rabina?

La rabina Heschel se quita las gafas de sol y las cuelga del brazo de la silla.

—Creo que nosotros, y me refiero a todos, cada uno de los que estamos metidos en la religión, hemos liado tremendamente las cosas.

—No es posible saber lo que Dios quiere que hagamos.

—Digamos que por el hecho de ser humanos existe un elemento de incertidumbre a la hora de interpretar Su voluntad.

—Hay gente que mata a otra gente y cree que Dios le pidió que lo hiciera.

—Es cierto.

Los dos levantamos la vista hacia el doble silbido de un petirrojo: fiii-fiiu, fiiii-fiiu, fiii-fiiu. Puedo ver cómo su torso ocre se llena de aire antes de cantar.

—Ya no recuerdo —le digo. Me hace bien soltarlo.

La rabina Heschel no se inmuta, como si fuera normal dejar súbitamente de rezar o recordar. Deja pasar un rato antes de hablar.

—Al día siguiente de que muriera Lucy, la niña cuyos padres le negaron la transfusión de sangre, Aurora se levantó por la mañana y fue a trabajar. Había hecho lo imposible por conseguir que el hospital rebatiera la decisión de los padres. Al final un juez dio la razón al hospital, pero ya era demasiado tarde.

—Sí.

La rabina Heschel suelta una carcajada breve, triste. Entonces dice:

—¿Crees que a Dios le importa lo más mínimo que Aurora crea en Él? Aurora no necesita creer en Dios o acordarse de Él para hacer su trabajo. Ella cree en sus propias acciones, y eso está bien.

—Dios está con ella como el rocío de la mañana.

—Que pensemos en Él no es lo que Él quiere. Él quiere acciones. Pero eso no significa que Aurora crea que ese es el único camino para todos. Yo soy su mejor amiga y mi cabeza no cesa de hablar con Dios, día y noche. Creo que el Señor, el Bienaventurado, nos ayuda a conocer Su voluntad a través de las palabras de sus hombres y mujeres santos y a través de los acontecimientos de la historia, porque Él sabe que necesitamos toda la ayuda que podamos recibir. Y es necesario que nos recuerden las palabras sagradas y los acontecimientos pasados porque somos olvidadizos por naturaleza. Eso forma parte de mi tradición. Y Aurora te trae aquí para hablar de los asuntos de Dios conmigo, aunque creo que en realidad lo hace para asegurarse de que yo no pierda la humildad, que es lo que hacen los buenos amigos.

—¿Sabes en qué lugar de la Biblia se dice que Dios llega a nosotros como el rocío de la mañana?

—En ningún lugar dice la Biblia que el Señor llega a nosotros como el rocío de la mañana —dice con absoluta certeza—. En algún lugar dice algo de que el «favor» del Señor llega a nosotros como el rocío de la mañana.

—No logro recordar dónde.

—Es una frase de un poema de uno de tus místicos. La buena y vieja Metchild. Deberías saberlo, fuiste tú quien me la dio a conocer.

—El amor de Dios desciende sobre nosotros como el rocío sobre una flor. —Las palabras me vienen de repente—. Pero Metchild solo estaba repitiendo una imagen hallada en la Biblia hebrea.

—Amor, favor, Dios, sea lo que sea es una imagen hermosa. No me extraña que la creara alguien de los nuestros. —Agita rápidamente las cejas, gesto que pretende imitar a Groucho Marx, uno de los cómicos favoritos de la rabina.

—La Biblia ya no me interesa —digo.

—¿Y los demás libros sagrados?

—Tampoco.

—¿Por qué?

Lo medito antes de contestar.

—Johnny es un chico de Paterson. Él y yo ingresamos en Paterson al mismo tiempo. El interés especial de Johnny es el béisbol. Está obsesionado con todos los datos y estadísticas relacionados con el béisbol. «¿En qué partido consiguió Babe Ruth su *home run* número cuatrocientos y quién era el pitcher?», te preguntaba Johnny. Siempre pensé que era un interés especial estúpido. ¿De qué le sirve saber eso?

—Y piensas que leer la Biblia y los demás libros sagrados es como el interés especial de Johnny.

—Es exactamente lo mismo. Él puede decirte cuándo consiguió Babe Ruth un *home run* y yo puedo hablarte de Ruth la moabita.

—Lo lamento, pero en eso discrepo. Yo creo que tú lees la Biblia y Johnny estudia libros sobre béisbol por razones muy diferentes. Tú no te limitas a memorizar, tú indagas, escuchas, respondes. La historia de Ruth la moabita te enseñó algo sobre cómo vivir. La Biblia está viva para ti de una forma que las estadísticas de béisbol no lo están para Johnny. La Biblia y tus libros sagrados son recordatorios de lo que quieres recordar. Es así como solías rezar, ¿no? Memorizabas las palabras de tus libros sagrados y luego las recordabas, y al hacer eso la realidad y los misterios que escondían esas palabras cobraban vida.

—Johnny también recuerda. Nunca es tan feliz como cuando recuerda su béisbol. Es lo mismo.

La oigo suspirar de nuevo. El petirrojo está ahora en medio del aparcamiento, brincando de aquí para allá.

—Algo ha ocurrido en el bufete.

—Sí.

—Descubriste algo sobre el mundo en el que vivimos, un dilema que tira de ti en diferentes direcciones.

Asiento con la cabeza.

—No sabes qué hacer. Has perdido los puntos de referencia en los que solías apoyarte.

Asiento con la cabeza.

La rabina Heschel estira las piernas, levanta la cara y cierra los ojos al sol.

—¿Te he contado alguna vez cómo me hice rabina?

—No.

—A mi cerebro hebreo le costó mucho tomar la decisión. —Me giro a tiempo de verla sonreír—. ¿Fue la llamada del Señor o fueron mis ganas de fastidiar a los hombres, incluidos los de mi familia, que creían que los asuntos del Señor no eran cosas de mujeres? Mi padre quería que fuera nada menos que abogada.

Intento imaginar a la rabina Heschel con sus gafas verde fosforito sentada detrás de la impecable mesa de cristal de Stephen Holmes. La imagen me hace reír.

—¿Qué? ¿No crees que podría ser una buena abogada?

—No. El cerebro de la rabina es demasiado potente.

—Eso mismo pensé yo. Podría ser abogada, pero entonces el extenso prado de mi cerebro permanecería en barbecho. Menudo desperdicio, ¿no te parece? Tenía que encontrar un trabajo que sacara provecho de mi abrumadora capacidad intelectual.

—Levanta la bolsa de basura y agita las latas de cerveza vacías.

Sonrío.

Prosigue.

—Creo que tu cerebro es como el mío. Al principio no estaba segura de que ingresar en el seminario fuera lo que Dios quería de mí. «Genial», solía quejarme, «te apareces a Moisés como un arbusto en llamas y a mí te me apareces como una hemorroide en llamas». Supe que ingresar en el seminario era lo que el Señor quería de mí únicamente después, cuando el fuego no cesó pero por lo menos se hizo soportable.

—Fuego. —Sé exactamente de qué está hablando.

—El amor de Dios desciende sobre algunos como el rocío sobre una flor, pero a veces caminamos por nuestra cómoda vida y de pronto, bum, Dios desciende sobre nosotros como un chorro de gasolina... y luego prende una cerilla. ¿Por qué tengo la impresión de que te has pasado todos estos años sumergido en gasolina y Él acaba de prenderte fuego?

«Ixtel fue la cerilla», me digo.

Aguarda mi respuesta. Al rato, dice:

—Descubrí lo que Dios quería que hiciera porque la urgencia de hacerlo se hizo demasiado intensa y dolorosa para ignorarla. Terminé ingresando en el seminario únicamente para poder dormir.

—La urgencia.

—Qué gran palabra, ¿eh? Suena como cuando se te atasca un trozo de pescado relleno en la garganta e intentas expulsarlo tosiendo y carraspeando. Uurrgh, uurrgh. —Imita a una persona atragantándose.

—«Urgir» y «urgente» están relacionados con urgencia —digo.

—Y también «reg-*urgi*-tar».

—La urgencia que la rabina sentía... siente... todavía siente... es un anhelo, «como el venado anhela arroyos caudalosos».

La expresión de la rabina Heschel se suaviza. Desvía la mirada y se concentra en el trabajo regular de un pájaro carpintero.

—Necesitaba oír eso —dice sin mirarme.

Se endereza y pega la espalda al respaldo de la silla.

—Pero nuestro anhelo por Él, el gran anhelo, el que va con A mayúscula, a veces se confunde con cientos de pequeños anhelos, algunos buenos, otros no. Para la mayoría de nosotros el gran anhelo permanece enterrado bajo una montaña de estupidez y egoísmo.

Pienso en Jasmine, Arturo, Oak Ridge High.

La rabina continúa.

—Él te está empujando a hacer algo que puede ser doloroso, ¿verdad?

Muevo afirmativamente la cabeza.

—No sé qué haría si pensara que Dios me está pidiendo que haga algo de consecuencias dolorosas, algo que exigiese coraje y sacrificio. No quiero decir que no lo haga, pero me asusta. Acciones que exigen coraje es todo lo que Dios pide estos días. Sé que necesita que yo haga algo más radical, como hacían los profetas, para despertar a la gente de su cómodo aletargamiento. No me importaría predicar desnuda como Hosea, pero mírame bien. ¿Crees que alguien se dignaría a mirarme? «¡Despertad, despertad!», les diría dando saltos como Dios me trajo al mundo. «Estáis preocupados por elevar la categoría de vuestro Mercedes o por si este o aquel se sienta más cerca del Tabernáculo, y entretanto Dios se muere por vuestra ayuda. ¡Es urgente! Os lo está rogando. Las urgencias que sentís son para que llevéis a cabo su obra. Estáis confundiendo las señales. Creéis que Él os está pidiendo que triunféis en eso que ambicionáis, cuando en realidad eso no es lo que quiere de vosotros.»

De pronto calla y hace un esfuerzo por calmarse. Prosigue en un tono más contenido, más íntimo.

—Si te dijera que Dios nos habla a través de nuestras urgencias siempre y cuando estas sean seguras y beneficiosas y completamente civilizadas y no hagan daño a nadie, ¿qué estaría diciendo? Si te dijera que anhelar está bien siempre y cuando no se sobrepasen los límites de lo que nuestro mundo considera normal, estaría negando toda mi tradición. Por favor, mi gente descubrió urgencias divinas. Y no eran urgencias ñoñas. Eran urgencias que llevaban a desgarrar taparrabos, casarse con rameras, sacrificar, sucumbir y abandonarse. No sin peleas y discusiones, lo reconozco, pero al fin y al cabo urgencias de la peor clase, de esa clase que lo exigía todo.

Entonces abre los ojos y veo que las pupilas se le oscurecen.

—¿Creo que la gente que deja morir a sus hijos o se vuela por los aires en nombre de Dios está equivocada? Sí, lo creo. Empiezan por buen camino y luego se desvían. Empiezan siendo santos y acaban siendo diablos. ¿Es el deseo de hacer justicia la misma clase de fuego interno que hace que la gente niegue una transfusión de sangre a un hijo moribundo o se vuele por los aires o busque venganza? ¿Qué puedo responder a eso? Debo decir que, fundamentalmente, lo es. Es la misma savia que mana del suelo, sube por las raíces y trepa por el tronco hasta alcanzar las ramas. Y en ese momento elige. Si la savia sube por una rama, es buena y da fruto. Un fruto bueno, hermoso, nutritivo. Y si sube por otra, es mala y no da fruto salvo, quizá, un higo seco e inservible. Pero la savia, la savia es la misma, solo los frutos son diferentes.

Noto que me observa como si intentara leerme el pensamiento.

—Tienes que asegurarte de que tu fuego, el fuego en el que estás, suba por la rama adecuada. Y eso solo depende de ti.

—El fuego duele.

—Lo sé. Es imposible eludirlo.

—Y hay rabia y venganza en el fuego. El fuego quiere hacer daño a quienes engañan y a quienes causan sufrimiento.

—Sí. Pero el Señor nos impulsa siempre hacia la vida y el perdón. Y lo que mana de Él es como esas granadas jugosas que vi en Israel; por fuera son feas, pero por dentro están llenas de luminosos rubíes, dulces y bellos, que sacian y satisfacen. Como esas palabras aparentemente simples pero increíblemente ricas de Miqueas: «¿Qué te pide el Señor salvo que hagas justicia, ames la bondad y camines humildemente con tu Dios?».

¿Cómo es posible ser bondadoso con Arturo después de su engaño, de su propia falta de bondad? ¿Y Jasmine? Me digo que no tengo nada que perdonarle, y sin embargo el sentimiento de que me ha herido está ahí. Parece que se resista a perdonar.

Pero puedo conseguir que se haga justicia con Ixtel.

El coche de Aurora entra en el aparcamiento. La rabina Heschel me pone una mano en el brazo.

—Marcelo, antes de irte deja que, para variar, desempeñe mi papel de rabina y te diga esto: tratar de averiguar cuál es la voluntad de Dios es un asunto complicado. Complicado y doloroso, y desde luego nunca evidente. Pero en lo más hondo de nuestras confusiones y deseos encontrados intuimos lo que está bien y lo que está mal. ¿Qué otra cosa podemos hacer salvo confiar en esa intuición? ¿Qué otra cosa podemos hacer salvo confiar en que Él sea la fuente de lo que sentimos y esperar que Él esté al final de lo que queremos hacer? Confía en tu intuición de que estás viajando en la dirección correcta porque, a la hora de la verdad, eso y la capacidad de distinguir un higo seco de una granada es todo lo que tienes.

Los dos estamos mirando a Aurora. Baja del coche, nos saluda con el brazo, da unos pasos y se detiene. Está intentando liberarse de las hebras de un chicle que se le ha pegado en la suela blanca del zapato.

—¿Y si cumplir la voluntad de Dios hace daño a la gente que queremos?

—¡Buf! —La rabina respira hondo y en su rostro veo una expresión de fortaleza, como si debajo de su aspecto manso hubiera alguien capaz de inspirar miedo en caso necesario—. Mírame. —La miro—. Confía en Él. Él sabrá qué uso darle al daño que resulte de cumplir Su voluntad. ¿Hay algo más que quieras decirme?

—No —digo.

—¿Cómo sabrás qué hacer?

—La rabina me ha ayudado y…

—¿Y?

Recuerdo mi conversación con Jasmine en la cafetería.

—La nota correcta suena bien y la nota equivocada suena mal.

—¡Ja! —exclama—. Escucha esto. —Abre el libro de Abraham Joshua Heschel, pasa algunas páginas y lee—: «Nuestro esfuerzo es un contrapunto en la música de Su voluntad».

—¿Y si no oímos la música? —pregunto.

—Eso es la fe. Seguir la música cuando no la oímos.

Me da un apretón en el brazo y sonríe. Luego asiente en dirección a Aurora para indicarle que hemos terminado.

27

El segundo viaje a la oficina de Jerry García es más fácil que el primero. Ahora sé dónde están el este y el oeste. Es temprano pero ya hay gente esperándole. Encuentro una silla y me siento. No le he contado a nadie del bufete adónde iba. Ayer no fui a trabajar. Supondrán que hoy tampoco.

Cuando abre la puerta para dejar salir a una mujer, Jerry García me ve. Le dice algo en español a un hombre mayor y me invita a pasar.

—¿Quieres sentarte?

—No. —Me quito la mochila.

—Marcelo. —Me hace una seña para que deje de buscar en la mochila—. Has encontrado algo que ayudará a Ixtel.

—Sí.

—Y has meditado todas las consecuencias.

—Sí.

—Estás seguro de esto. No te estoy obligando a hacer nada. Esto es algo que tú has decidido hacer. Puedes salir ahora mismo de este despacho sin ningún problema ni resentimiento por mi parte. ¿Lo entiendes?

—Lo entiendo. —Le miro directamente a los ojos—. Encontré un memorando del jefe de control de calidad dirigido al presidente de Vidromek donde le dice que los parabrisas son defectuosos.

—Lo sé.

—¿Lo sabe?

—Sabía que en algún lugar tenía que haber un memorando con los resultados de las pruebas. Es un procedimiento habitual que el jefe de control de calidad envíe los resultados de las pruebas al presidente. Pero cuando otros bufetes pidieron el memorando, la respuesta fue que lo habían perdido.

—Lo tengo aquí.

—No me lo des. Quiero poder decir que nunca me entregaste nada. Solo dame una pista. Algo que les haga saber que sé que el memorando existe. Dijiste que es un memorando del jefe de control de calidad dirigido al presidente de Vidromek. ¿Qué fecha tiene?

Leo:

—21 de junio de 2005.

—Vale.

Guardo la nota en la mochila y me preparo para irme.

—¿Qué te ocurrirá a ti?

—Estudiaré mi último año en un colegio público. Se acabó Paterson para mí. Ya no volveré a adiestrar ponis.

—Será duro.

—Sí, pero lo superaré. ¿Qué le pasará a Arturo?

—¿Por qué? ¿Te gustaría que le pasara algo? ¿No estarás haciendo esto porque estás enfadado con él?

—No. Estoy seguro de que no lo estoy haciendo por eso.

—Tampoco es asunto mío. Puedes tener las razones que quieras. Oye, voy a intentar hacer esto de manera que tú y tu padre salgáis lo menos perjudicados posible, pero no puedo garantizarte nada. Dependerá de tu padre, de que quiera jugar o no. Si quiere jugar duro, entonces yo también. Pero debo decirte que me encantaría hacer papilla a Stephen Holmes y al capullo de su hijo. ¿Cómo se llama?

—Wendell. —Recuerdo la conversación telefónica que tuve con Yolanda en mi primer día de trabajo, hace siglos, me parece ahora.

—Menudos cabrones. Intentaré controlarme. Oye, se me acaba de ocurrir algo. Tengo que ir a ver a las Hermanas un día de esta semana para que me firmen unos documentos. ¿Te gustaría acompañarme?

—No lo sé.

—No serán más de dos horas. Te llamaré al bufete para ver si te lo puedes organizar. —Me ofrece su mano y la acepto.

Ya fuera del despacho de Jerry García, respiro hondo. Me asalta el recuerdo del Lago Oculto, sus aguas verdes, serenas y profundas.

28

Estoy recogiendo archivos del despacho de Wendell. Juliet quiere que les haga fotocopias. Llegué tarde, después del primer reparto del correo, y conseguí evitar a Jasmine.

Wendell entra y se detiene delante de mí. Tiene la cara encendida.

—¿Alguna vez has jodido a alguien, Gump?

No es asunto de Wendell, pero respondo de todos modos.

—No.

—Pues a nosotros nos has jodido hasta el fondo. Cuando digo nosotros me refiero a Sandoval & Holmes, y eso te incluye a ti.

No respondo.

—Ese tipo, Jerry García, telefoneó esta mañana a mi padre para decirle que quiere un documento del 21 de junio de 2005 enviado por el jefe de control de calidad al presidente de Vidromek. ¿Cómo pudo enterarse de que ese documento existe?

Me imagino a Jerry García y Stephen Holmes hablando por teléfono desde sus respectivos despachos, Stephen Holmes pensando que Jerry García no es alguien de quien deba preocuparse y luego, de repente, poniendo los cinco sentidos. Después me imagino a Jerry García es esas timbas de Derecho y todos pensando que es tonto hasta que muestra sus cartas. No respondo.

—Te diré cómo se ha enterado. —Saca una hoja del bolsillo trasero de su pantalón. La despliega delante de mí y enseguida reconozco el memorando de Vidromek—. Adivina dónde lo encontré. Cuando ese García llamó, enseguida pensé en ti. Solo tuve que mirar en tu mochila, y ahí estaba.

Caigo en la cuenta de que dejé la mochila en el despacho de Robert Steely, donde estaba trabajando.

—Mi mochila es privada.

—¿Quieres saber qué es privado? Este memorando es privado. ¿De dónde lo sacaste?

—Lo encontré entre las carpetas de Vidromek cuando me diste la primera tarea —miento. Pero disfruto al ver la cara de miedo que se le pone a Wendell. Piensa que él tiene la culpa de que el memorando terminara en esas carpetas. Aunque no sé qué debo sentir por Jasmine, me alegro de que Wendell no sospeche de ella.

—Ese Jerry García es un abogado de tres al cuarto. Mi padre se lo quitará de encima por una pequeña cantidad. Lo que nos preocupa es lo que pasará cuando los grandes bufetes se enteren de que hemos negociado con alguien. Se darán cuenta de que somos vulnerables y arremeterán contra nosotros sin miramientos.

—No estuvo bien ocultar el memorando.

—¿Qué demonios sabrás tú, eh? Mira esto. —Señala el segundo nombre que aparece en el memorando: «Lic. Jorge Baltazar»—. El «Lic» significa Licenciado, o sea, abogado. Por recomendación de mi padre, toda la correspondencia y los memorandos dirigidos al presidente de la compañía han de pasar por este tipo, seguramente un chaval que se pasa el día archivando documentos, pero abogado al fin y al cabo. Todos los memorandos dirigidos al presidente también han de estar dirigidos a él. ¿Y sabes por qué lo hizo?

Niego con la cabeza.

—Lo suponía. Por eso cuando alguien como tú recibe instrucciones para una tarea, se supone que debe seguirlas. El sistema con el abogado se creó para poder proteger los documentos mediante el principio de confidencialidad entre abogado y cliente. ¿Sabes qué quiere decir eso?

Vuelvo a negar con la cabeza.

—Cuando un documento está protegido por el principio de confidencialidad entre abogado y cliente, no existe la obligación de mostrarlo a la parte contraria cuando esta lo solicita. La ley permite tal cosa para que el abogado y su cliente puedan comunicarse libremente. Déjame ser más claro. Nosotros no estábamos obligados a entregar este memorando a Jerry García ni a ninguna otra persona. Las normas de procedimiento civil nos permitían retenerlo. Es posible que hubiera una copia entre las carpetas generales, pero yo tenía otra copia en una carpeta aparte con todos los documentos que no íbamos a entregar porque estaban protegidos por el principio de confidencialidad entre abogado y cliente.

Durante unos segundos pienso que a lo mejor he cometido un error al ir a ver a Jerry García. Me esfuerzo por asimilar lo que Wendell acaba de explicarme para poder responder.

—Has dicho… que el principio de confidencialidad sirve para proteger la comunicación entre un abogado y su cliente… pero… aquí no hubo comunicación… El abogado no comunicó nada. El memorando era del ingeniero para el presidente de la compañía. —Entonces veo una luz—. Stephen Holmes creó ese sistema para eludir la ley.

—Eres un tarado insensato —dice Wendell.

¿Es posible que este sea el Wendell al que quería como amigo? ¿Ha llevado todo eso dentro todo este tiempo? Puedo sentir su odio hacia mí. Me digo que Wendell tiene mucho que perder, tal vez más que yo. Puede que pierda el coche y el barco e incluso las mujeres.

—¿En qué mundo vives? Eres un idiota. Un imbécil.

Sonrío.

—¿Dónde está la gracia?

—Me hace gracia que en tu enfado me estás tratando como

tratarías a una persona normal. No me estás diciendo nada que no le dirías a alguien que fuera normal según tu definición.

Wendell se agarra la piel de la nuca y tira de ella.

—Joder, no sé ni por qué me preocupo. Solo me faltan tres semanas para liberarme de toda esta mierda. Tu padre quiere hablar contigo.

Me levanto.

—¿Pensaste en el vínculo cuando encontraste el memorando?

—Sí.

—¿Y así y todo se lo entregaste a Jerry García? ¿Por qué? ¿Por qué lo hiciste?

—Encontré la foto de la chica que tiene de abogado a Jerry García. Se llama Ixtel.

—La chica. —Me doy cuenta de que Wendell está recordando la foto de Ixtel y puede que incluso el momento en que la tiró a la basura. Por un instante creo que quiere estar de acuerdo conmigo en que lo que hice estuvo bien. Pero no es capaz—. En fin, lo hecho hecho está —dice con un suspiro—. Ahora tendrás que pagar el precio.

—Pagar el precio.

—El precio. Todos vamos a tener que pagar un precio por lo que has hecho. Todavía está por saber lo alto que será. Todo el bufete está esforzándose por conseguir que sea lo más bajo posible, pero habrá un precio. ¿Qué precio tendrás que pagar tú?, me pregunto. Está claro que no podrás ir a esa escuela para retrasados que tanto te gusta, pero… no sé, no me parece suficiente castigo comparado con lo que el resto de nosotros podríamos perder. Así que he pensado que quizá debería enviar a tu madre una copia de la nota de Jasmine. ¿Qué opinas tú?

Sé que está esperando que muestre miedo. Y el miedo está ahí. Temo el dolor de Aurora si ve la carta. Pero para mí es fácil ocultar mi miedo, así que me alejo sin ninguna expresión en mi cara.

Entro en el despacho de Arturo. Sigue mirando los papeles que tiene sobre la mesa mientras me detengo frente a él.

Después de lo que me parece una eternidad, levanta la vista.

—Acabo de hablar por teléfono con Jerry García —dice.

—Ya.

—Ha aceptado desaparecer.

Empiezo a abrir y cerrar las manos pero enseguida me freno.

—Naturalmente —Arturo está sentado muy recto en su butaca de cuero, con los ojos clavados en mí—, ahora quiere setenta y cinco mil dólares. Como él dice: «Todos tenemos que comer». ¿Te das cuenta de lo que has hecho? —La voz empieza a temblarle.

—Sí.

—Cuando García llamó a Stephen, no mencionó tu nombre. Simplemente pidió el memorando del 21 de junio de 2005. Fue Wendell quien dedujo que habías sido tú.

—Sabías que el memorando existía.

—Estoy al corriente de todo lo que ocurre en este bufete. Stephen y yo no tenemos secretos.

Oigo reproche en la voz de mi padre. Su hijo, a diferencia de Stephen Holmes, sí tiene secretos para él. Pero Arturo también los tiene. Contemplo el despacho y me imagino a Arturo y Jasmine la noche de la fiesta de Navidad y me pregunto dónde realizaron el acto sexual y cómo. Algo muy pesado desciende sobre mí y se apodera de toda la estancia. Me llevo la mano al bolsillo y toco la carta de Jasmine. Quiero sacarla y arrojársela a Arturo, pero me contengo.

—¿Tienes algo que decir? —me está preguntando.

—No —digo.

—Sé que piensas que hicimos mal al ocultar el memorando a García. Lo siento por la chica. Pero estábamos haciendo algo permitido por la ley. Estábamos representando a nuestro cliente con celo, empleando todos los argumentos razonables para defender su caso. Existe el argumento razonable de que un documento, una vez revisado por el abogado, queda bajo la protección del principio de confidencialidad entre abogado y cliente. Tenemos derecho a utilizar ese argumento en nombre de nuestro cliente. Y el memorando por sí solo no demuestra que exista responsabilidad. El ingeniero que lo escribió pudo equivocarse, o tal vez estaba enfadado con su jefe y quería desquitarse, o puede que los parabrisas no se estén instalando bien y los culpables sean las personas a cargo de la instalación y no Vidromek. Tú… tú… tú simplemente decidiste por tu cuenta lo que estaba bien y lo que estaba mal. ¿Quién demonios te dio autoridad para hacer eso? —Calla—. ¿Por qué no me lo consultaste?

—¿Qué hubiera hecho Arturo?

—Hablarlo contigo. Te hubiera dicho cómo funciona la ley. Puede que hubiera hecho una donación personal a ese lugar donde vive la chica. ¿No confiabas en mí?

No sé qué decir. ¿Por qué no fui a verle cuando encontré la foto de Ixtel? Porque tenía mis dudas.

—Si hubiera venido a verte, ¿le habrías dado a Jerry García lo que pedía?

—No, desde luego que no. Eso sería reconocer que Vidromek es responsable.

—Pero estabas dispuesto a darle al hombre del gimnasio lo que pedía. Le dijiste que convencerías a Vidromek de que pagara a cambio de una pequeña bonificación. ¿Qué diferencia hay entre él y García? ¿Qué diferencia hay entre sus clientes e Ixtel? ¿Es la pequeña bonificación lo que marca la diferencia?

Veo en su cara una expresión de sorpresa momentánea. Es como si mi padre hubiera descubierto de repente que tengo un cerebro.

—¡Maldita sea, Marcelo! El mundo no es blanco o negro. Hay reglas de las que no sabes nada, reglas que debo seguir para sobrevivir. Son las reglas del juego al que juego, ¡del sistema en el que vivo! El sistema que pone comida en tu mesa y te permite vivir en una maldita cabaña y estudiar en un colegio pri-

vado especial. —Alza la voz y se levanta, todo al mismo tiempo—. Esas son las reglas que debías seguir este verano. ¡Y no las
has seguido! Se te encomendó una tarea y no la has cumplido.
¿Eres consciente de lo que has hecho?

—Lo soy —digo—. Sabía lo que podía ocurrirnos a todos
nosotros. Marcelo no ha seguido las reglas del mundo real. Lo
sabe. El año que viene estudiará en Oak Ridge High. Lo sabe.
Lo sabe. Sabía que ocurriría antes de hablar con Jerry García.
Reflexionó sobre todo lo que podía ocurrir. Y a pesar de todo,
lo hizo. Y volvería a hacerlo.

Arturo guarda silencio. Veo que sus manos se abren y cierran
como hacen las mías cuando no puedo encontrar palabras para
lo que quiero decir. Espero y espero y al final dice:

—¿Sabes? Solo faltan unas semanas para que acabe el verano. ¿Qué tal si dejas el trabajo a finales de esta semana? Dedica
estos dos últimos días a terminar lo que tengas pendiente. Luego podrás dedicar lo que queda de verano a prepararte para Oak
Ridge, comprar los libros que necesitas, buscar ayuda para ponerte al día.

Se reclina en su butaca y baja la cabeza para mirar el documento que tiene delante.

Me giro y doy dos pasos hacia la puerta. Me detengo. Noto
la carta de Jasmine en el bolsillo de mi camisa. Recuerdo las palabras de la rabina Heschel. «Confía en Él. Él sabrá qué uso darle al daño que resulte para Sus propios fines.» Me doy la vuelta,
camino hasta la mesa y le tiendo la carta de Jasmine.

—¿Qué es? —pregunta antes de cogerla.

—Me la dio Wendell. Dijo que quería «regalarme una verdad». Creo que deberías tenerla tú.

La coge. Espero a que empiece a leer antes de irme.

29

Salimos de la carretera interestatal cuando vemos las indicaciones para Lawrence. A medida que nos adentramos en las calles van apareciendo más letreros en español en tiendas y restaurantes. El latido de la música latina inunda el aire. La piel de las personas es morena y negra. Nos detenemos frente a un edificio verde de tres plantas. Todas las ventanas están abiertas y en la planta de arriba diviso una cortina blanca ondeando hacia la calle como una bandera.

—Hemos llegado —dice Jerry—. Es ahí.

Bajamos del coche y caminamos hasta la puerta. De repente me asalta la timidez. ¿Qué voy a decirle a Ixtel? ¿Qué hago aquí? A través de la puerta mosquitera se oye llorar a alguien. Jerry García toca el timbre y momentos después se abre la puerta.

—¡Gerónimo! —exclama una voz de mujer—. Entra, entra.

Es una mujer grande, de pelo blanco y áspero, que enseguida me recuerda a una versión más oscura y voluminosa de la rabina Heschel.

—Y este de aquí debe de ser Marcelo.

—He traído algunas cosas —dice Jerry, regresando al coche.

—Os traeré limonada. —La mujer me coge de la mano y tira de mí hacia el interior. Antes de darme cuenta, me estrecha con fuerza contra su cuerpo grande y blando—. Te agradezco mucho lo que has hecho —le oigo decir—. Soy la hermana Juana. Te hablaré en mi mal inglés, ¿de acuerdo?

—Sí —alcanzo a decir. El abrazo me ha dejado sin respiración. La hermana Juana me conduce por el pasillo en la dirección del llanto.

—Entremos aquí —dice. Cruzamos la puerta que hay frente a la habitación de la que sale el llanto. La sala en la que entramos está llena de sillas metálicas plegables. Al fondo hay un televisor puesto a un lado y una mesa cubierta con un mantel blanco bordado con flores azules, naranjas, rosas y verdes. En el centro de la mesa hay un crucifijo y, junto a él, una vela en un vaso rojo—. Los domingos celebramos misa aquí.

—Usted es sacerdote —digo. Inmediatamente caigo en la cuenta de que no hay mujeres sacerdotes.

—No, no. ¡Dios mío, no! —Ríe—. El padre Antonio viene los domingos para decir misa. Toma asiento, por favor.

Justo cuando ella se sienta oímos el estruendo de un cristal rompiéndose. Se levanta y dice:

—Vuelvo enseguida. Te encenderé el ventilador. —Se acerca a un ventilador alto y oxidado que hay en un rincón y aprieta un botón. Espera a oír el traqueteo de las paletas y se marcha. Sus sandalias de plástico chasquean cuando anda.

Fuera, en el pasillo, oigo hablar a Jerry y la hermana Juana. Luego Jerry se apoya en el quicio para hablar conmigo.

—Vuelvo dentro de veinte minutos. La hermana acaba de darme una lista de recados. —Agita un trozo de papel y se va.

Llevo unos momentos solo cuando una chica entra, me ve y frena en seco. Parece una versión más pequeña de Ixtel, con la diferencia de que su cara está intacta. Lleva el pelo recogido en una coleta que le cae por un hombro.

—¡Caray, qué susto! —exclama.

—Hola —digo.

—Hablo inglés —responde.

—Oh. Me llamo Marcelo —digo.

—Yo, María —dice con una sonrisa. Ahora veo su gran parecido con Ixtel—. ¿Buscas a Ixtel?

—Sí —respondo.

—Está arriba. Voy a buscarla. —Entonces pregunta—: ¿Sabes reparar televisores? —Señala un televisor con una percha asomando por arriba.

—No.

—Es esa estúpida antena —continúa sin prestarme atención.

Oímos un grito de indignación que sale de la habitación de enfrente. María se mete los dedos en los oídos y hace una mueca.

—¿Es Ixtel tu hermana? —pregunto cuando los retira.

—Hermana, hermana, no. Ella es hermana de todas.

—¿Vives aquí? —Estoy nervioso y voy diciendo lo primero que me pasa por la cabeza.

Me mira.

—Haces preguntas muy raras. Voy a decirle a Ixtel que su novio está aquí.

Pienso que está bromeando. Sale de la habitación con paso ligero, como alguien que es feliz.

«Dentro de unos minutos veré a Ixtel», pienso. No puedo recordar nada de lo que he ensayado. Me acerco al crucifijo de madera y lo acaricio. El Cristo es de bronce y la cabeza no le cae sobre el pecho como es habitual.

—Vamos afuera, aquí hace calor. —La hermana Juana está en la puerta, secándose las manos en un delantal blanco.

Recorremos un pasillo iluminado por una única bombilla que cuelga del techo y cruzamos una puerta mosquitera, situada en la parte de atrás de la casa, que da a un jardín. Veo árboles pequeños cargados de peras y árboles más altos con flores de color rosa y azul lavanda. Todo el espacio, exceptuando los caminitos de piedra que lo cruzan vertical y horizontalmente, está cubierto de rosas de diferentes colores. La hermana Juana me lleva del brazo hasta una pequeña fuente situada en medio del jardín, donde hay un banco de piedra. Veo que las hojas de los árboles se mueven al mismo tiempo que una brisa me refresca la cara. El jardín está rodeado de edificios por todos sus lados y me pregunto cómo es posible que corra una brisa.

Nos sentamos en el banco. La hermana Juana inspira hondo, como si quisiera asegurarse de que el olor de las rosas llega hasta el fondo de sus pulmones. En el lado opuesto de la puerta de salida al jardín hay otra puerta. No entiendo del todo la naturaleza de este lugar que parece en parte una cárcel, en parte una iglesia. Quizá debiera preguntarlo, pero presiento que no es momento para hacer preguntas.

Después de otra inspiración profunda, la hermana Juana habla.

—Esta casa pertenecía en otros tiempos a una familia rica. Cuando la última hija falleció, nos la dejó. Es una casa grande. Ahora hay noches que tenemos hasta cuarenta chicas. Antes, cuando pertenecía a la familia rica, solo vivían cuatro personas: el padre, la madre y dos hijas. Y es posible que cinco criados. —Ríe—. Increíble.

—Cuarenta chicas —me digo en voz alta.

—Yo, Ixtel, la hermana Camila, la hermana Guadalupe y María, a quien acabas de conocer, somos permanentes. Hay tantas, tantas chicas ahí fuera, y solo tenemos esto. —Contempla las paredes, como si advirtiera por primera vez lo pequeña que es la casa. Continúa—. No obligamos a las chicas a venir, tienen que hacerlo voluntariamente. Algunas se quedan unos días y luego salen a buscar más droga, más abuso. Las hay, como Ixtel, que no tienen un hogar.

—¿Las chicas son felices aquí? —Ignoro por qué asoma esa pregunta en mi mente.

—¿Felices? —Lo dice como si fuera la primera vez que oye esa palabra—. Es un lugar donde pueden estar seguras durante un tiempo. Es cuanto podemos hacer.

Siento la presencia de Ixtel un segundo después de que la puerta mosquitera se abra.

—Ah, ahí está tu Ixtel —dice la hermana Juana. Se levanta trabajosamente.

Ixtel camina deprisa hacia mí, como si yo fuera alguien a quien no ha visto en mucho tiempo. Viste pantalón caqui y una blusa blanca de manga corta. Cuando se acerca, reconozco las delicadas facciones de un lado de su cara: las cejas, los ojos, la frente, todo como en la foto pero también diferente. Intento determinar qué es eso que hay de diferente en ella. Tiene el rostro más sereno. Los ojos que en la foto me atravesaban son ahora más dulces.

—Me voy —dice la hermana Juana cuando Ixtel se detiene delante de nosotros.

La vemos renquear hacia la puerta, deteniéndose una vez para recoger una rosa mustia. Cuando entra en la casa, Ixtel se sienta en el banco y aguarda. Siento un miedo repentino a haber perdido la capacidad de habla.

—Eres Marcelo —dice, recordándome quién soy.

—Marcelo —repito.

—No pasa nada, puedes mirarme. No me importa.

Al principio no sé por qué lo dice, hasta que caigo en la cuenta.

—Siempre me cuesta mirar a la gente a los ojos. No solo me pasa con Ixtel.

—En cualquier caso, ya me has visto antes. En la foto.

—Sí.

Hay una pausa. Tengo la impresión de que han pasado muchas cosas desde que vi la foto por primera vez.

—¿Te ha dicho Jerry que ya tengo día para la operación?

—No.

—¿No? Probablemente quería que te lo contara yo. Primero me harán la cirugía reconstructiva y luego, cuando cicatrice, la cirugía estética para que parezca una estrella de cine. —Sonríe con un lado de la cara. Se ha sentado a mi izquierda, de modo que veo su lado bueno cuando la miro.

—Ixtel ya es bella —digo. Esta vez me cuesta sostenerle la mirada.

—¿Alguna vez ha hecho alguien algo tan bueno por ti que te sientes mal porque no sabes cómo darle las gracias? Pronuncias la palabra «gracias», pero te parece insuficiente. Así me siento yo. Pero, de todos modos, lo diré. Gracias.

No sé qué decir. Si «gracias» no es suficiente, tampoco lo es «de nada», pero lo digo de todos modos.

—De nada.

Inspiro profundamente. El aroma de las rosas me recuerda a Abba. Criaba rosas en nuestro jardín trasero. Me inclino para mirar de cerca una rosa de un color que no he visto antes. No es de un solo color, sino de varios tonos blancos y rosados e incluso violeta en la orilla de los pétalos. Las gotas de rocío me recuerdan a Aurora.

—Las rosas están cubiertas de rocío. —Es lo único que se me ocurre decir.

—La hermana Juana es la experta en rosas. Las cruza y combina tratando de inventar nuevos colores. Intenta que le ayudemos, pero nadie quiere. Incluso con guantes acabamos llenas de arañazos.

—A mi abuela le gustaban las rosas. Las plantaba por todo el jardín. Una vez, cuando era pequeño, me preguntó si quería ver algo especial. Trajo una cosa de la cocina que parecía un cuentagotas gigante. No recuerdo cómo se llama ese utensilio.

—Es un gotero de cocina.

—¿Un gotero? No lo sabía.

—Confía en mí, sé mucho de goteros. Aquí cocinamos mucho.

—Abba, así llamábamos a mi abuela, llenó el gotero de agua y azúcar y me hizo sentar en medio de las rosas. Me dijo que si mantenía el gotero muy firme delante de mí, apretándolo lo justo para que se formara una gota en la punta, un colibrí se acercaría a beberla.

—¿Y ocurrió?

—Sí. Al cabo de un rato llegó un colibrí. Fue increíble verlo desde tan cerca. Movía las alas tan deprisa que parecía que estuvieran quietas.

—Es genial. Eras como ese san Francisco. —Señala una estatua de cemento de san Francisco oculta entre los rosales. Al pájaro de piedra que descansa sobre su hombro le falta la cabeza.

Tiene que haber una respuesta adecuada para esa observación, pero en lugar de eso pregunto:

—¿Eres feliz aquí?

Ixtel contempla las rosas y, a renglón seguido, los muros que rodean el jardín.

—Es un buen lugar. Al principio, cuando llegué, no me lo parecía. Después del accidente de coche estuve muy mal. Tenía catorce años y vivía en la calle. Incluso con esta cara podía venderme fácilmente. Tal vez les daba morbo la idea de hacerlo con un monstruo. Y me drogaba. Hay tantas maneras de hacerse daño si uno quiere. Finalmente, Servicios Sociales me trajo a este lugar. Lo odiaba.

—¿Cuánto hace que vives aquí?

—Cerca de un año. Pude irme al cumplir los dieciséis, pero me quedé. Mira esto. —Señala los muros que rodean el jardín—. Es como si te enviaran a rehabilitación y acabaras quedándote. Ahora siento que este es mi lugar. Debo de estar loca. Y las chicas que llegan aquí no tienen nada de angelitos, te lo aseguro. Están todas como yo cuando llegué. «Sácame de este maldito lugar, necesito un chute.»

—Pero ¿qué te hizo cambiar? ¿Qué ocurrió?

Los dos nos volvemos al mismo tiempo para mirarnos. Me doy cuenta de que se está preguntando por qué quiero saberlo. Quizá pueda ver que no lo pregunto por curiosidad o por hablar de algo. Lo he preguntado porque quiero encontrar lo que ella encontró.

—No sé, poco a poco lo que me estaba comiendo por dentro desapareció.

—Pero ¿cómo desapareció? ¿Qué hiciste?

—Supongo que al principio lamentaba mi suerte. No era compasión ni nada de eso. Entonces un día dejé de estar tan enfadada. «Eres una niña —me dije—. Tú no tienes la culpa de que tus padres murieran. Es lógico que te fastidiaras la vida. Es natural que estés enfadada por lo de tu cara y odies a todo el mundo. Solo eres una niña. Te perdono, niña, por todas las cosas malas que has hecho.» Eso es todo. Es alucinante, ¿verdad? Hacer que una parte de ti sea amable con la otra parte. La parte agradable de mi cara decía cosas amables a la parte fea, y con el tiempo la parte agradable y la parte fea dejaron de odiarse. Y dentro de mí se hizo la paz, como si las diferentes partes hubieran desaparecido y hubiera quedado un único yo. Después de eso me di cuenta de que las otras chicas eran como yo y empecé a hacer lo mismo con ellas. Veía sus partes feas, lo cual no era difícil, créeme, e intentaba ser amable con ellas.

Entonces lo comprendo. Me cuesta creer que sea la primera vez que tomo conciencia de esto, pero así es. «Todos tenemos partes feas.» Recuerdo el día que Jasmine me preguntó en la cafetería qué me estaba preguntando la chica. ¿Cómo podemos vivir con tanto sufrimiento? Cuando vemos nuestras partes feas somos capaces de perdonar, de amar la bondad, de caminar con humildad.

—Todos tenemos partes feas —digo para mí, olvidando por un momento que Ixtel está sentada a mi lado.

Suelta una risa breve que suena como una tos debido a la forma de su boca.

—Lo dices como si no lo hubieras sabido hasta ahora.

—Nunca lo he sabido como lo sé ahora.

—¿Tienes partes feas? —me pregunta, mirándome fijamente.

Siento lo que debe de ser vergüenza por tener que pensar tanto antes de encontrar una respuesta.

—¿No verme ninguna parte fea es una parte fea? ¿No querer perdonar las partes feas de otra persona es una parte fea de uno?

—Sí. No he entendido una palabra de lo que has dicho, pero sí.

Suelta de nuevo esa risa que suena a tos y me columpio hacia delante y hacia atrás, como hago cuando finalmente entiendo algo.

—¿Qué harás después de que te operen? —pregunto.

—Lo mismo que ahora. Perdí un año de instituto mientras estuve haciendo locuras. Necesito ponerme al día.

—¿Quieres ir a la universidad?

—Caray, falta mucho para eso. Tengo que asegurarme de que estoy limpia, terminar el instituto y ayudar a las Hermanas. Además, nunca he sido muy lista y las drogas no me han ayudado, eso seguro.

Oímos la voz de Jerry García a través de la puerta mosquitera y los dos nos levantamos al mismo tiempo.

—Me alegro de haberte conocido —digo. Me vuelvo hacia ella y le tiendo una mano, pero no la acepta.

—¿Te importa que te dé un beso? —pregunta.

Sin pensarlo, bajo la cabeza como hago con Aurora e Ixtel me da un beso en la frente.

—Es medio beso —dice—, pero es todo lo que tengo.

30

Aurora me recoge en la estación. No me pregunta por qué hoy vuelvo a casa antes de lo habitual. Sabe que me han despedido. Cree que mi silencio es tristeza por el hecho de que no iré a Paterson. Pero yo no llamaría tristeza a lo que siento. Es más bien determinación.

Cuando llegamos a casa y apaga el coche, me pregunta si quiero hablar de ello.

—En este momento no —digo.

—Me gustaría oír de tus labios qué ocurrió.

—Arturo tiene razón. Es mejor para mí ir a Oak Ridge High. —Noto que sus ojos me estudian—. No tiene importancia —digo—. Tal vez pueda trabajar con los ponis los fines de semana.

—¿No estás disgustado?

—No.

—Podemos hablarlo con tu padre.

—Oak Ridge High será mejor. No me gustará tanto como Paterson, pero será mejor.

—¿A qué se debe el cambio?

—Aurora tenía razón cuando dijo que trabajar en el bufete me ayudaría a ser más fuerte. ¿Recuerdas? Dulce y fuerte como Aurora. Oak Ridge también me ayudará.

—¿A qué?

—Aurora ya lo sabe. Eso no ha cambiado.

Me doy cuenta de que Aurora quiere hacerme más preguntas, pero abro la puerta del coche y abrazo a Namu, que ha venido a recibirme. Esa es una señal para Aurora de que quiero estar solo. Me acaricia la coronilla y entra en casa. Namu y yo vamos a dar un paseo y cuando volvemos, hay una nota de Aurora debajo de la cabaña del árbol.

> La cena está sobre la cocina. Si en algún momento quieres hablar, aquí estoy.
> Te quiero,
>
> MAMÁ

Desde la ventana de la cabaña puedo verla trajinar en la cocina, puede que haciéndome el almuerzo para mi último día de trabajo. La miro y noto un desgarro, como si mi corazón fuera una esponja llena de amor que están estrujando. Mañana por la mañana se levantará y se pondrá ese estúpido uniforme con las caras sonrientes y se marchará a reconfortar en la medida de lo posible a sus niños moribundos.

¿A qué se debe el cambio? Medité su pregunta mientras Namu y yo paseábamos por las pistas de caballos que hay detrás de casa y sigo meditándola ahora, sentado frente a mi mesa. Pese a todo el dolor que he visto en Paterson, no puede compararse con el dolor que la gente se causa mutuamente en el mundo real. Lo único que puedo pensar ahora es que no está bien que yo no sea consciente de ese dolor, incluido el dolor que yo causo a otros. No obstante, ¿cómo se puede vivir sin ser ni insensible a él ni sentirse abrumado por él?

Veo que la luz de la cocina se apaga e imagino a Aurora subiendo las escaleras. Me digo que puede que un día de estos regrese a mi cuarto en la casa. Nunca se me ocurrió que Aurora pudiera sentirse sola, pero ¿por qué no iba sentirse sola? ¿Qué representa para ella tener un hijo que está contento viviendo solo, sin la más mínima necesidad o deseo de comunicarse, una hija viviendo lejos y un marido que está siempre trabajando? ¿Qué pasará si Wendell envía una copia de la carta de Jasmine a Aurora? No lo sé. Será algo que tendremos que resolver juntos.

Confiar, con-fiar, tener confianza. Si la carta llega, ¿contribuirá a que Arturo y Aurora sigan confiando el uno en el otro si yo tengo confianza? Padre, ¿son tus partes feas más feas que las mías?

Hay tanto que hacer. Planes. Preparativos. Oak Ridge High será duro. Por bueno que fuera Paterson, sé que en algunas asignaturas íbamos rezagados en comparación con los colegios públicos. Los estudiantes de los colegios públicos estudian para pasar exámenes oficiales. Nosotros estudiábamos lo que era preciso aprender. Tendré que aprender la forma en que ellos aprenden y eso significará trabajar el doble que un estudiante corriente. Significará relacionarme con chicos con quienes tengo muy poco en común. Pero puedo hacerlo. Lo haré. Ir a Oak Ridge High me ayudará.

«¿Ayudarme a qué?», preguntó Aurora. Desaproveché la oportunidad de decirle que me ayudará a ser como ella. Que su manera de ser fuerte y dulce en nombre de los niños también será mi manera. Parece un camino muy largo. Otro año de instituto, luego estudiar para sacarme el título de enfermería y luego trabajar haciendo lo que pueda por aliviar el dolor en el mundo. Pero ¿dónde? Tiene que haber un lugar que sienta como mi lugar.

Pienso en Vermont. Allí las estrellas parecían más próximas a la tierra. Voy a mi mesa y enciendo mi portátil. Tengo información que buscar.

31

Lo primero que veo cuando entro en el despacho de Robert Steely es un sobre con mi nombre. Reconozco la letra. Es de Arturo. Me siento y lo sostengo en las manos. Una parte de mí no quiere abrirlo. Quiero pasar el día con la misma determinación que sentía ayer. Dejo el sobre. Vuelvo a cogerlo y lo abro con un abrecartas que encuentro en el cajón superior de la mesa. Leo:

Marcelo:

Creo que es necesario responder a la nota que me diste ayer. En primer lugar, no malinterpretes esta carta. Sigo pensando que entregar el memorando de Vidromek a Jerry García fue un desacierto. Estoy tratando la nota de Jasmine como un tema por separado.

Existen ciertos límites que hay que respetar entre un empleador y una empleada, entre un hombre mayor y una mujer joven, entre un hombre y una mujer que se halla bajo los efectos del alcohol, entre un hombre casado y otra mujer. Hace un año, en la fiesta de Navidad, yo traspasé esos límites. Ojalá pudiera decirte que reconocí el error en cuanto sucedió, pero lo cierto es que siempre vi lo sucedido esa noche como una falta menor. Hasta ayer, cuando leí la nota de Jasmine como tú la leerías, no tomé conciencia del alcance de mi falta de juicio.

Espero que comprendas la naturaleza y la razón de esta carta.

Tu PADRE

Todavía tengo la carta en las manos cuando oigo a Jasmine decir:

—He oído que te han despedido.

Está en la puerta del despacho con los brazos cruzados.

Doblo la carta de Arturo.

—Me han despedido —repito.

—¿Ibas a decírmelo o pensabas marcharte sin decir nada? Si no hubiera ido a ver a tu padre para que firmara un talón, no me habría enterado. ¿Por qué no me lo dijiste? ¿Y dónde te has metido estos días? Desde que volvimos de Vermont apenas te he visto. —En ningún momento se me ha pasado por la cabeza que estaría disgustada, pero lo está.

—¿Qué te dijo mi padre?

—Me contó lo que hiciste. Esa es otra. ¿Por qué no me contaste lo que pensabas hacer?

—Porque podrías habérselo contado a mi padre.

—¿En serio? ¿Has olvidado quién te dio el memorando?

No sé por qué he dicho eso. No sé cómo hablar con Jasmine.

—Entonces, ¿irás a Oak Ridge High?

—Faltan tres semanas. Utilizaré ese tiempo para preparar el curso.

—¿Estarás bien?

Me encojo de hombros. Eso significa «Sobreviviré». Entonces pregunto:

—¿Está disgustado Arturo?

Jasmine levanta las cejas, como queriendo decir; «No te haces idea».

—Están todos buscando desesperadamente la manera de rescatar el litigio de Vidromek del desastre. Me gusta ver a Holmesy caminando de un lado a otro como si tuviera retortijones y no hubiera un lavabo cerca. Creo que tu padre está disfrutando del hecho de que su hijo sea el responsable de la tortura de Holmesy.

—Puede que el bufete cierre y todo el mundo se quede en la calle.

—No. Encontrarán una solución. De repente han caído en la cuenta de que la mejor estrategia es hacer que Vidromek invierta dinero en fabricar parabrisas más seguros.

—Tengo los CD que me dejaste —digo. Puedo oír un atisbo de frialdad en mi voz.

Veo a Jasmine ladear la cabeza, tratando de discernir si algo va mal. Así que se lo digo.

—Sé lo que pasó entre mi padre y tú… en la fiesta de Navidad. Wendell encontró tu nota en los archivos de mi padre. Me la dio. Me dijo que quería regalarme la verdad.

—Dios —dice. Coge una silla, se hunde en ella y apoya las manos en sendos lados de la silla, como si pudiera caer en cualquier momento. Durante el breve segundo que le miro a la cara, la veo palidecer. Comprendo de inmediato que mis palabras la han herido—. ¿Hay algo en particular que quieras saber sobre ese asunto? —Su tono es reservado. El calor que introdujo al principio en el despacho se ha esfumado.

Anoche decidí no hablar del tema, no mencionárselo. Decidí que yo no era quién para juzgarla. ¿Cómo ha podido flaquear así mi determinación? ¿Qué otras cosas hierven ahí abajo, inadvertidamente?

—Mi padre… —empiezo a decir, pero no tengo ni idea de cómo terminar la frase.

—Es un hombre —dice Jasmine—. Me contrató, trabajábamos juntos. Me encandiló y supongo que él lo notó. Los hombres como tu padre lo notan. Entonces llegó la fiesta de Navidad. Yo llevaba en Boston solo un par de meses. Bebí algunas copas, tu padre se me acercó y me dijo que tenía un pequeño regalo para mí, que estaba en su despacho. Yo sabía que no debía ir. Me dijo cosas halagadoras que me hicieron sentir menos sola. Nos besamos. Al día siguiente le escribí esa nota. Parece que esté intentando justificarme, pero no es así. Sé que no te debo una explicación, pero eso fue lo que ocurrió.

—Os besasteis.

—Cuando me di cuenta de lo que ocurría, de lo que estaba a punto de ocurrir, huí.

—¿Os besasteis? ¿Huiste? ¿Te obligó a besarle?

—En realidad no. ¿Te obligan cuando una parte de ti quiere y la otra no? Podría haberlo evitado. No debí permitir que ocurriera.

—Pero tenías mi edad.

—Tenía dieciocho años. Los suficientes para consentir.

—Mi padre hizo mal.

—Los dos hicimos mal. Él lo sabe y yo lo sé. Nunca más hemos vuelto a sacar el tema. Después de recibir la nota vino a verme y me pidió que me quedara. Acepté pero con la condición de que el tema quedara olvidado, como si nunca hubiera ocurrido, y que nuestra relación fuera siempre estrictamente profesional. Aceptó y ha mantenido su promesa. Eso es todo.

—Te acabo de hacer daño —digo.

—Sí —responde—. No sé por qué, pero me lo has hecho. Lo que me duele no es tanto que lo hayas mencionado como el hecho de que lo sepas. Pero es mejor saber la verdad. —No parece muy convencida.

—¿Le amas? —Me doy cuenta de que eso es lo que realmente quiero saber, la verdadera razón de que soltara lo que solté.

—No, claro que no. Lo que hice fue una insensatez. Una locura pasajera. Fue un enamoramiento de adolescente. Lo bueno de los enamoramientos es que luego te das cuenta de lo tonta que fuiste.

—Mi madre nunca se enteró —digo.

—Dudo mucho que tu padre se lo contara. Lo hubiera visto en su cara cuando pasé a recogerte. —Se tapa un momento la cara con las dos manos—. Si pudiera volver a la fiesta de Navidad, al punto en que tu padre y yo estábamos conversando junto al bar y él me propuso ir a su despacho, diría: «Gracias, pero no». —Se levanta—. En fin, creo que volveré a mi sala de mensajería e intentaré sobrevivir a este día.

—¿Es Belinda mejor trabajadora que Marcelo? —pregunto.

—Sí —responde de inmediato—. Más rápida, por lo menos.

—Eso está bien. En el mundo real es mejor ser rápido.

—En el mundo real —dice.

Se hace el silencio y pienso: «No quiero despedirme». Jasmine también se detiene. ¿Significa eso que tampoco quiere despedirse? ¿Está esperando que yo hable primero? Cuando se da la vuelta para marcharse, digo:

—Ayer vi a Ixtel. Jerry García me llevó.

Vacila un instante antes de hablar.

—¿Cómo está?

—Ya tiene día para la cirugía reconstructiva. Después le harán la cirugía estética para que parezca una estrella de cine, dice.

—Es una chica muy bonita.

Espera a que yo responda. Hablo muy deprisa por miedo a que se vaya.

—Vive con las Hermanas de la Caridad. Hablamos de cómo había encontrado su lugar. Me acordé de cuando me dijiste que tu casa de Vermont es tu lugar.

—¿Puedo? —señala una silla.

—Sí. —Jasmine no imagina lo feliz que me hace verla sentarse.

—Estaba pensando en aquel día que me preguntaste cómo podemos vivir con tanto sufrimiento. ¿Lo recuerdas?

—Lo recuerdo.

—He pensado mucho en ello. No tengo una respuesta. Pero tu pregunta me hizo pensar en el proceso de componer una pieza de música. Comienzo con un sentimiento y ese sentimiento me lleva a encontrar unas notas y un tiempo que encajan con ese sentimiento, y luego me extiendo y respondo a las primeras notas. Después de mucho tiempo y trabajo acabo teniendo algo que ya no puedo seguir desarrollando. Pues bien, cuando llego a ese punto me siento terriblemente frustrada, porque el producto final nunca refleja totalmente el sentimiento con el que empecé y, desde luego, nunca es todo lo bello que desearía que fuera. Al final tengo que aceptar que eso es cuanto puedo hacer. No soy Keith Jarret y nunca lo seré. Soy Jasmine. Así que libero la pieza de música con la esperanza de que haga sentir a alguien lo que yo he sentido. —Suelta una risa corta, nerviosa, y antes de que yo pueda responder, añade—: Te estarás preguntando qué tiene que ver todo eso con Ixtel.

—No. Vermont es tu lugar.

Asiente con la cabeza.

—Tú hiciste que me preguntara si mi casa-«guión»-estudio no era más que un lugar donde poder esconderme. Pensé mucho en ello después de que me hicieras esa pregunta y empezaras a buscar la manera de ayudar a Ixtel. Me di cuenta de que si iba a vivir en Vermont, tenía que ser en un lugar donde pudiera desarrollar mi interés especial, como tú lo llamas. —Guarda silencio y respira hondo.

—¿Hablabas en serio cuando dijiste que podía ir a Vermont cuando quisiera?

—¿Te parezco la clase de persona capaz de decir algo así sin hablar en serio?

—Eso es lo que quiero hacer cuando me gradúe en Oak Ridge. Puedo ayudar a Amos con el trabajo de la granja. Namu también podría venir.

—¿Me ves a mí también en esa foto o solo estáis tú, Amos y Namu?

Sonrío.

—También te veo a ti.

—Amos te hará trabajar como una mula.

—Puedo hacerlo. —Entonces la miro—. Estás llorando —digo, sorprendido.

Jasmine sigue hablando sin tener en cuenta mi observación.

—Has visto tantas cosas este verano… Cosas buenas y cosas malas. Es lógico que quieras dejar a un lado las malas.

—No. —Sé lo que va a decirme.

—Déjame terminar. Lo que quiero decir es que no hay lugares donde esconderse.

—No es por eso por lo que quiero ir a Vermont. Hay una universidad a sesenta kilómetros de tu casa donde se puede estudiar enfermería con varias especializaciones. La fisioterapia es una de ellas. Una vez que me saque el título de enfermero podría comprar algunos ponis haflinger y proporcionar hipoterapia a chicos autistas y discapacitados. Amos podría ayudarme a criar y cuidar los caballos. No es un trabajo de tiempo completo, así que también seré enfermero como Aurora y trabajaré con niños. Vermont será el lugar donde podré desarrollar mis intereses especiales. —Entonces recuerdo la cita de Abraham Joshua Heschel que la rabina Heschel me leyó—. Vermont será el lugar donde Marcelo tocará su contrapunto —digo.

—¿Tocar su contrapunto? —Jasmine coge su estuche de compactos, se levanta y mira al cielo, como pidiendo ayuda a Dios.

—Dios te ayudará —le digo, tratando de ser gracioso. Me levanto también.

Jasmine no ríe, como esperaba que hiciera. Se detiene y dice con seriedad:

—¿Te has informado de todo, de la universidad, de los estudios de enfermería, del título de fisioterapeuta? ¿Lo has meditado bien?

—Sí.

—¿Cuándo?

—Anoche.

—¿Todo anoche? —Pone cara de asombro. No sé si eso significa que cree que esta clase de decisiones requieren más tiempo o que le gusta el hecho de que me haya informado sobre el modo de estar cerca de ella.

—No. Sí. No solo anoche, también antes. Anoche fue cuando pensé por primera vez en Vermont. Pero lo de los ponis, los chicos y la enfermería ya hacía tiempo que lo tenía pensado.

—Decido que desea que continúe, que le gusta oírme hablar de mis planes—. La carrera de enfermería dura cinco años. Mi idea es trabajar con los niños del centro médico donde llevaste a Amos. No tendré que esperar a terminar la carrera para eso, puedo empezar enseguida como voluntario. Y en cuanto a los ponis, este año trabajaré los fines de semana en Paterson para obtener experiencia. Luego, en Vermont, empezaré con un poni y con el tiempo iré adquiriendo otros, hasta que necesitemos una pista interior para el invierno. He hecho una lista. ¿Quieres verla?

—Hum. —Veo que una felicidad inequívoca le ilumina el rostro. Cuando vuelve a hablar, dice esto—: En Vermont siempre serás bienvenido, independientemente de las razones por las que vengas. Pero si quieres que Vermont sea tu hogar, has de estar seguro de que vienes por las razones correctas.

—Tiene que ser la nota correcta —digo.

—Sí. En toda la pieza.

—¿Cómo sé que la nota que sigue es la correcta?

—La nota correcta suena bien —dice, riendo.

Entonces me mira de una forma nueva. Es una mirada seria y tierna que no he visto antes, y deseo descansar mis ojos en ella todo el tiempo posible. Entonces se acerca y me besa dulcemente en la mejilla.

Y cuando se va, oigo o recuerdo, no sé cuál de las dos cosas, la más hermosa de las melodías.

Nota del autor

Treinta y cuatro años atrás, durante mi tercer año en Spring Hill College de Mobile, Alabama, conseguí un trabajo los fines de semana en el Departamento de Salud Mental. De viernes noche a domingo noche vivía en un centro de reinserción social para «disminuidos psíquicos» (el término utilizado entonces) mientras el personal fijo descansaba. Durante el último curso me trasladé de forma permanente a un centro nuevo que formaba parte de L'Arche, una comunidad religiosa donde personas con problemas de desarrollo y personas «normales» convivían y aprendían unas de otras con las mínimas barreras posibles entre ellos. En aquellos tiempos, el autismo como diagnóstico estaba reservado a las personas que se encontraban en el extremo de bajo funcionamiento del espectro, e incluso entonces las más de las veces se les diagnosticaba una enfermedad mental conocida en lugar de autismo. No obstante, mirando atrás sé que algunos de los jóvenes con quienes conviví estaban dentro del espectro autista, incluido el síndrome de Asperger. Este libro es un humilde reconocimiento a las capacidades de esos jóvenes y, en particular, a la capacidad de amar.

Quiero dedicar este libro a mi sobrino Nicholas, que sé que un día lo leerá orgulloso de su capacidad para superar los aspectos negativos del autismo. Quiero dar las gracias a Ann y Jack Syverson por su apoyo; a Faye Bender, mi agente, por su fe inquebrantable a lo largo de los muchos años que tardé en dar forma a este libro; y a Cheryl Klein, mi editora, por su deslumbradora visión, su firme orientación y su entrega en el trabajo. Es una cocreadora. Y, por último, gracias a mi esposa, Jill Syverson-Stork, por su perspicacia, su paciencia y su fe contagiosa.